VIONNET

副読本

文化服装学院　ヴィオネ研究グループ　編

はじめに

　ファッション史上に偉大な足跡を残した作家、マドレーヌ・ヴィオネ（Madeleine Vionnet）の作品を解説したベティ・カーク（Betty Kirke）著による『VIONNET』（求龍堂刊）が1991年末に出版されました。この本はヴィオネの生涯と、12000点以上といわれる作品の中でも骨格となる38点の作品解説、パターン図版、立体化の順序が解説されたものでした。

　この本を手に入れたとき、ヴィオネの画期的な裁断法に刺激を受けた私たちは、実寸大に再現したい気持ちに駆られ、グループでこの研究に取り組むことになりました。

　しかし、現代ではヴィオネの作品と同じ素材の入手は不可能で、本の解説だけを手がかりとしての再現であったため、パターンを立体化し、ヴィオネの服の構造を解明することに重点を置くことにしました。電卓を片手に拡大率を推測しながら取り組んだ結果が美しいシルエットとなって再現できた瞬間、なるほどと納得することが多く、少しずつ、ヴィオネの服作りの謎が解けていきました。お互いに担当した作品の情報を交換し合うことで、ヴィオネの意とするところがわかり、次の再現への意欲につながっていきました。そして、ヴィオネの服作りの技法は、実際に形にするというプロセスを経なくては理解できないということ、また、服の構造（デザイン線）が体の解剖学的な動きとの関連で考えられており、布の性質（布目の動きやドレープ性）を計算に入れた裁断法（幾何学的な形状）と相まって美しいシルエットや動きを表現していることもわかってきました。

　再現を重ねていくうちにヴィオネの服の一つ一つは、パターンの形状や布の扱い方において、デザイン展開の可能性が高いことに気づき、デザイン発想のトレーニングの教材として役立つのではないかと考え、カリキュラムに取り入れてみました。

　フラットパターンを縫い合わせて立体化し、その技法を習得させることによって、デザイン発想の幅が広がり、学生たちに大変効果があることを確信しました。

　そこで、教育の現場において経験の浅い学生にヴィオネの服の立体化を学習させるには、実寸大の寸法や縫合の図解などがあればより深く理解させられるのではないかと考え、再現することで得られた結果を「研究の手引」としてまとめることにしました。

　2001年5月、文化学園ギャラリーにおいて再現した作品を「マドレーヌ・ヴィオネ研究展」として公開し、服飾系学校関係者、企業関係者から関心を持って見ていただき、予想以上の反響がありました。この研究展で服作りを学ぶ若い人たちやそれに携わる人たちに、ヴィオネという偉大な作家の業績の一部を伝えることができたことに、私たちは一つのことをなしとげたという喜びを感じることができました。

　この研究展で再現した作品の実寸大図版や縫合の解説を併せて展示したところ、解説書の要望が多くありました。そういう方々の意向に応えることができればと『VIONNET』の編者である東海晴美氏にお願いして、2002年4月に著者であるベティ・カーク氏の承諾を得、この副読本を出版する運びとなりました。副読本の主旨をご理解いただいたベティ・カーク氏と東海晴美氏に、研究グループ一同感謝申し上げます。

　そしてこの副読本が、『VIONNET』を解読し、ヴィオネの発想を学ぶ人たちのお役に立てばと願っています。

2002年9月
文化服装学院
ヴィオネ研究グループ

目　次　　VIONNET（副読本）

　　はじめに・・・・・・・・・・・・・3
　　副読本について・・・・・・・・・・6

PATTERN　1（長方形の展開）・・・・・・・・・・・7

PATTERN　2（長方形の展開）・・・・・・・・・・13

PATTERN　3（長方形の展開）・・・・・・・・・・21

PATTERN　4（長方形の展開）・・・・・・・・・・26

PATTERN　5（長方形の展開）・・・・・・・・・・32

PATTERN　6（長方形の展開）・・・・・・・・・・37

PATTERN　7（長方形の展開）・・・・・・・・・・40

PATTERN　8（長方形の展開）・・・・・・・・・・43

PATTERN　9（長方形の展開）・・・・・・・・・・48

PATTERN 10（四分円の展開）・・・・・・・・・・56

PATTERN 11（四分円の展開）・・・・・・・・・・60

PATTERN 12（四分円の展開）・・・・・・・・・・64

PATTERN 13（四分円の展開）・・・・・・・・・・68

PATTERN 14（四分円の展開）・・・・・・・・・・75

PATTERN 15（四分円の展開）・・・・・・・・・・80

PATTERN 16（四分円の展開） ・・・・・・・・・・・・・ 86

PATTERN 17（四分円の展開） ・・・・・・・・・・・・・ 91

PATTERN 18（四分円の展開） ・・・・・・・・・・・・・ 96

PATTERN 19（三角形の展開） ・・・・・・・・・・・・・ 101

PATTERN 20（三角形の展開） ・・・・・・・・・・・・・ 105

PATTERN 21（三角形の展開） ・・・・・・・・・・・・・ 110

PATTERN 22（三角形の展開） ・・・・・・・・・・・・・ 117

PATTERN 23（三角形の展開） ・・・・・・・・・・・・・ 123

PATTERN 24（三角形の展開） ・・・・・・・・・・・・・ 128

PATTERN 25（三角形の展開） ・・・・・・・・・・・・・ 133

PATTERN 26（四分円の展開） ・・・・・・・・・・・・・ 138

PATTERN 27（三角形の展開） ・・・・・・・・・・・・・ 143

PATTERN 28（三角形の展開） ・・・・・・・・・・・・・ 149

メビウスの環 ・・・・・・・・・・・・・・・・・・・・・ 154

副読本について

この本はベティ・カーク著『VIONNET』の図版をもとにドレス類28点を実寸大に再現した結果を解説してあります。ヴィオネの服の構造をパターンから立体化して、さらに深く学びたい方のための副読本です。
掲載してある写真は実寸大に再現したもので、素材、縫製方法などはオリジナルとは異なります。

〈副読本の使い方〉

☆実寸大パターンについて

実寸大のパターンは次の方法で作製した。

1) 図版をトワルで縫い合わせられる大きさに拡大コピーして服の構造をまず確認する。
2) 各部位にラインを入れた $9AR\frac{1}{2}$ サイズのボディを用意する。
3) 図版をそのままの寸法でコピーし、パターン上で拡大率の基準となる部位を探す。ウエストマークのはっきりしているものは背丈を基準に、袖丈で目安のつけやすいものは袖丈、基準となる部位のないものはドレス丈という方法で $9AR\frac{1}{2}$ の寸法になる倍率を割り出す。

次にコピーしたパターンを囲み製図にし、各部の寸法を計算し、$9AR\frac{1}{2}$ サイズのパターンを作製する。トワルで組み立て、$\frac{1}{2}$ ボディで2回めの確認をし、そのうえで実寸大にしてサイズモデルに試着させて作製した。

出来上りの寸法は9ARサイズに近い寸法を目安にしてあるが、ゆとり分量などは服によって一定ではない。

☆パターンの図版について

1) パターンの図版は実寸大パターンを10cm方眼の上に置き、それを縮小してある。
2) バイアス使いのパターンが多いため、素材の違いによる寸法の差が出てくることがある。
3) 複雑な形の図版は部分的に拡大してあるものもあり、直線部分が長い場合は寸法を記入してある。
4) オリジナルの図版のはぎ目は用いる布幅によって異なるため、この図版では省略してある。
5) 実寸大の再現をする場合は、立体化して布の性質に合わせた修正の必要がある。

☆縫合について

1) 縫合についての解説は、立体化してその構造を理解することに重点を置いている。
2) 立体化する順序は幾通りもの方法が考えられるため、オリジナルとは異なると思われる。
3) オリジナルは、縫合、布端の始末は細く、薄く精巧に作られているとのこと。ここでは一般的な方法で解説した。
4) バイアス部分の縫合は、布の伸縮に対応できるように、細かいジグザグ縫いにした。
5) オリジナルでは、着脱のためのあきはデザインに組み込まれ、スナップ、ホックがわずかに用いられ、布の伸縮を生かし、あきは最小限にとどめてあるとのこと（現物を未確認のため詳細は不明）。
6) 再現した作品の中には、マヌカンに着せる必要上、オリジナルにないあきを作ったものがある。

PATTERN 1　長方形の展開 (1918〜19年)

　長方形を基本として裁断した布を重ね合わせて筒状にし、ボディに斜めに着せつけることで、バイアス使いの効果を出している。バイアス地がボディラインに自然にそって、重ね合わせた布端が花びらのように揺れ動き、装飾的な役割を果たしている。

　ベルト通し穴は重ねられた布の陰に目立たないように作ってあり、衿もとのドレープは肩のタックのとり方でいろいろに表情を変えることができる。
　フリーサイズのドレスである。

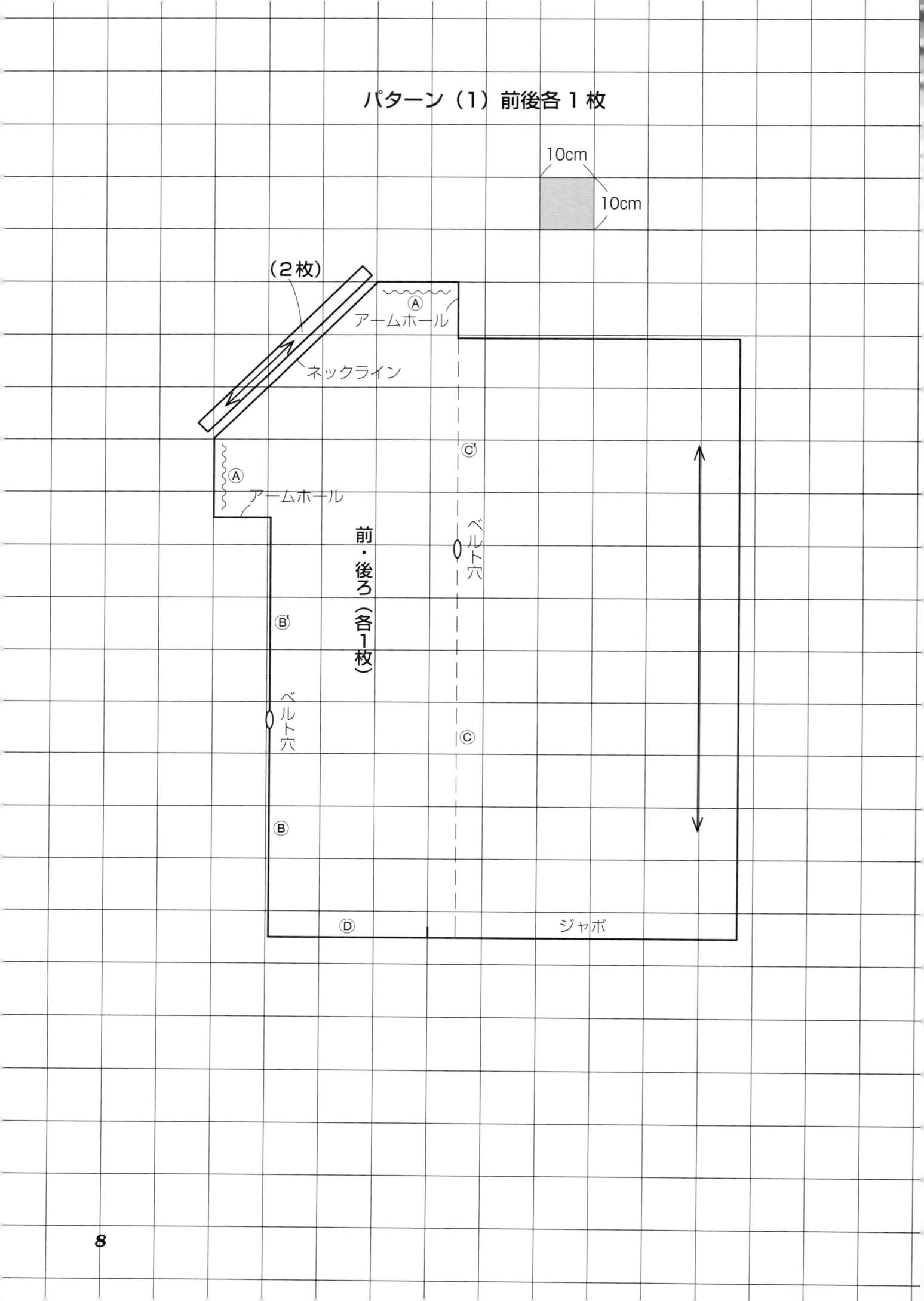

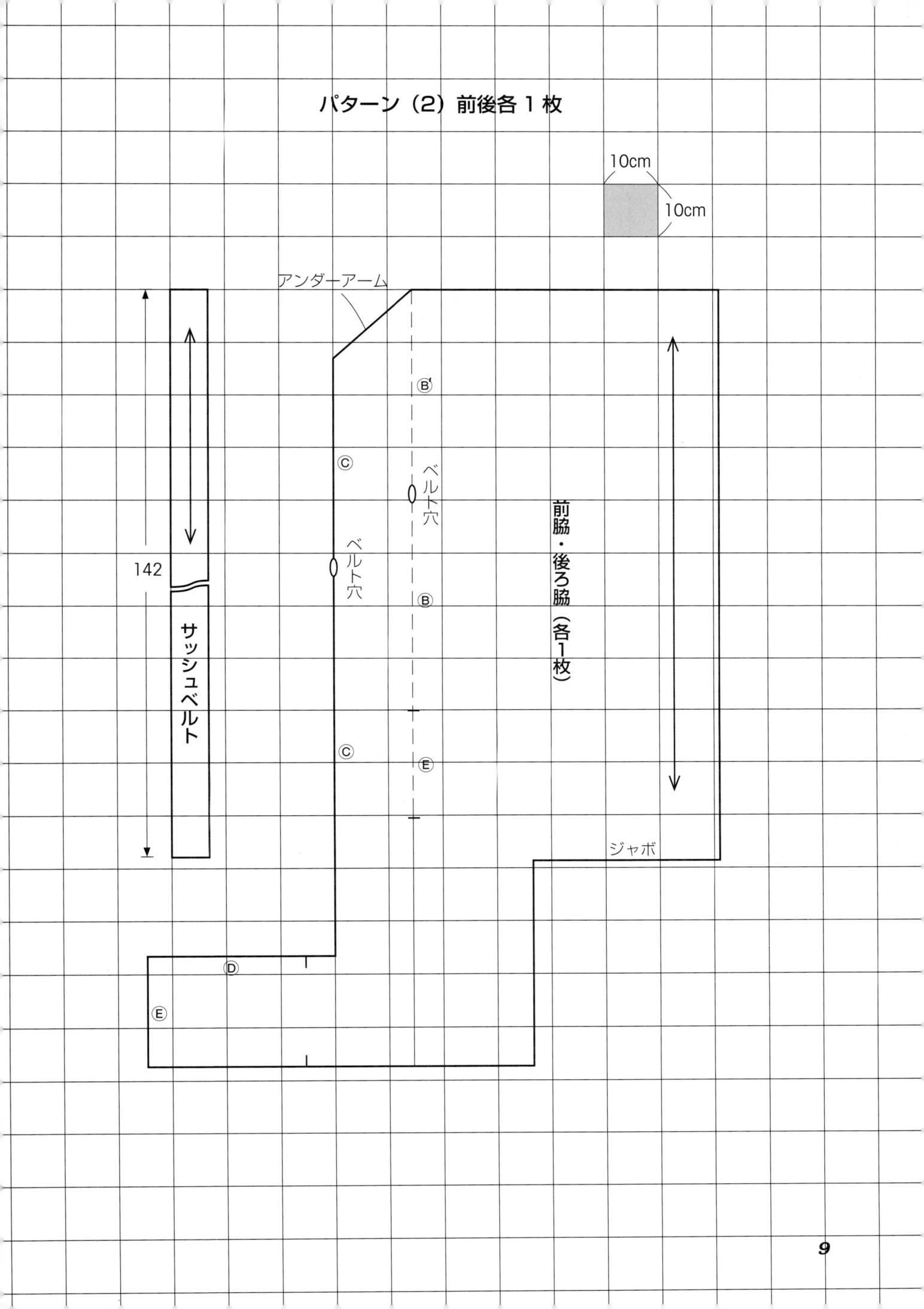

パターンの形状

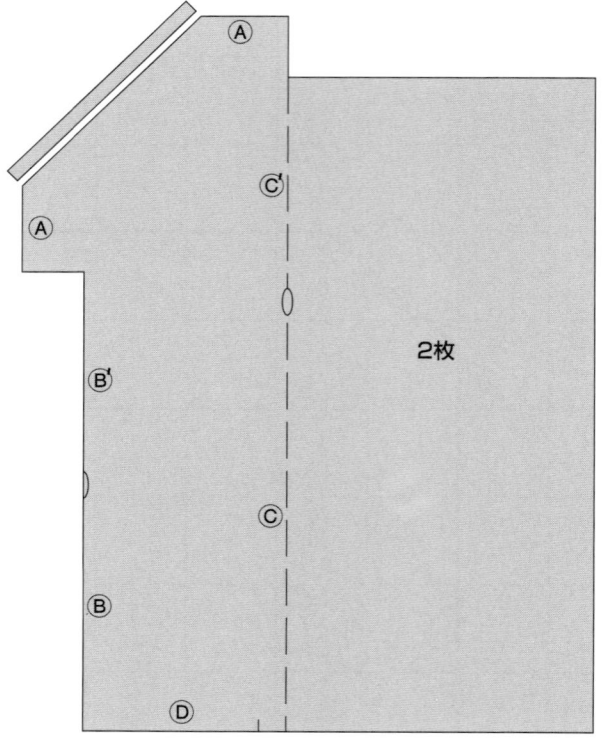

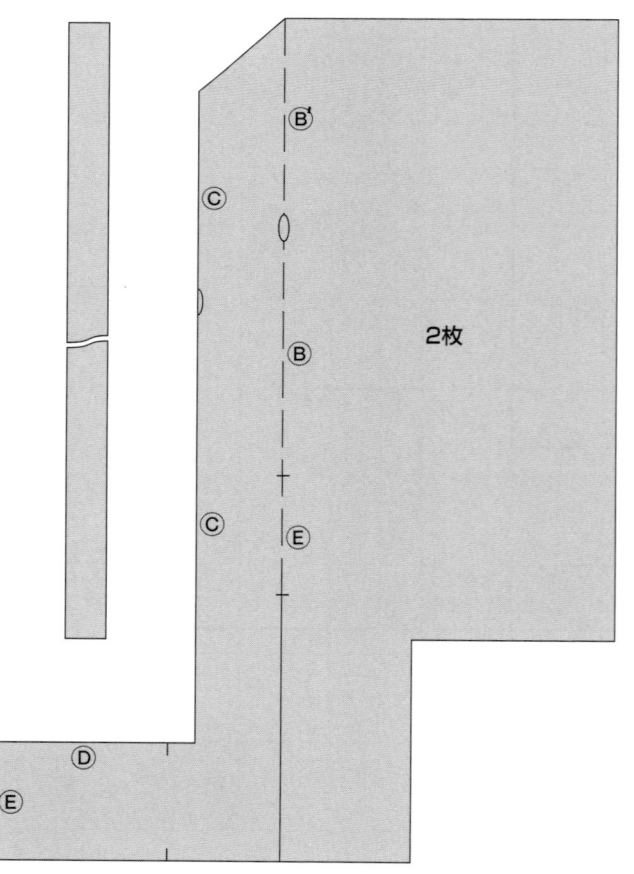

縫製順序

図1

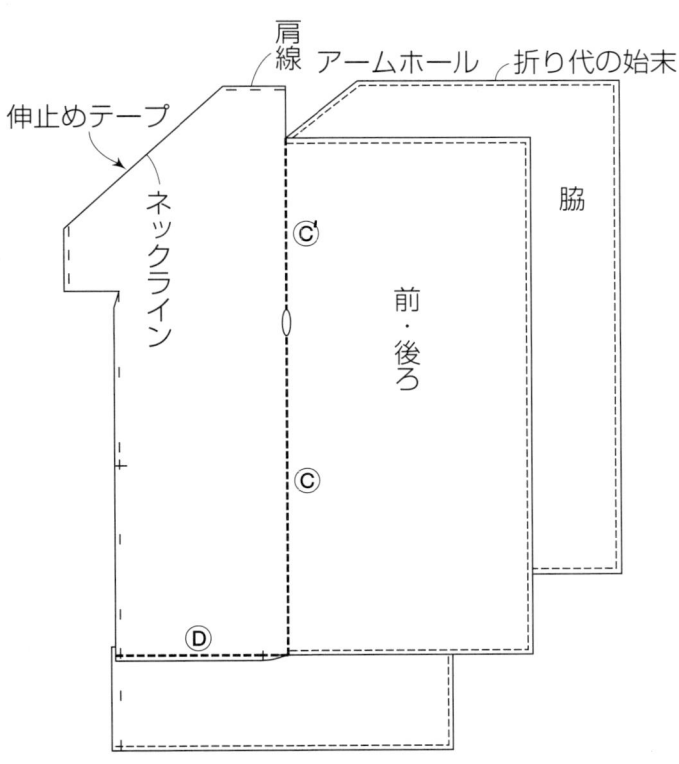

1　ネックライン、アームホール、ジャボの折り代の始末をする。
　　ネックラインには伸止めテープをはる。
2　前後のⒸ'ⒸⒹを脇布のⒸ'ⒸⒹに重ねてL字形に縫う（図1）。

注：伸止めテープについて
　　オリジナルドレスは、布の耳かバイアスをしっかり伸ばした布をごく細くつけて、伸止めとしてあるとのこと。

3　脇布のⒷ'ⒷⒺを前・後ろに重ねて縫う（図2）。

図2

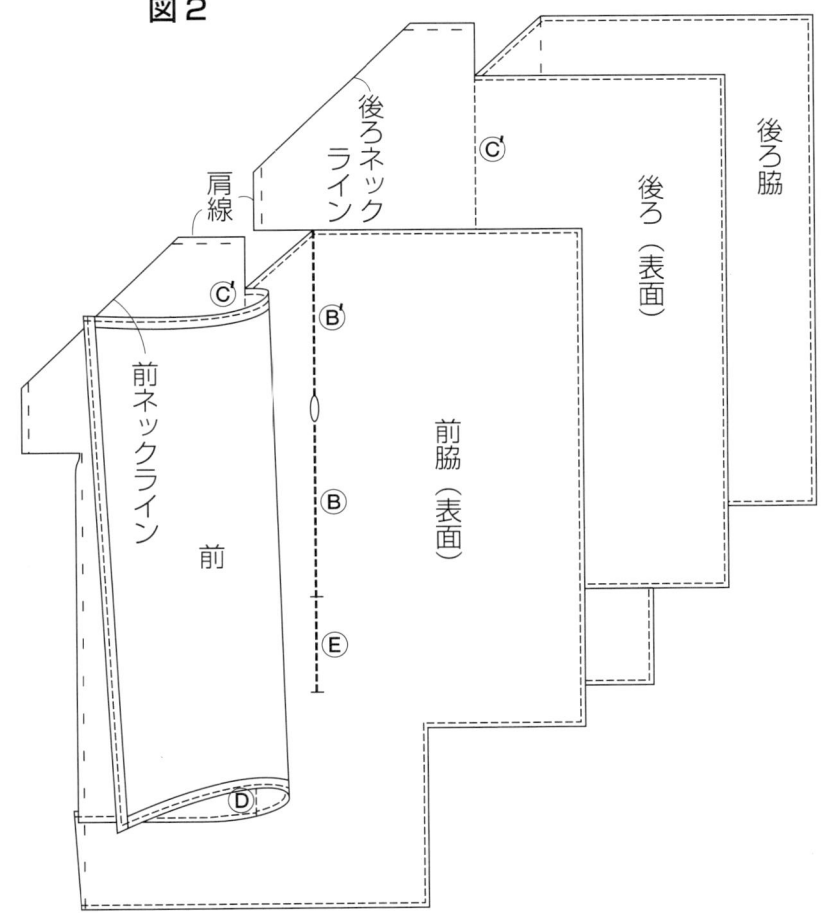

図3

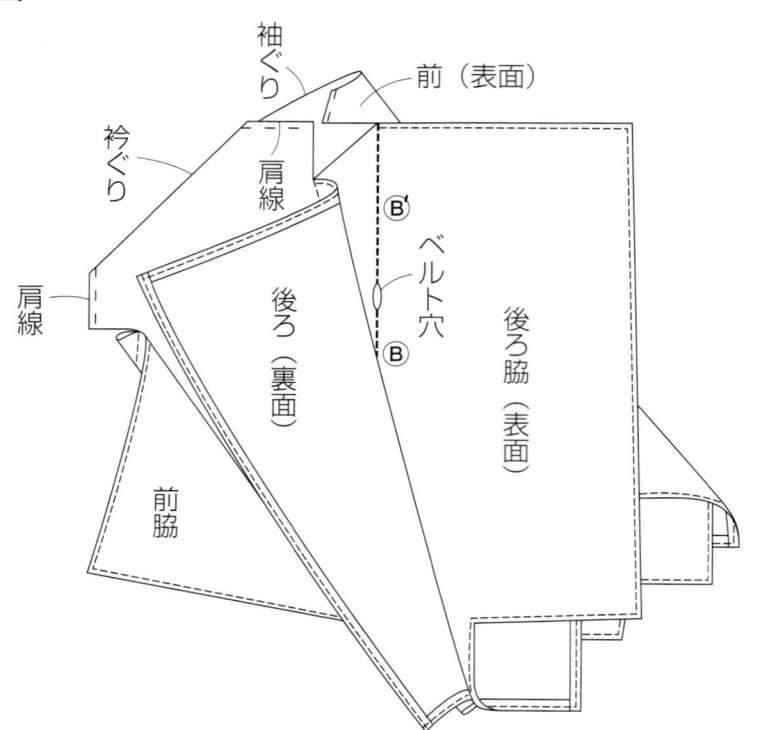

4　筒状になる。ⒷとⒷ'、ⒸとⒸ'の交点の位置にベルト通し穴を作る。

図4

5　肩を縫う。肩幅を決めてタック、またはギャザーを寄せる（図4）。
6　サッシュを作る。

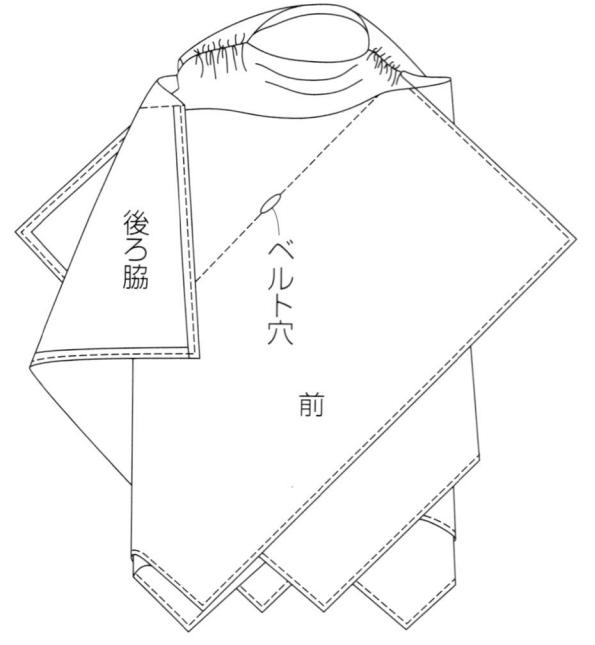

PATTERN 2 　長方形の展開（1917年頃）

　ほとんどのパーツが縦地使いの長方形で作られている。前身頃の左右の端にサッシュをつけ、きもの式に右身頃の脇に作ったスラッシュに左身頃のサッシュを通し、ウエストを締めて着るラップドレスである。前身頃の角にストラップをつけ、首にかけて着ることにより身頃はバイアスになり、ボディに美しくなじむことになる。長方形に裁たれたスカートの前ウエストの部分は、ギャザーを寄せて身頃の上に重ねてつけ、後ろウエストは、別に裁断された布にギャザーを寄せて縫い合わせたストリーマー（吹流し）が縫い込まれ、立体的で美しいバックスタイルを表現している。

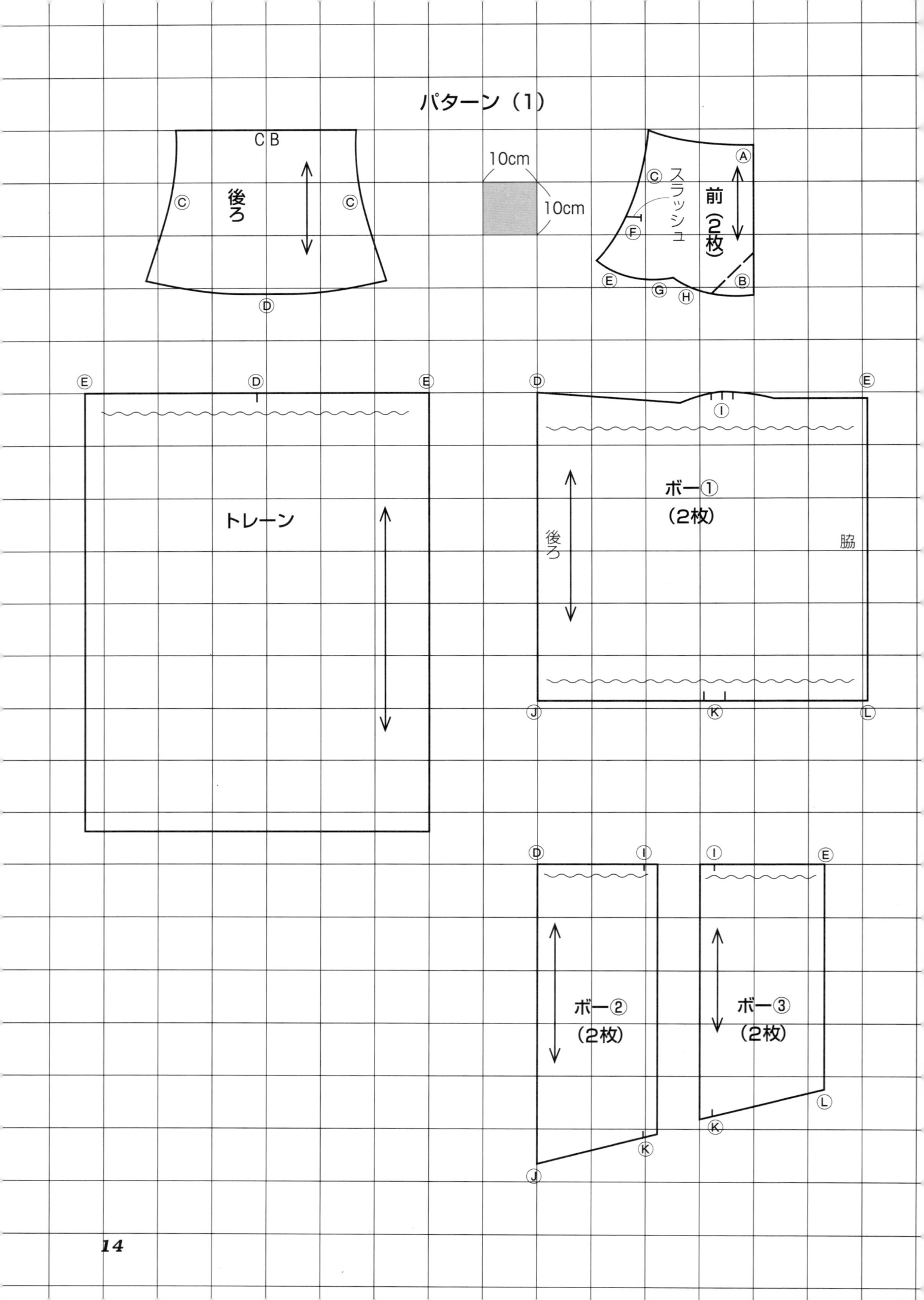

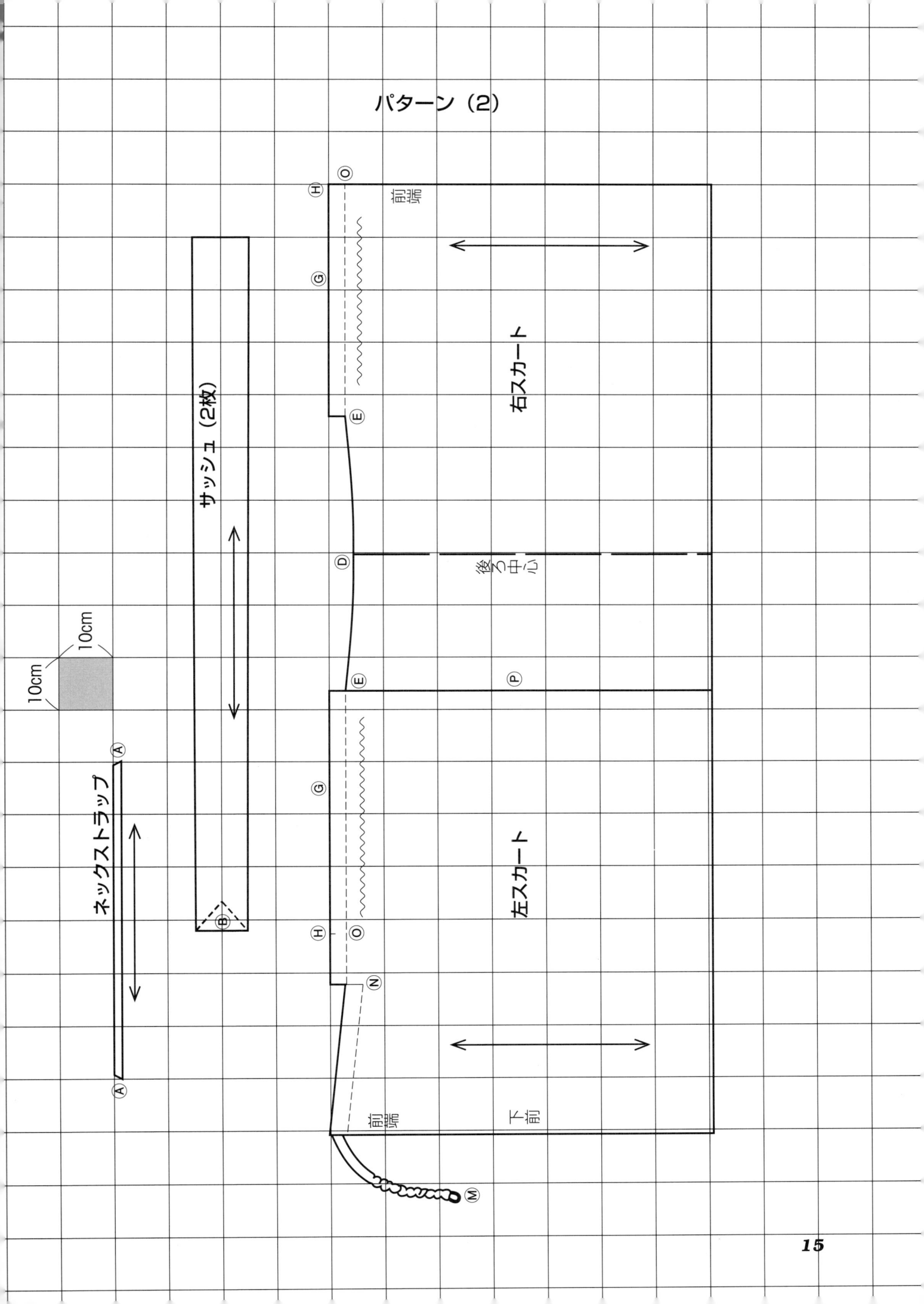

パターンの形状

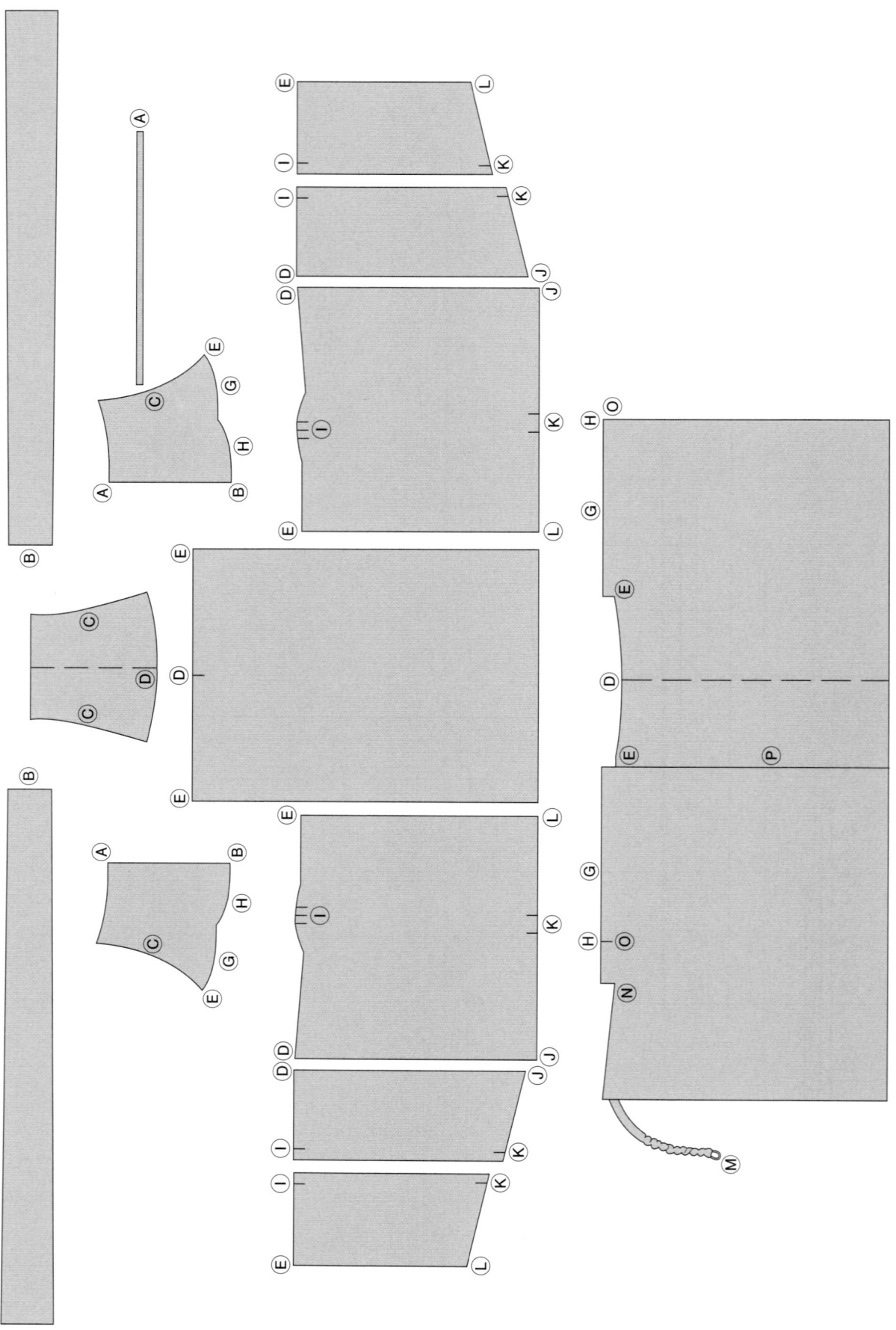

縫製順序

1　身頃を作る（図1）。
　　右身頃の脇にサッシュを通すための
　スラッシュを作る。
　　サッシュを作り、前身頃Ⓑにつける。
　　脇線を縫い、折り代の始末をする。

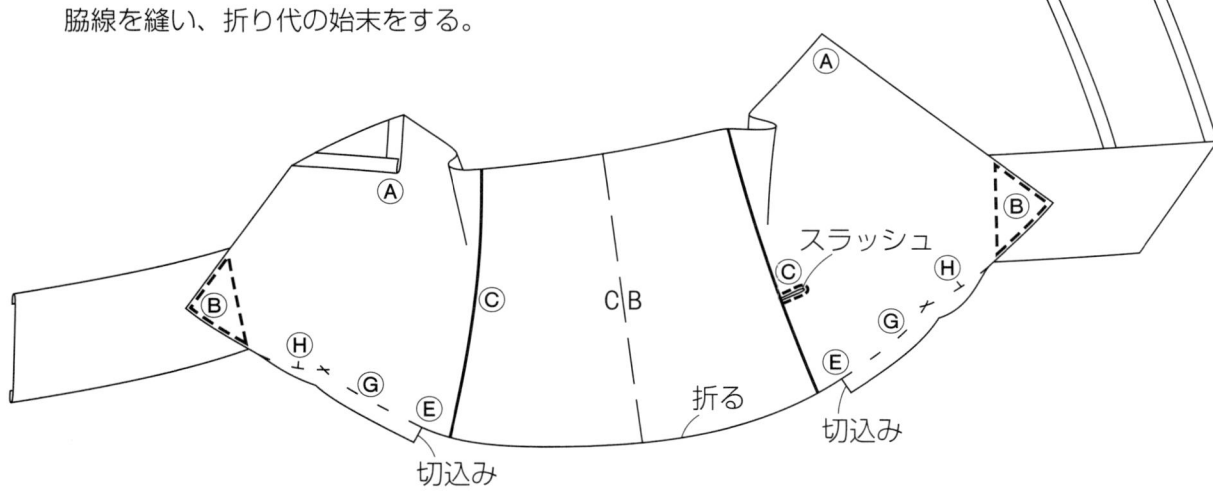

図1

2　ボー①②③の折り代を始末し、
　　縫い合わせる（図2）。
　　左右2組み作る。

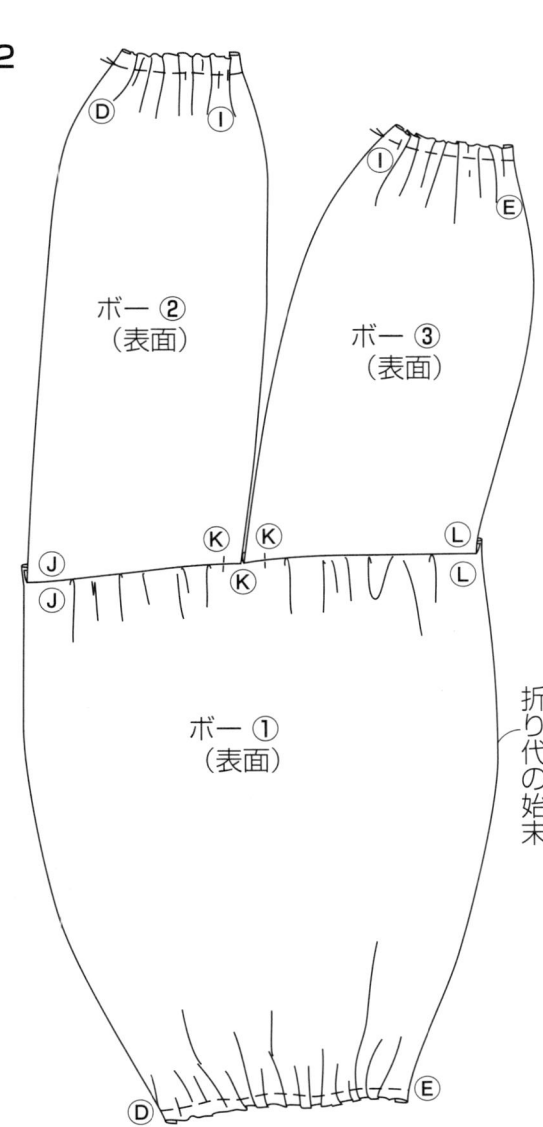

図2

3 トレーンの折り代を始末し、トレーンの⒠～⒠間にギャザーを寄せる。
スカートの折り代を始末し、⒠～⒣間の折り代を折り、ギャザーを寄せる（図3、4）。
⒠から⒠間にトレーン、ボーを重ねる（図4、5）。

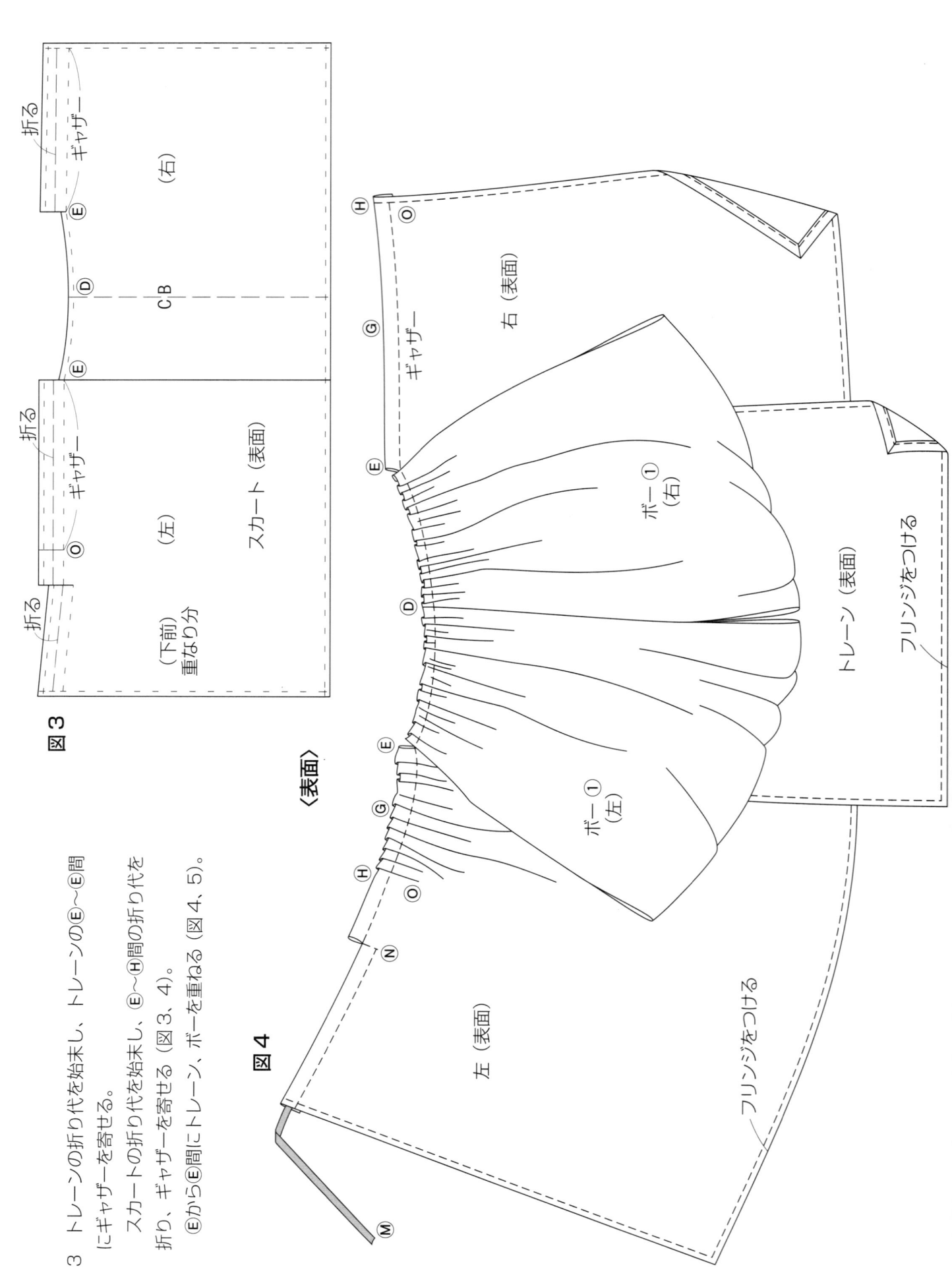

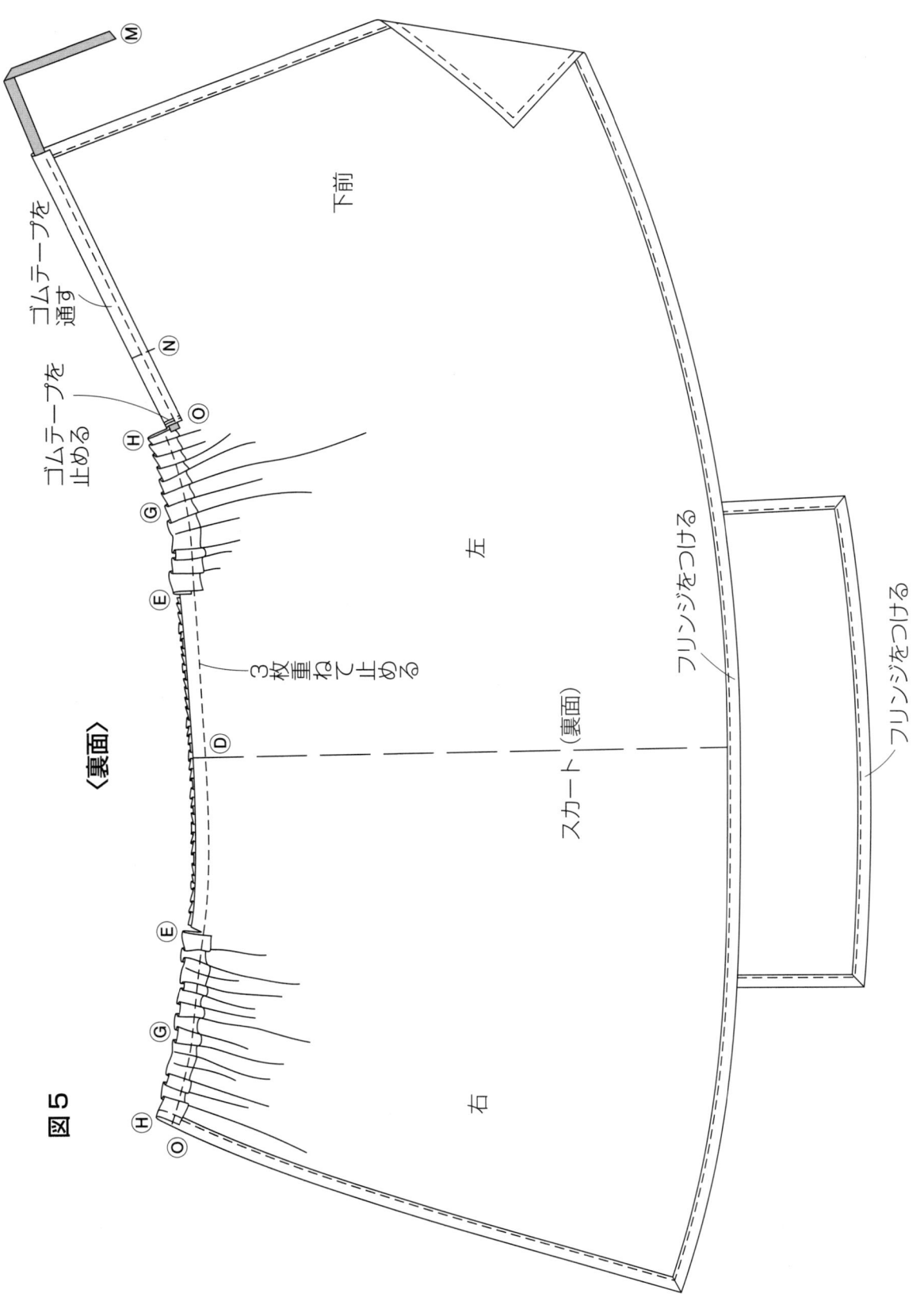

4　ウエストラインをはぐ（図6）。
　　ネックストラップを作り、Ⓐ点につける。左下前スカート上部Ⓞ点からゴムテープを通し、先端ⓂとⓃに留め具をつけ、体にひと巻きしてⓃ点の留め具にかける。
　　Ⓞ点にもかぎホックをつける。
　　トレーンとスカートの裾にフリンジをつける（写真の作品はフリンジをつけてない）。

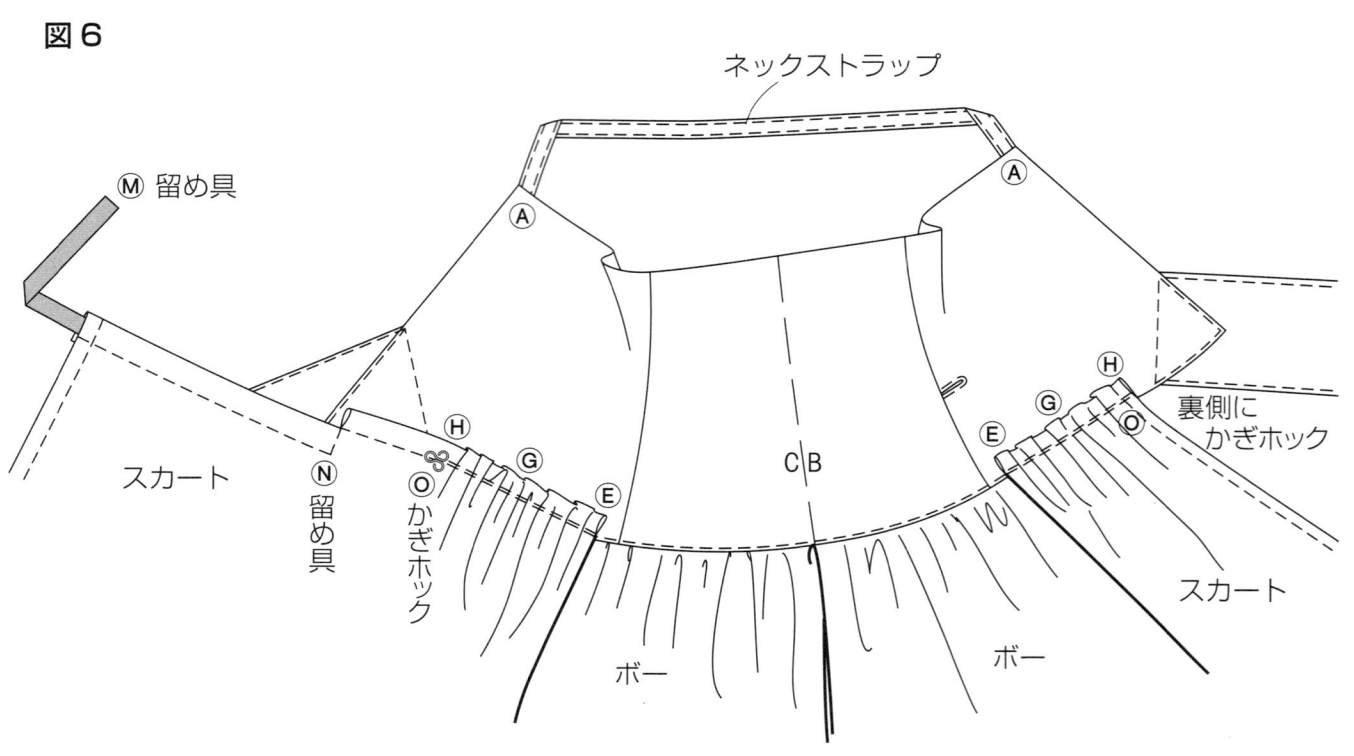

図6

注：布端の始末について
　　オリジナルの素材はシルクや薄い布が多いため、
　　ごく細い三つ折り縫い、かがり縫いである。

PATTERN 3 長方形の展開 (1919〜20年)

　4枚の四角の布をはぎ合わせて作られた、シンプルで美しいドレスである。

　構造上の特徴として4枚の布を正バイアスに縫い合わせて筒状にし、縫われた両側の三角の部分がカスケードのようになり、裾はハンカチーフラインになって美しい布の動きを表現している。

　また肩の縫い目は「ねじり」の手法を使っている。つまり、後ろ肩の布が前身頃の衿ぐりにたたみ込まれているため、肩ダーツを入れた場合と同じ効果になっている。

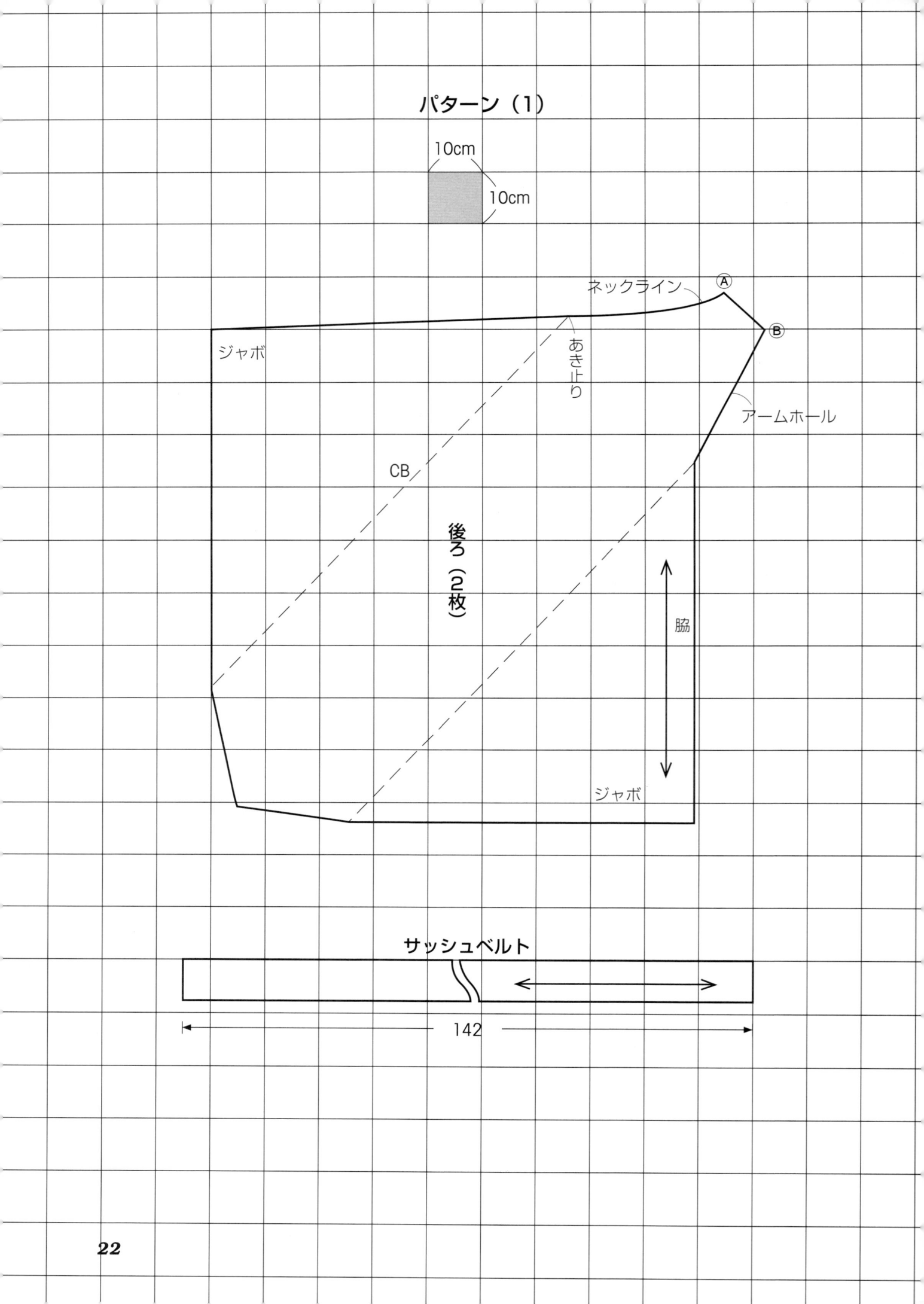

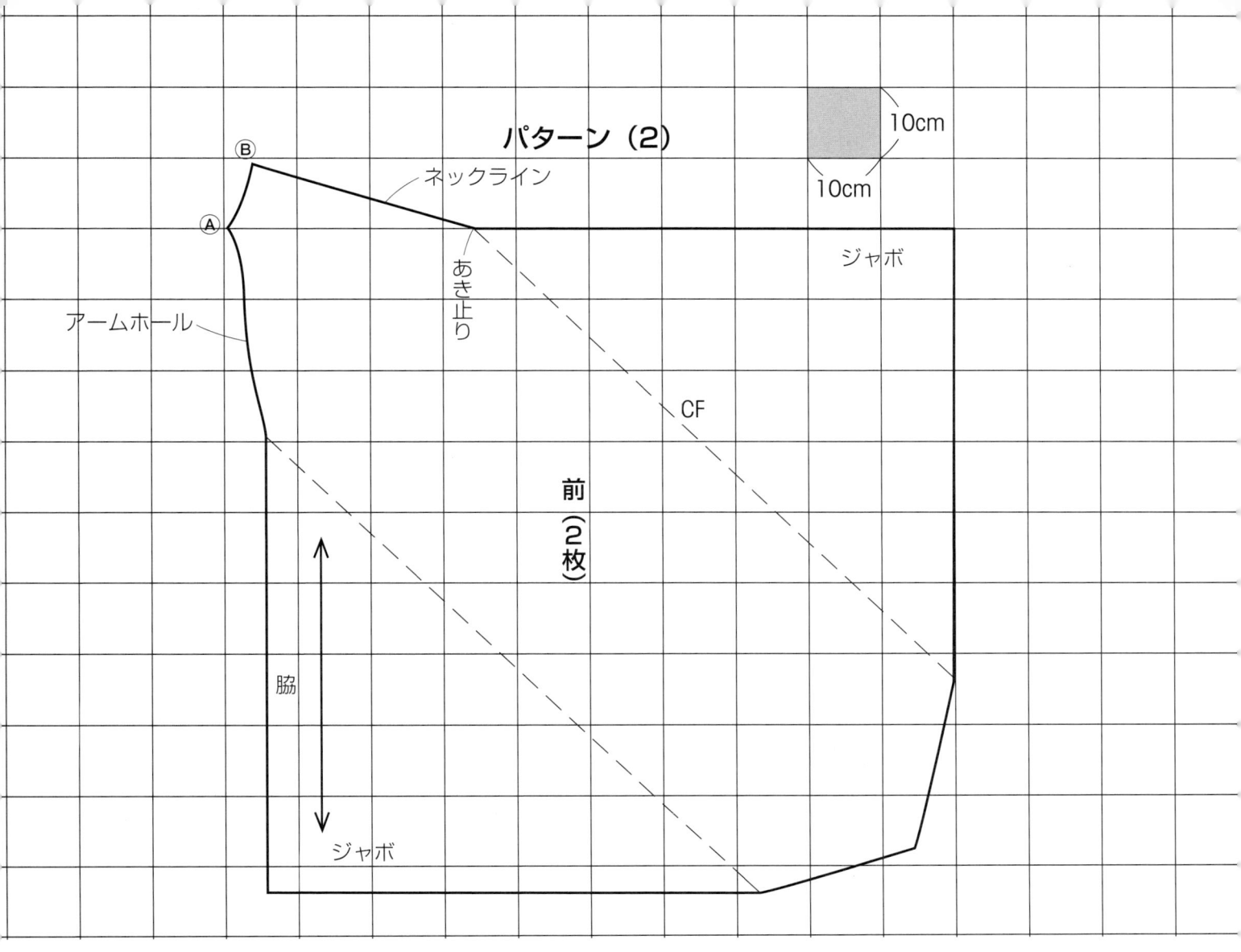

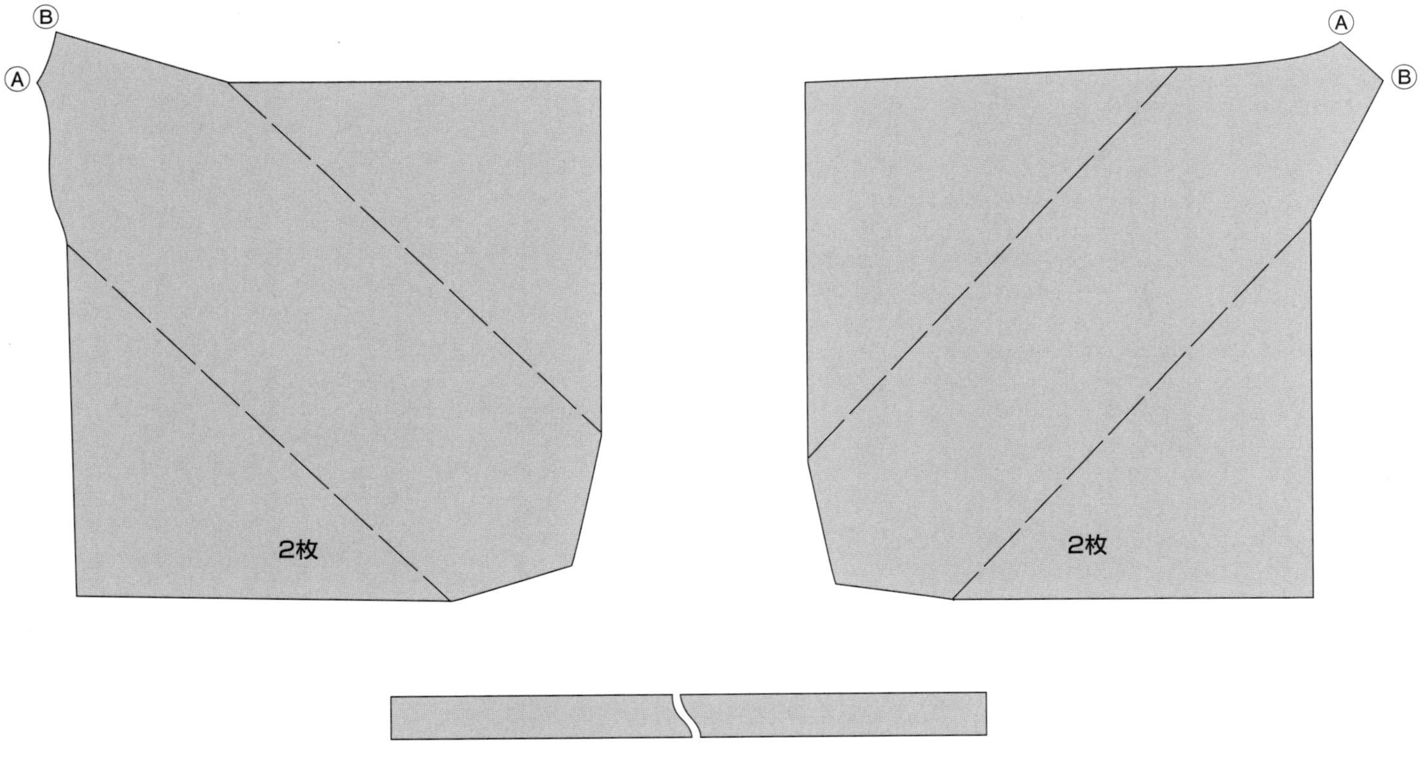

縫製順序

1 ジャボの周囲の折り代を始末する。
　外表に合わせて、前後中心、両脇を縫って筒状にする（図1）。

2 肩を縫う（図2〜4）。
　後ろ肩をアームホール側に1度ねじって前肩のⒶⒷと合わせて縫う。

3 サッシュを作る。

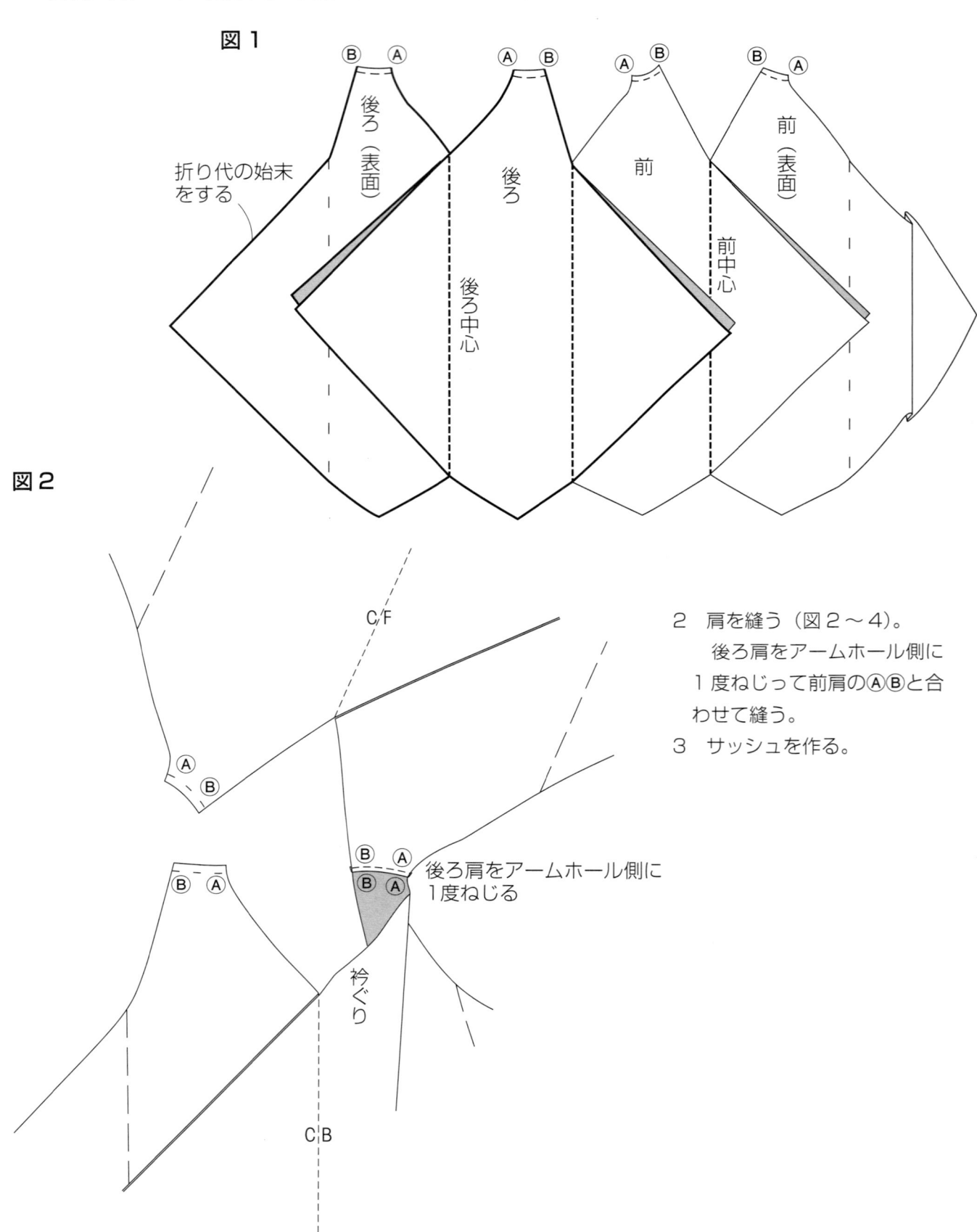

図3

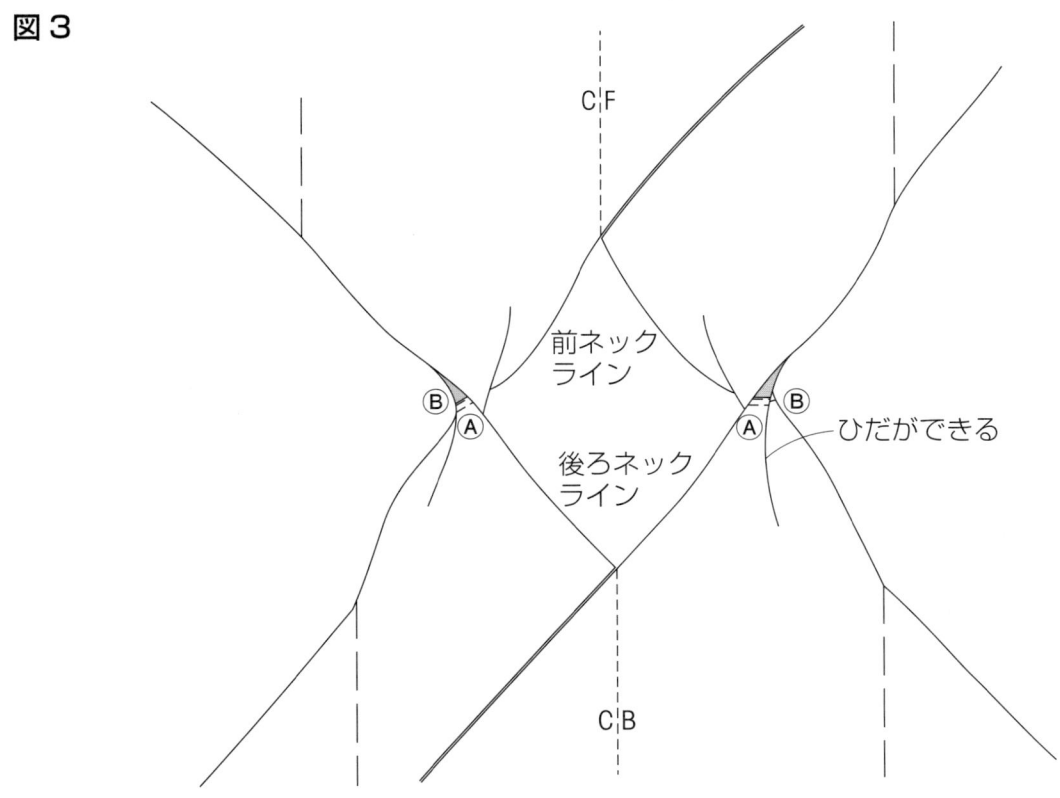

図4

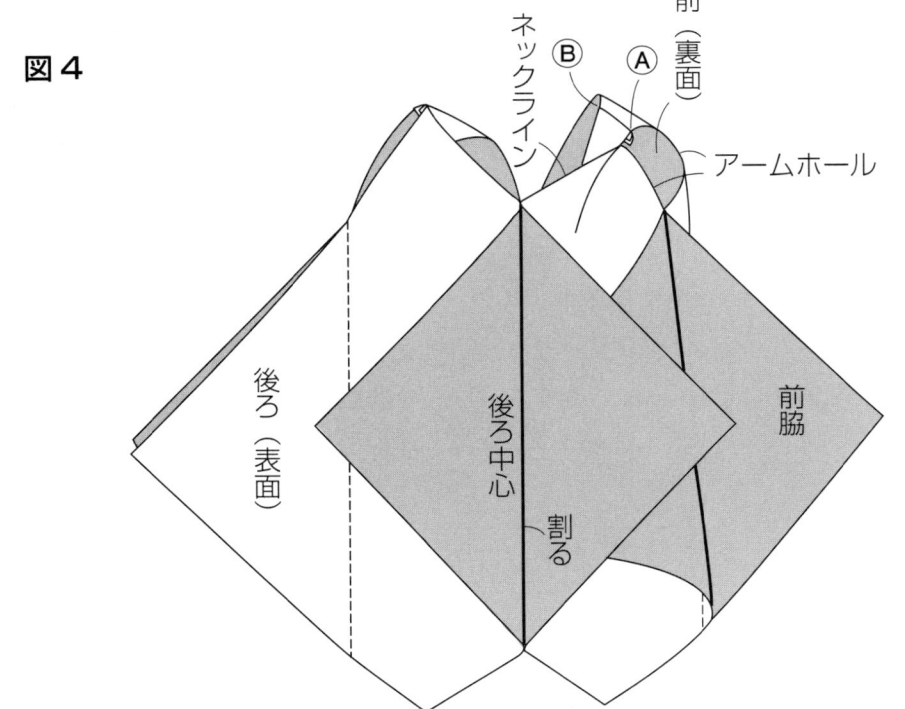

PATTERN 4 　長方形の展開（1923年頃）

　ネックラインを除くすべてのパーツを布目にそって直線に裁断し、バイアス使いで縫い合わせてある。スカートは6枚の長方形の布を、折り山がバイアスになるように折り返してたたみ、身頃の布目と縦地、横地を通してはぎ合わせ、縫い目を安定させている。

折りたたまれた6枚のパーツは重ね合わせて筒状にし、螺旋状のヘムラインには、長いフリンジをつけてドレスが揺れ動くときの効果を考えてある。
　布地の物理的な性質をみごとに計算しつくした作品といえる。

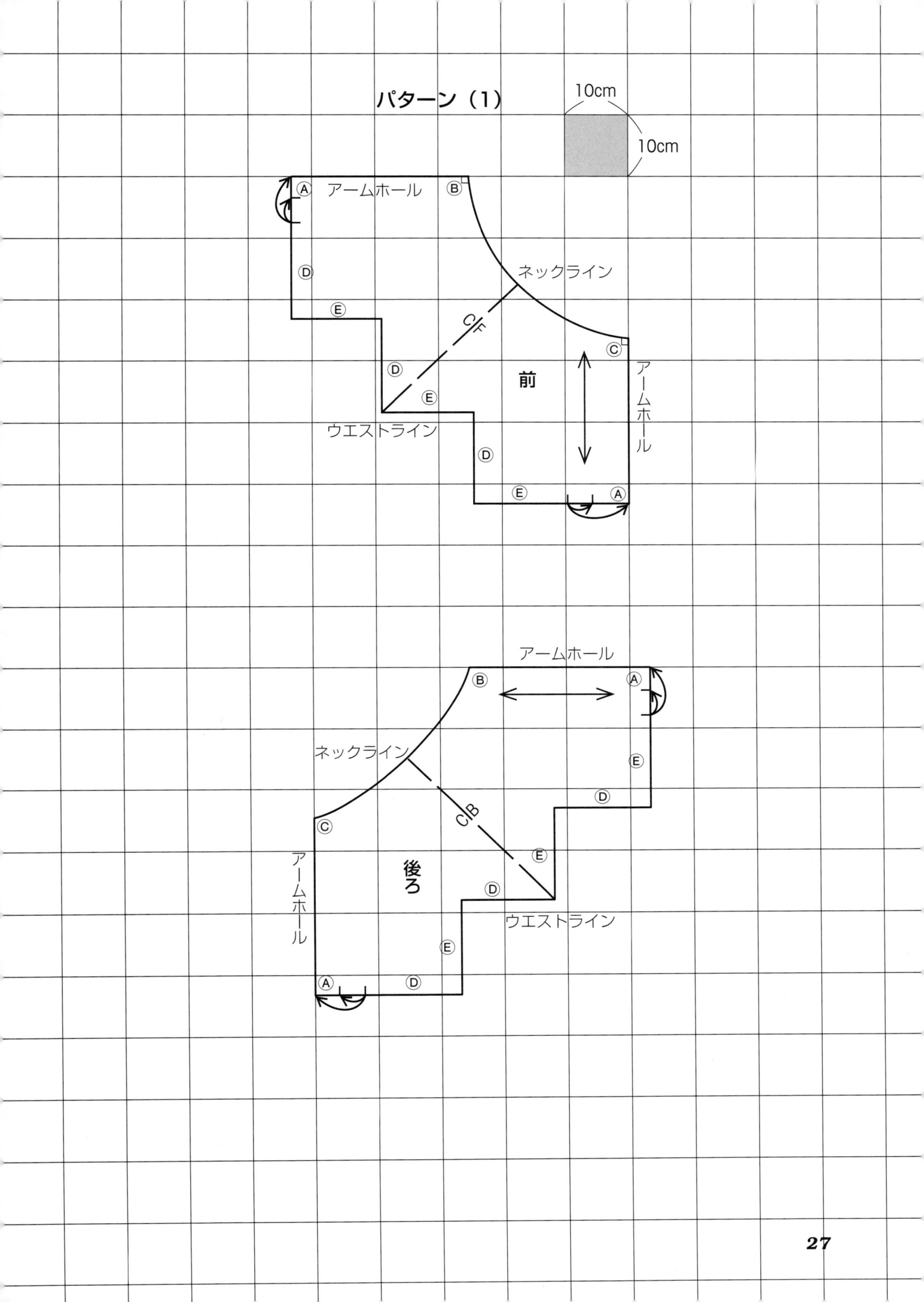

パターン（2）

再現した作品は、はぎなしで作成した。

パターンの形状

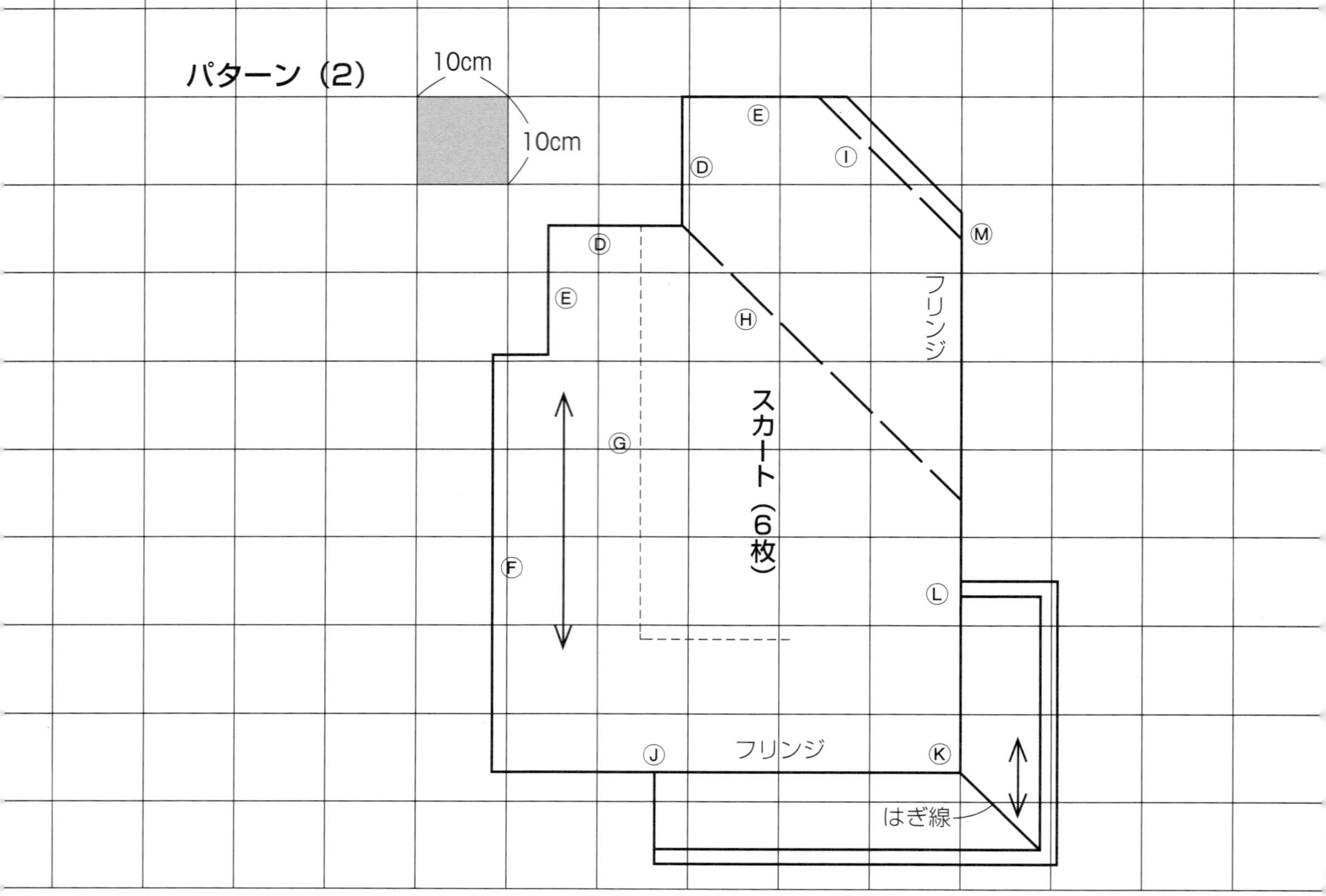

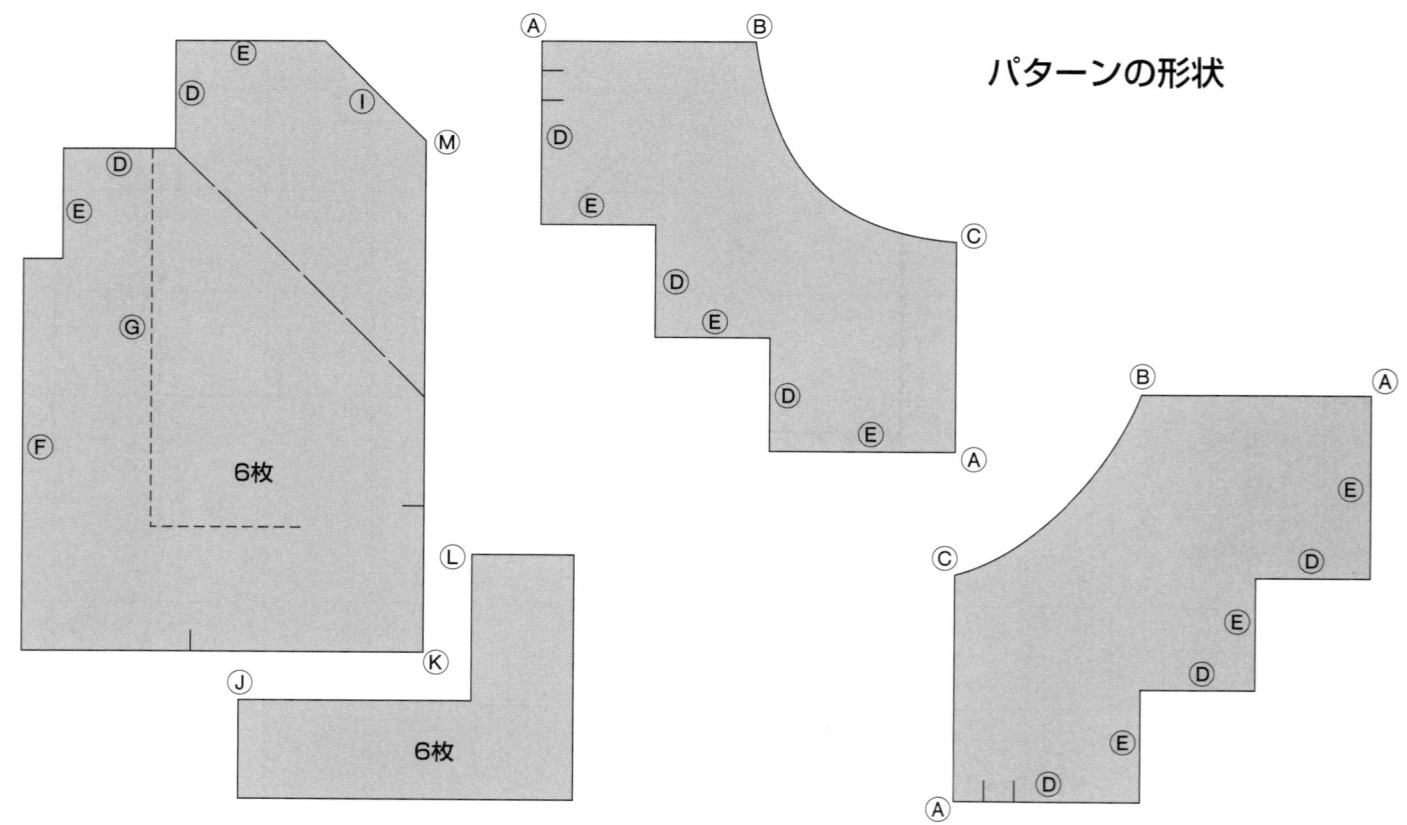

縫製順序

図1

1 身頃を作る（図1）。
   衿ぐりⒷ～Ⓒ、袖ぐりⒷ～Ⓐ、Ⓒ～Ⓐを始末し、肩を縫い止める。

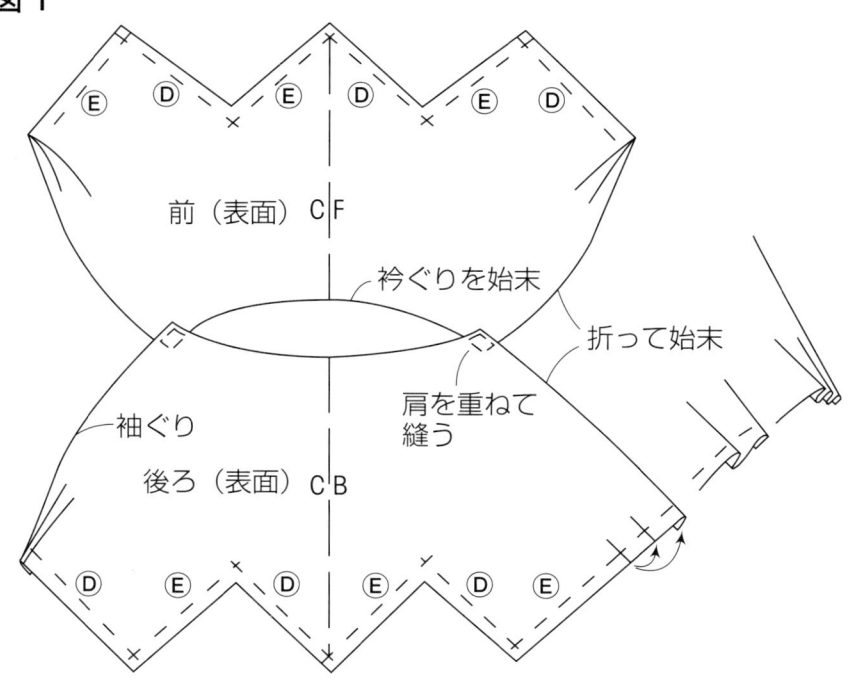

図2

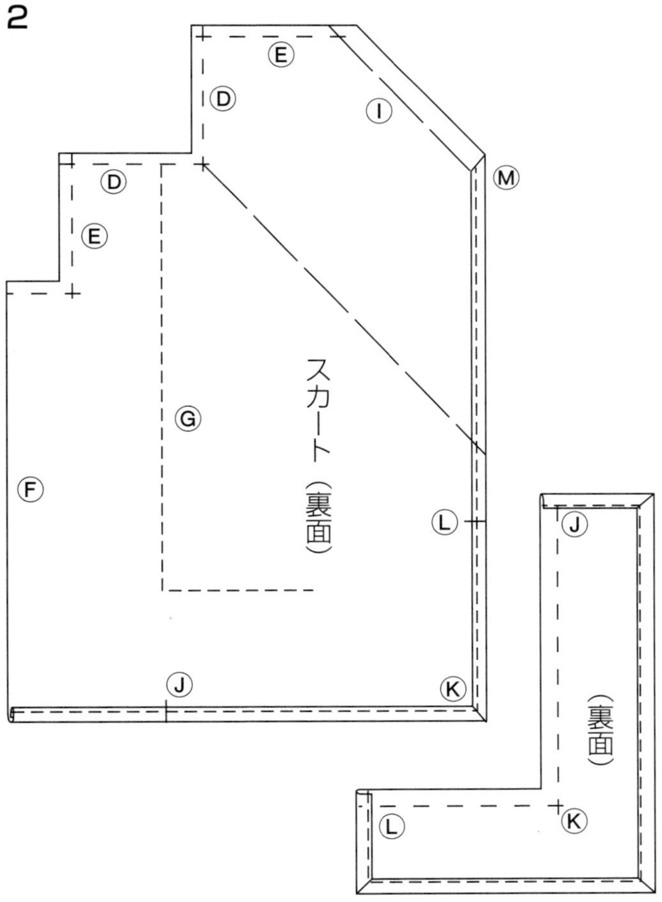

2 スカートを作る（図2～4）。
   ⒼⒻを重ねて縫い、6枚をつなぎ、筒状にする。

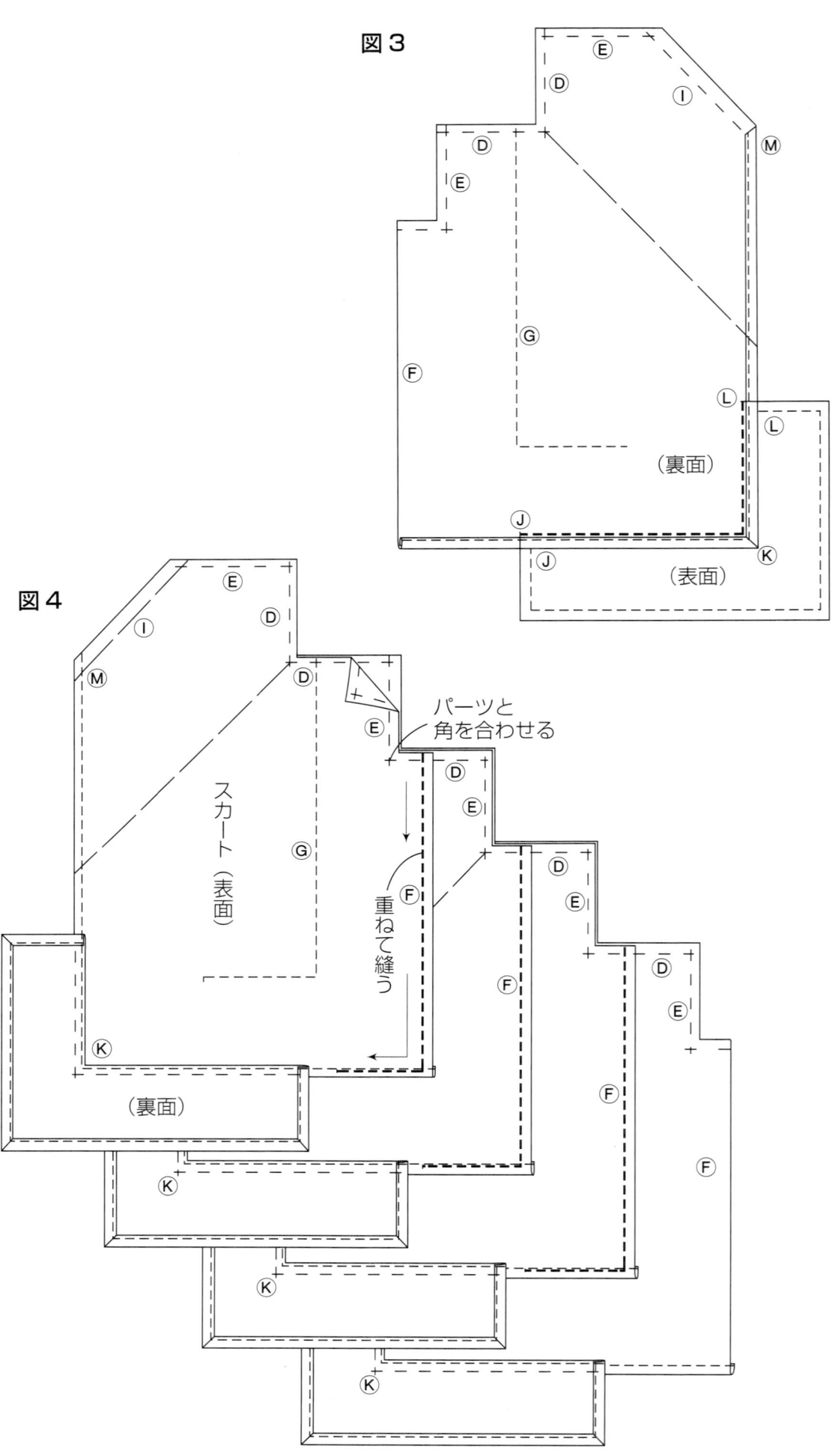

図5

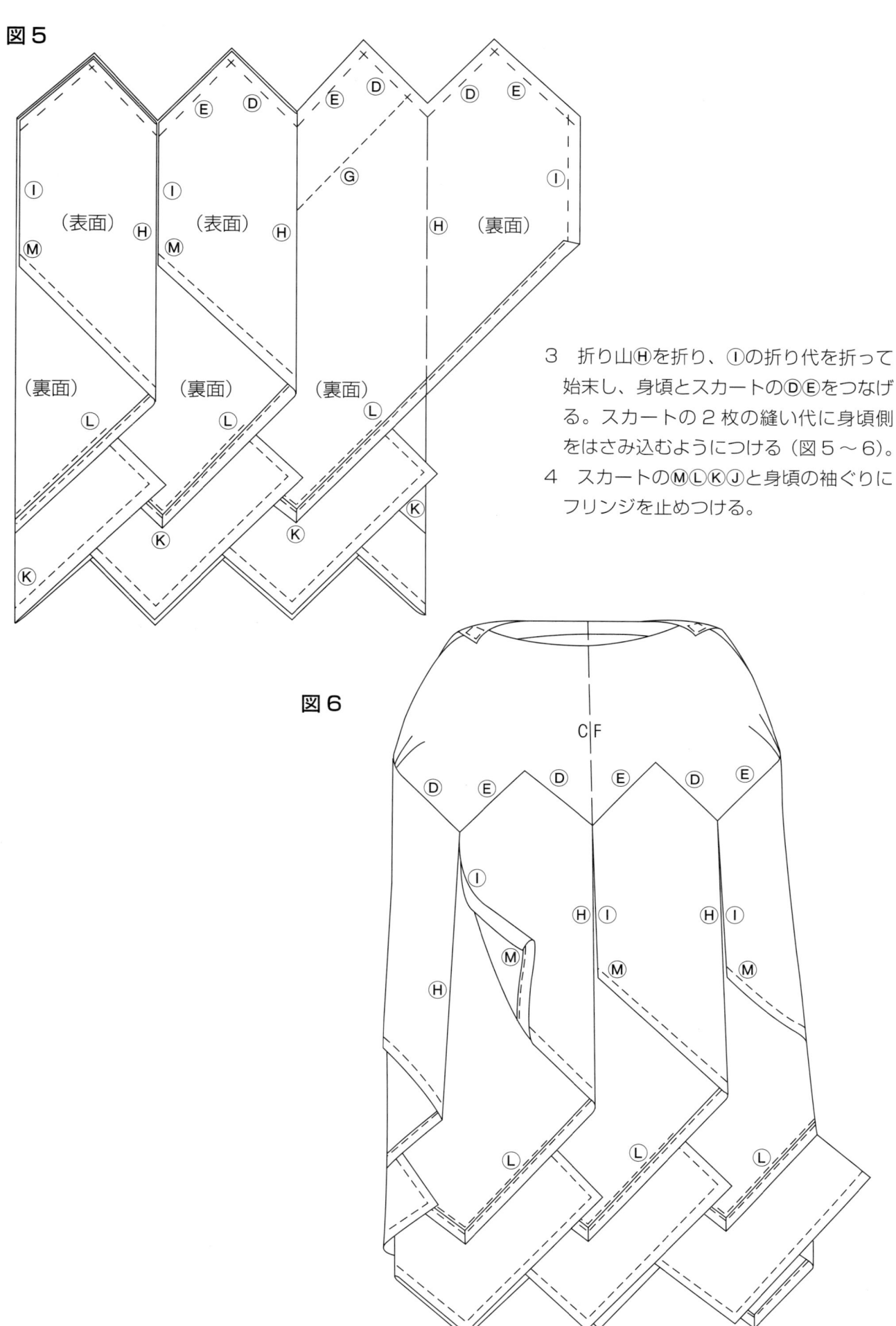

3　折り山Hを折り、Iの折り代を折って始末し、身頃とスカートのD Eをつなげる。スカートの2枚の縫い代に身頃側をはさみ込むようにつける（図5〜6）。

4　スカートのM L K Jと身頃の袖ぐりにフリンジを止めつける。

図6

PATTERN 5　長方形の展開（1923〜24年）

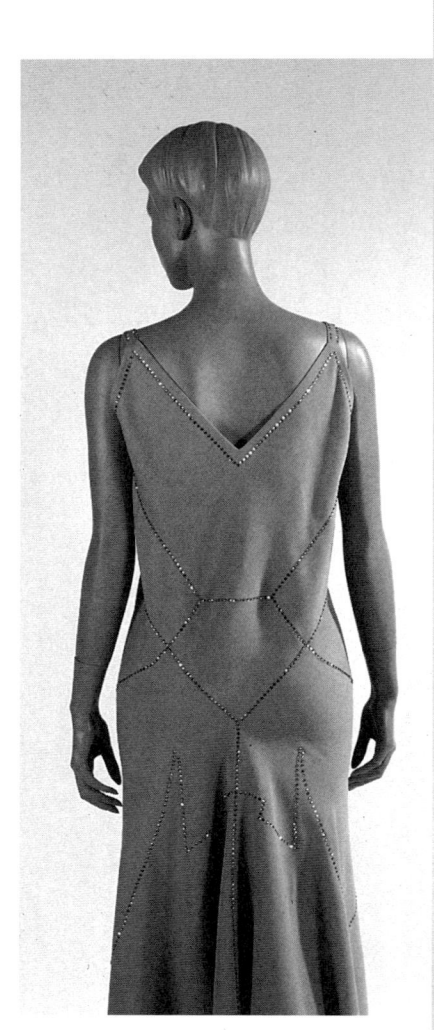
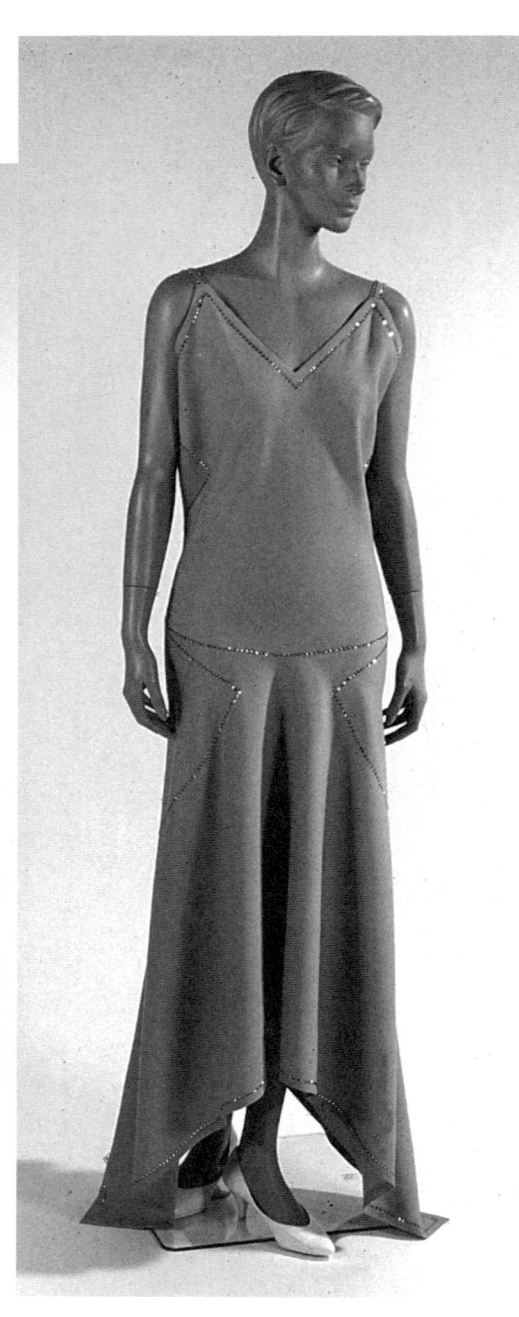

　直角や直線を巧みに組み合わせ、布をバイアス使いにすることで柔らかなシルエット表現がされているドレスである。ヒップラインでボディにぴったりとフィットさせることで、ウエストラインでの布のゆとりがブラウジングになっている。スカートは一枚裁ちであるが、身頃との縫合線の巧みな裁断によって美しいハンカチーフヘムラインを表現している。

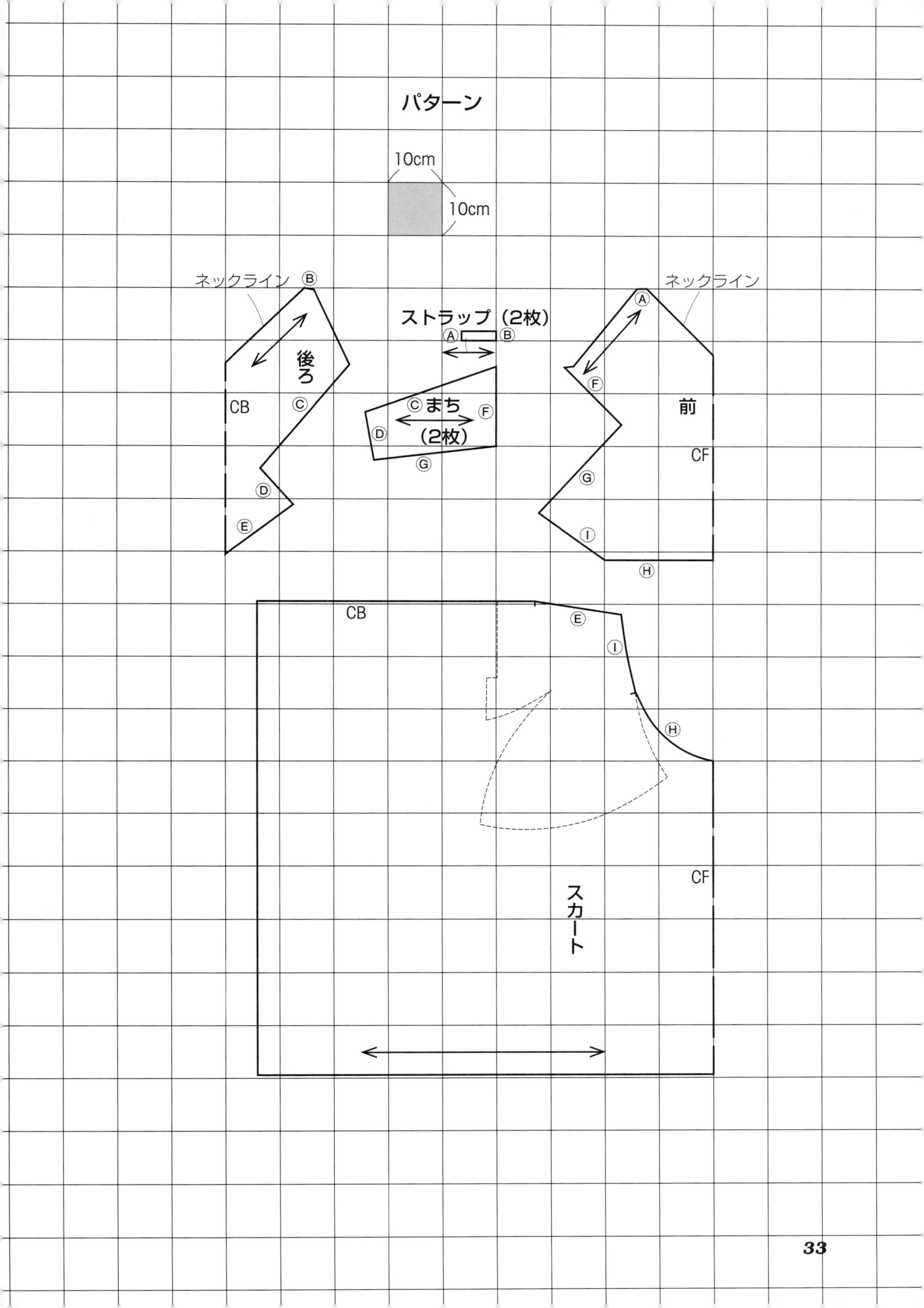

パターンの形状

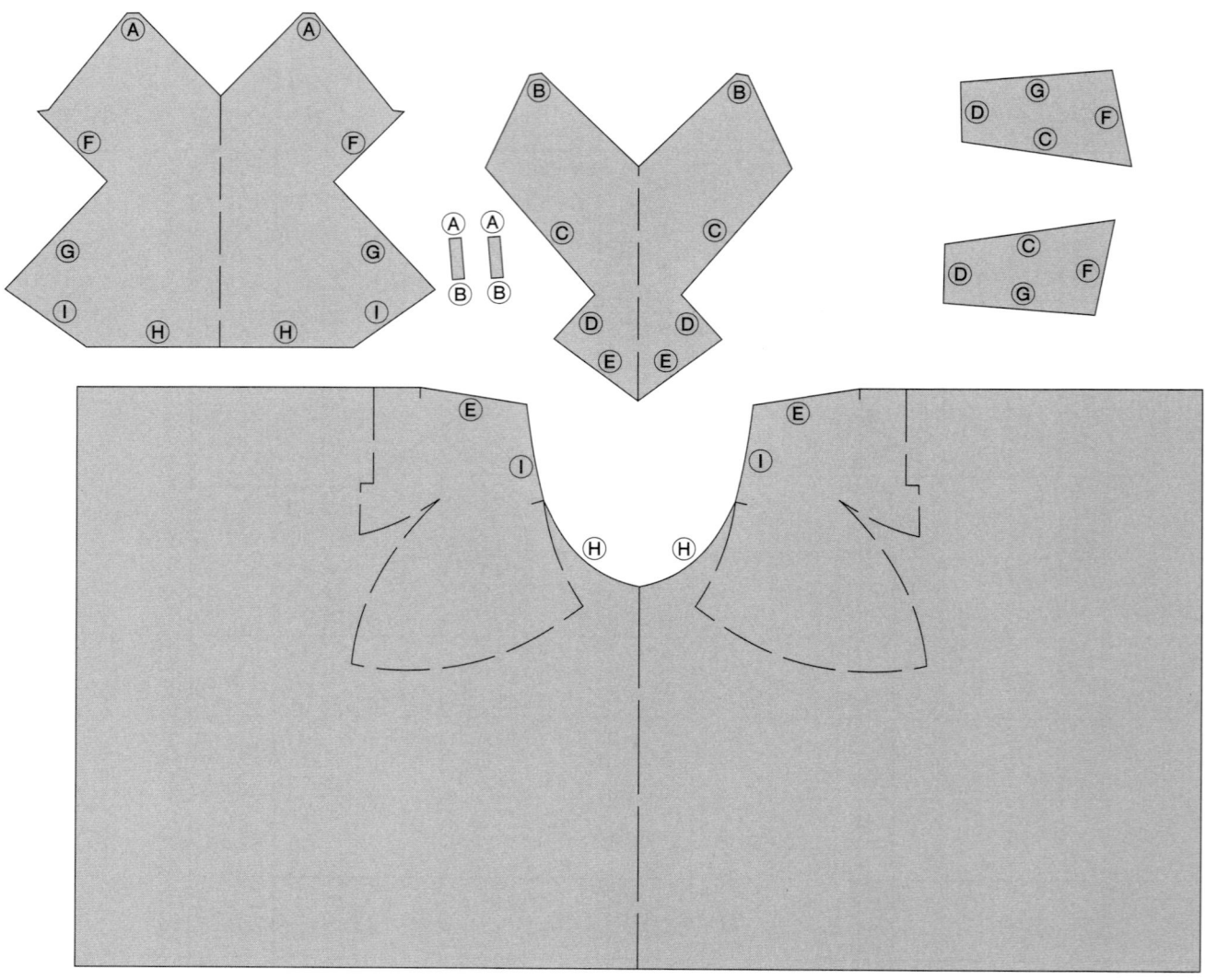

縫製順序

1 前後ネックラインに見返しをつける（図1）。

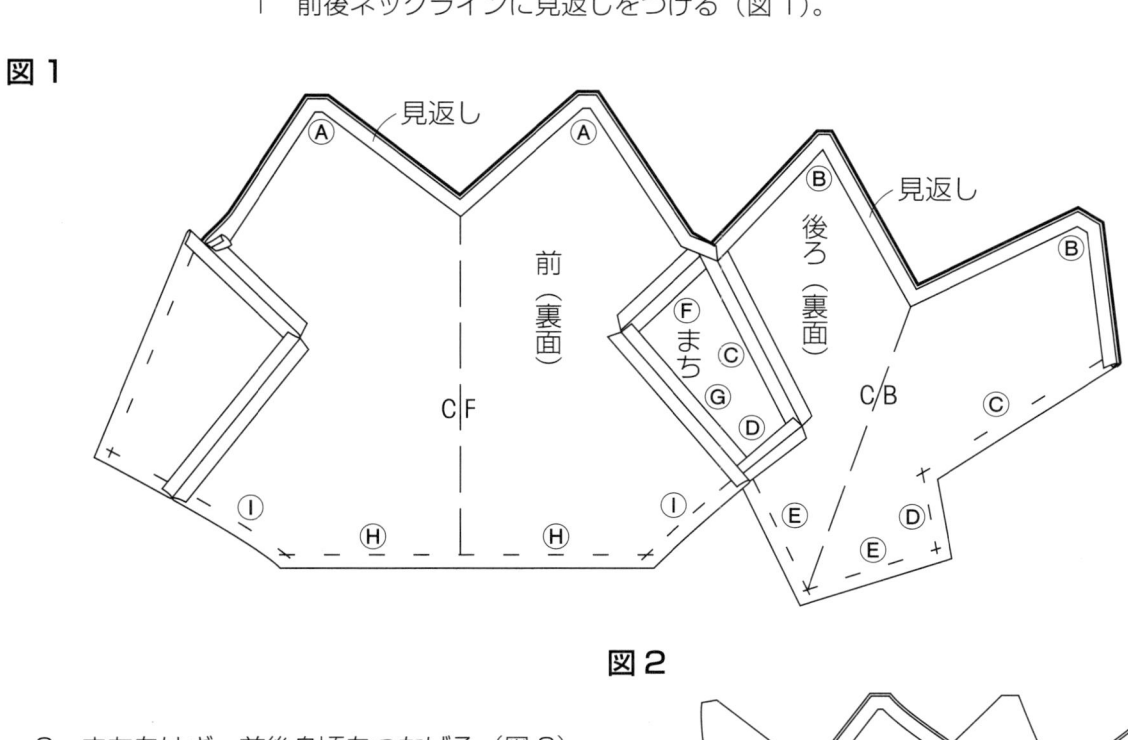

図1

図2

2 まちをはぎ、前後身頃をつなげる（図2）。

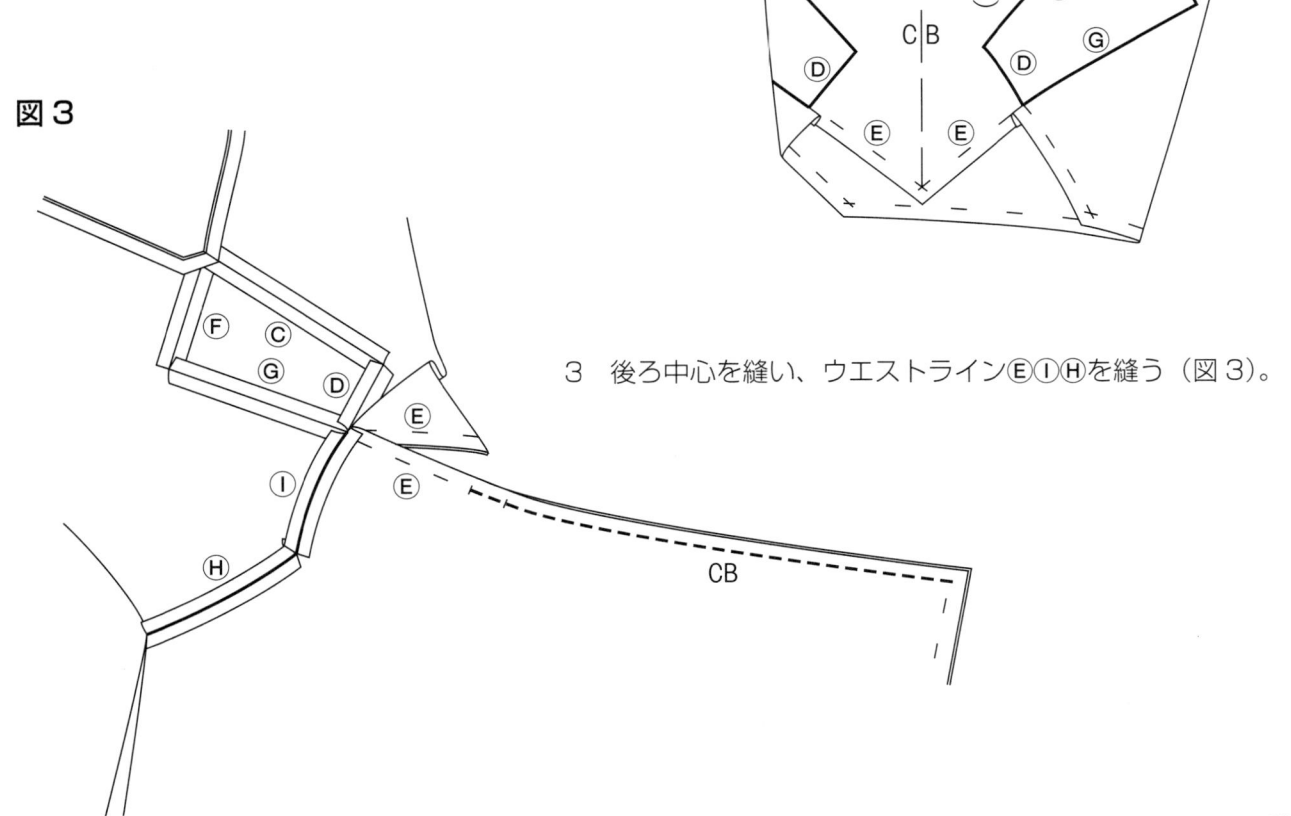

図3

3 後ろ中心を縫い、ウエストラインⒺⒾⒽを縫う（図3）。

4　肩ひもをつけ、裾の始末をする（図4）。

注：見返しについて
ヴィオネはほとんど見返しを使わず、縫い代を折り返すか細くバイアステープをつけた始末のものが多いとのこと。

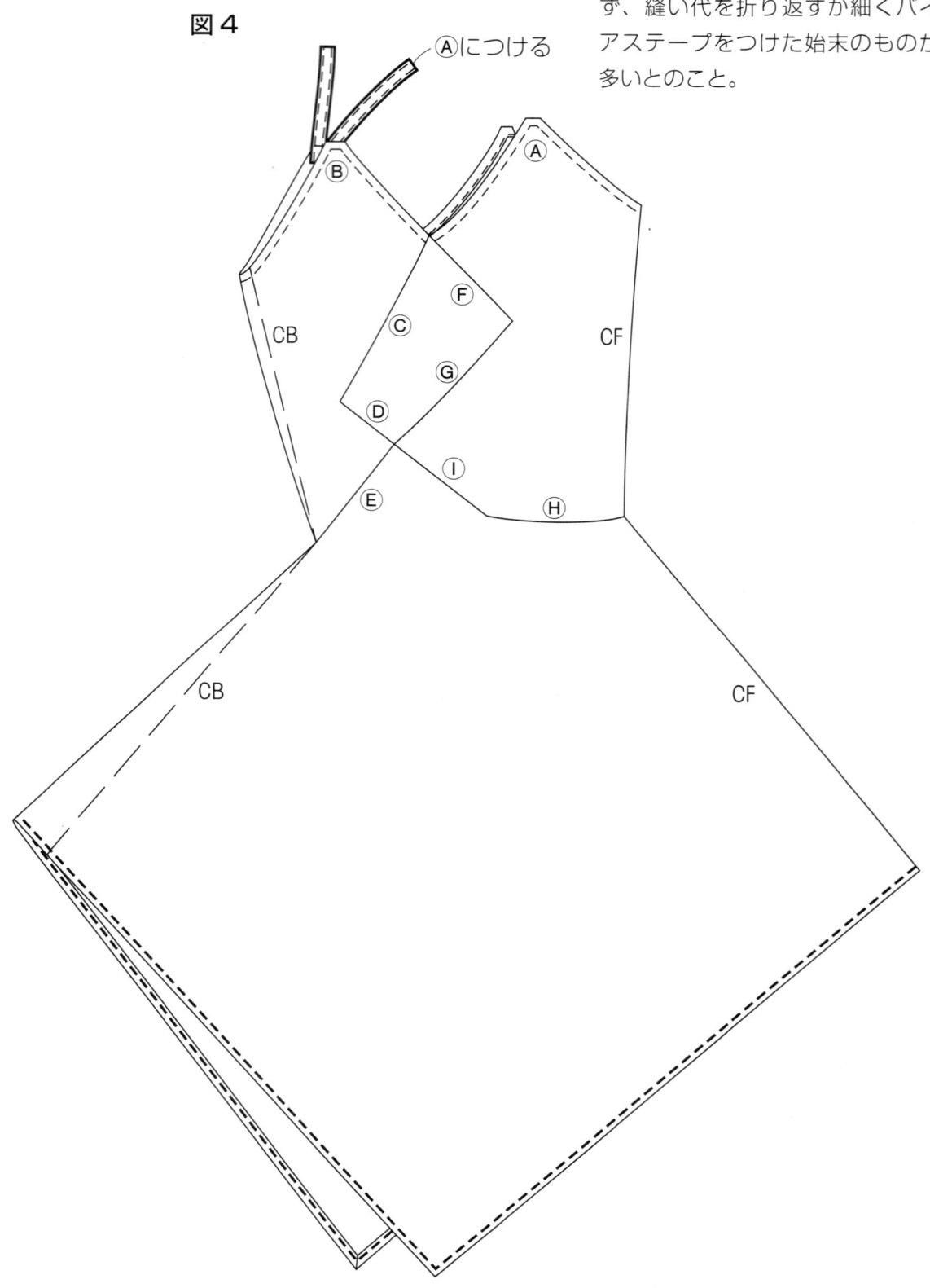

図4

PATTERN 6 長方形の展開（1922年）

　身頃、スカートともに直線構成で、肩に三角形のまちをはめ込んだだけで形作られている。シンプルでむだのない裁断で、上下ウエストでつなぎ合わせてある。

　このドレスはシルエット表現よりも、切り替えられた各パーツのグラデーションによるデザイン的な効果をねらった作品といえる。

パターン

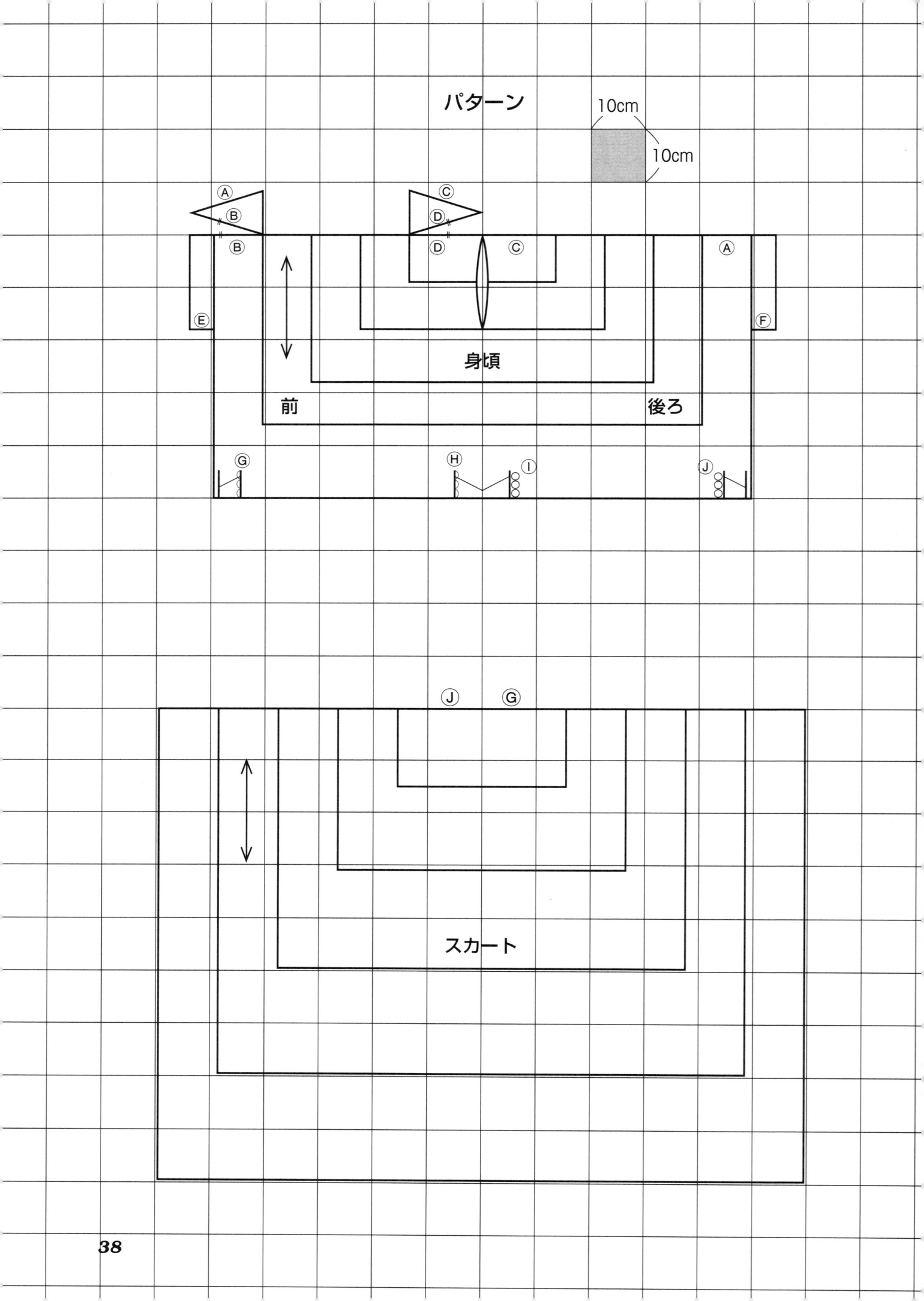

10cm
10cm

身頃

前　　　　　後ろ

スカート

38

縫製順序

1. 身頃とスカートは、小さいパーツから順にはぎ合わせる。
2. 前身頃Ｅと後ろ身頃Ｆに長方形の袖のパーツをはぐ。
3. 肩につく三角まちⒶ～Ⓑ、Ⓒ～Ⓓを縫い合わせる。左袖、右袖口を始末する。
4. ウエストの左右の脇ⒽⒾとⒼⒿにタックをとり、ボタンとループでまとめる。
5. スカートのウエストにギャザーを寄せ、ベルトをつける。

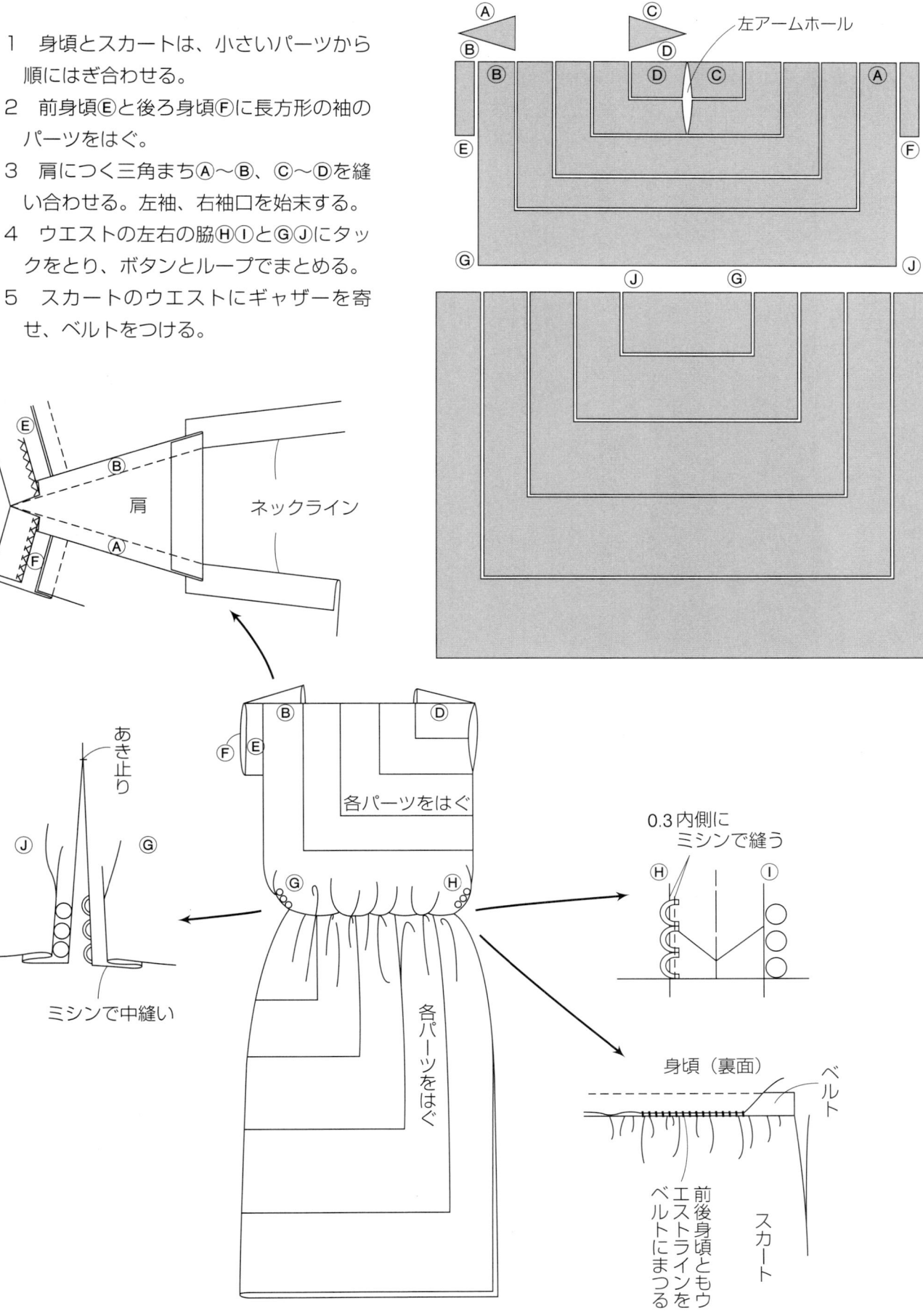

パターンの形状

PATTERN 7 長方形の展開 (1921〜22年)

　大きさや形の違う四角形を153個はぎ合わせてシルエットを作り出している。しなやかで光沢のある布の方向を上下、交互に組み合わせることで装飾性を出し、シンプルなシルエットのドレスを効果的に見せている。

パターン（1）

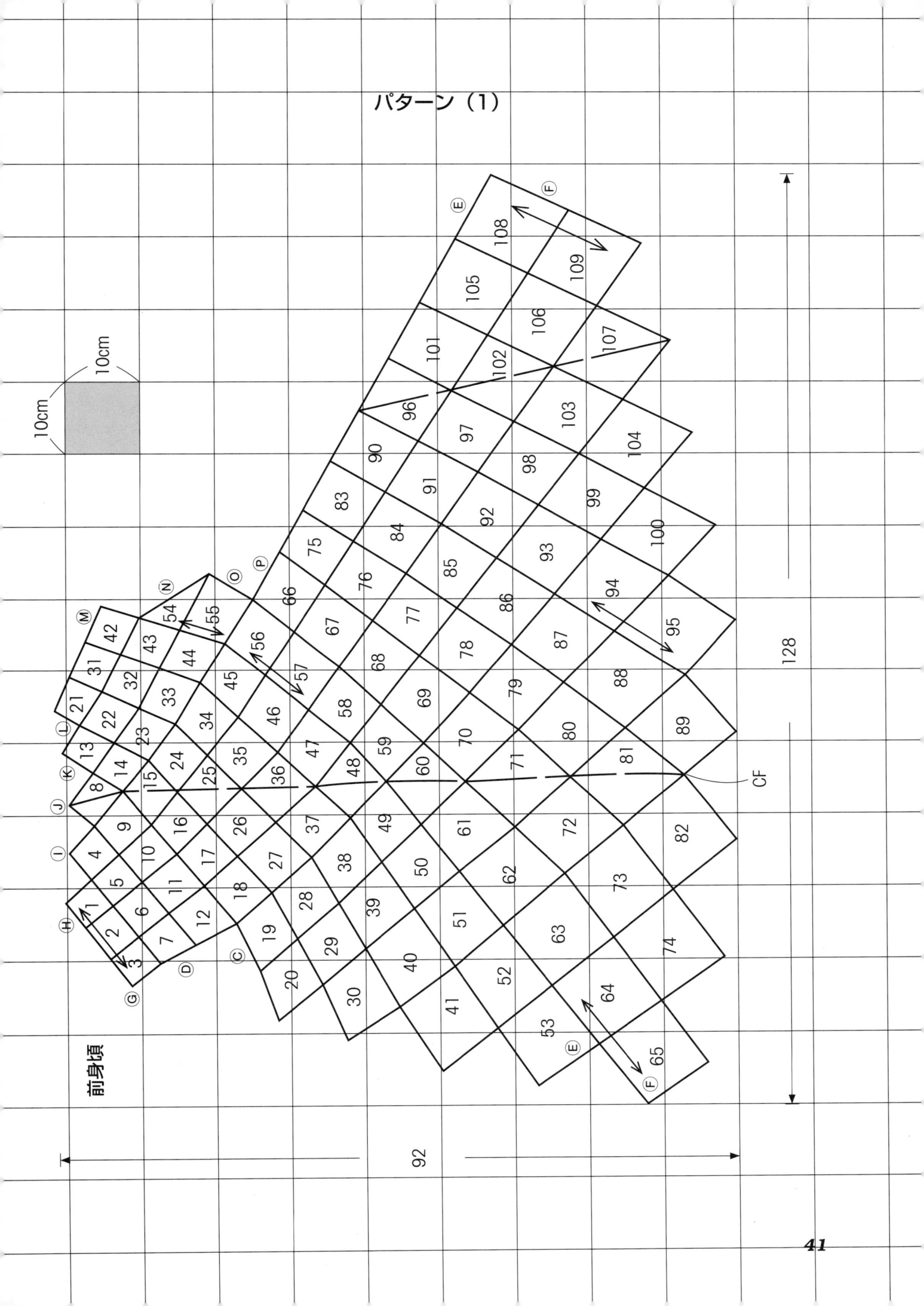

前身頃

10cm × 10cm

92
128
CF

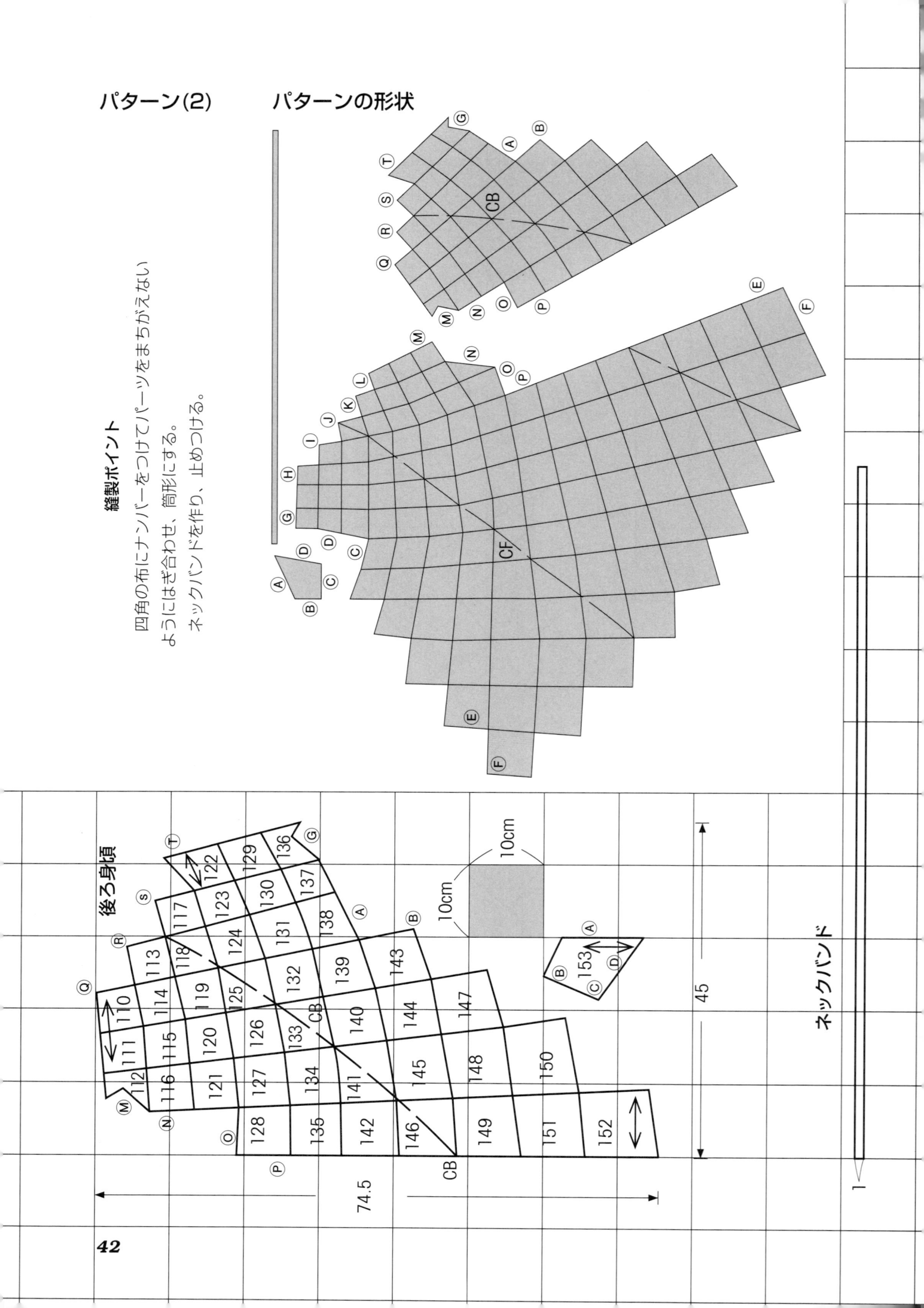

パターン(2)　　パターンの形状

縫製ポイント

四角の布にナンバーをつけてパーツをまちがえないようにはぎ合わせ、筒形にする。
ネックバンドを作り、止めつける。

後ろ身頃

74.5

45

10cm
10cm

ネックバンド

1

42

PATTERN 8 長方形の展開（1935年頃）

　バイアス裁ちのハイウエストスカートと長いサッシュでドレープを作った身頃で構成されているドレス。
　身頃のサッシュはねじり、交差、巻きつけの技法を巧みに駆使している。

パターン（1）

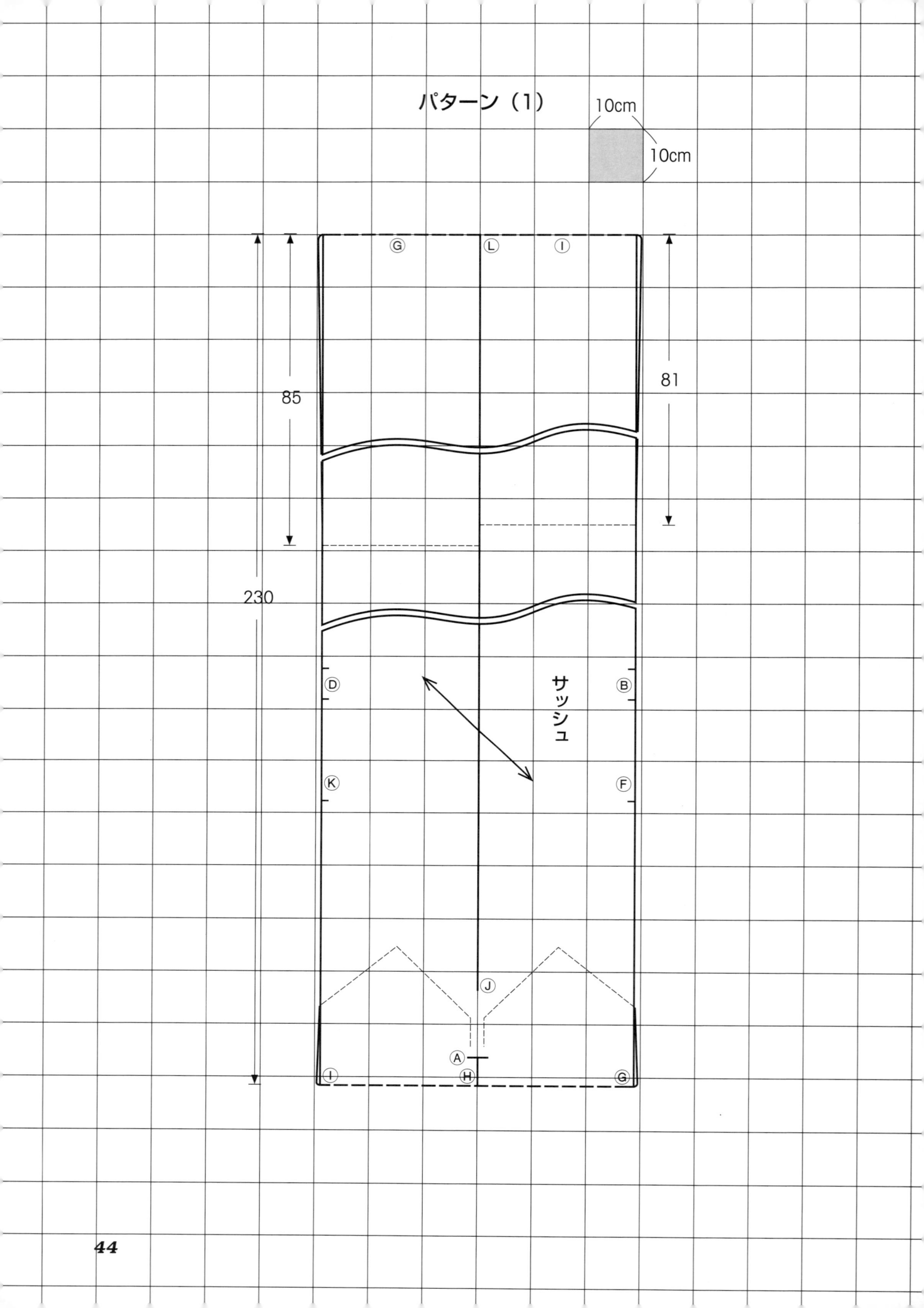

10cm
10cm

Ⓖ Ⓛ Ⓘ

85

81

230

Ⓓ Ⓑ

サッシュ

Ⓚ Ⓕ

Ⓙ

Ⓐ
Ⓘ Ⓗ Ⓖ

パターン（2）

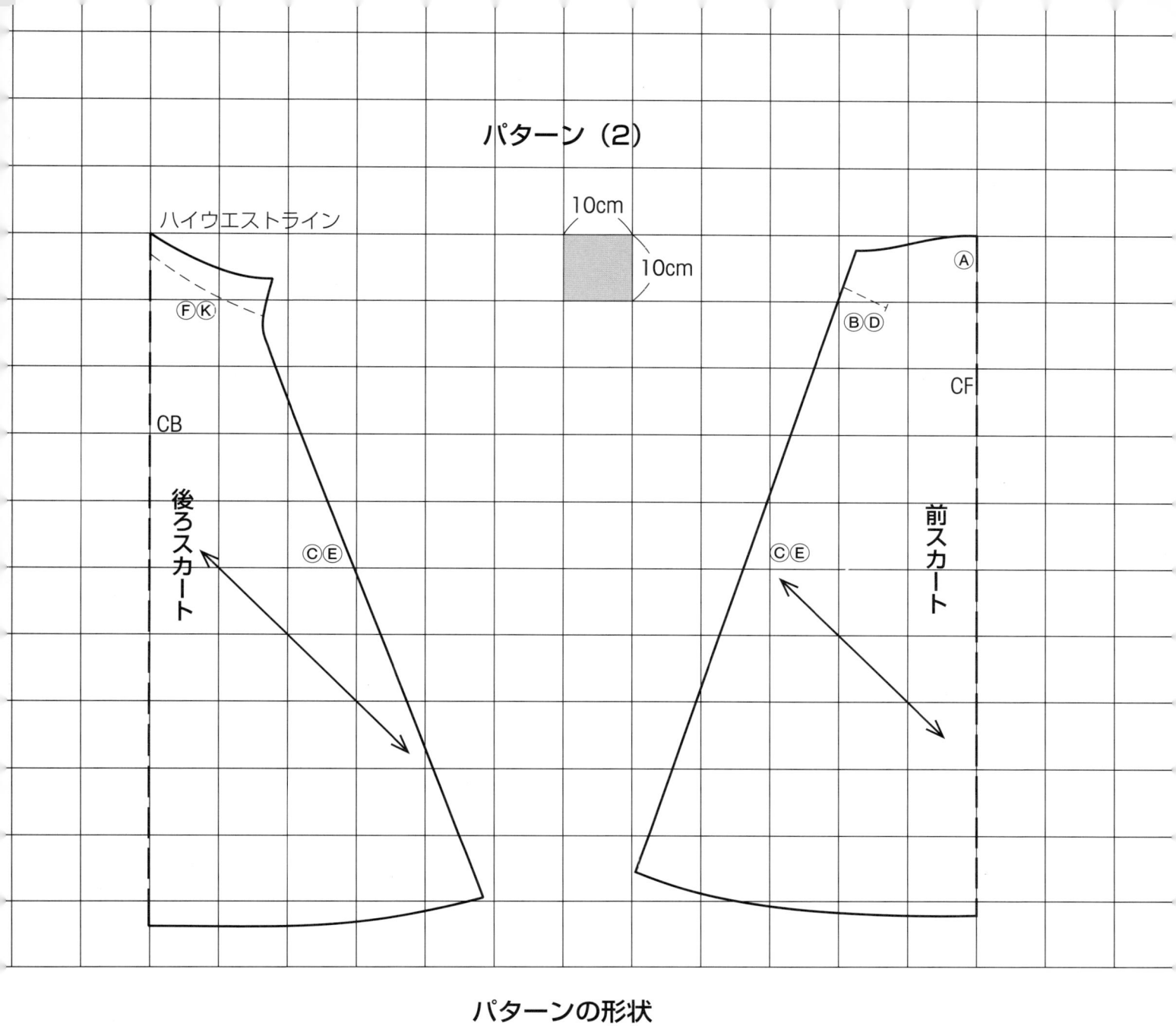

ハイウエストライン

10cm
10cm

F K
CB
後ろスカート
C E

B D
A
CF
前スカート
C E

パターンの形状

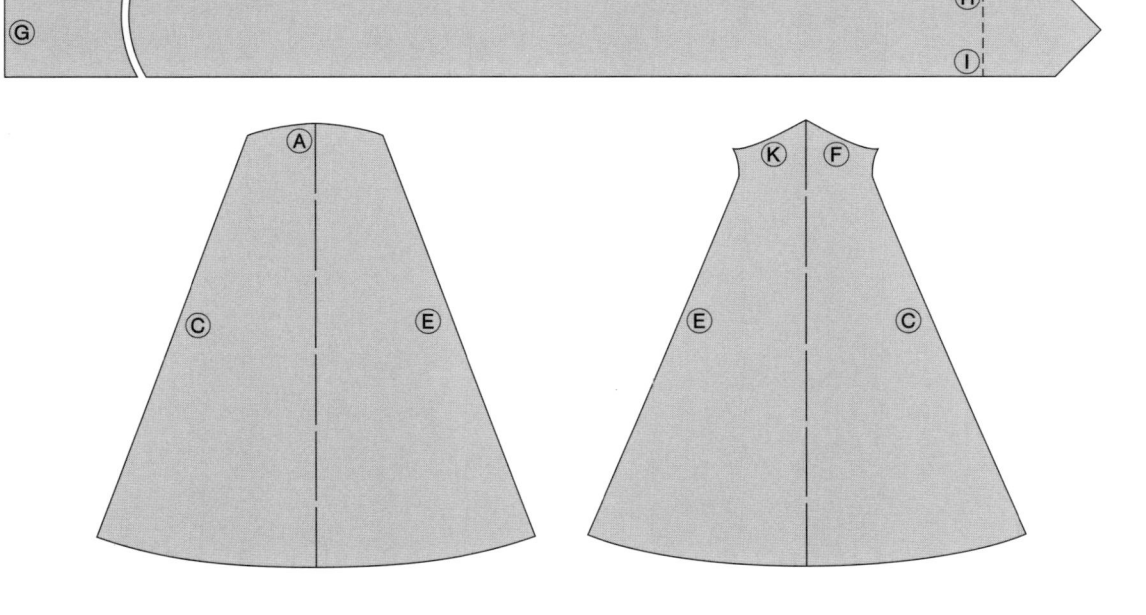

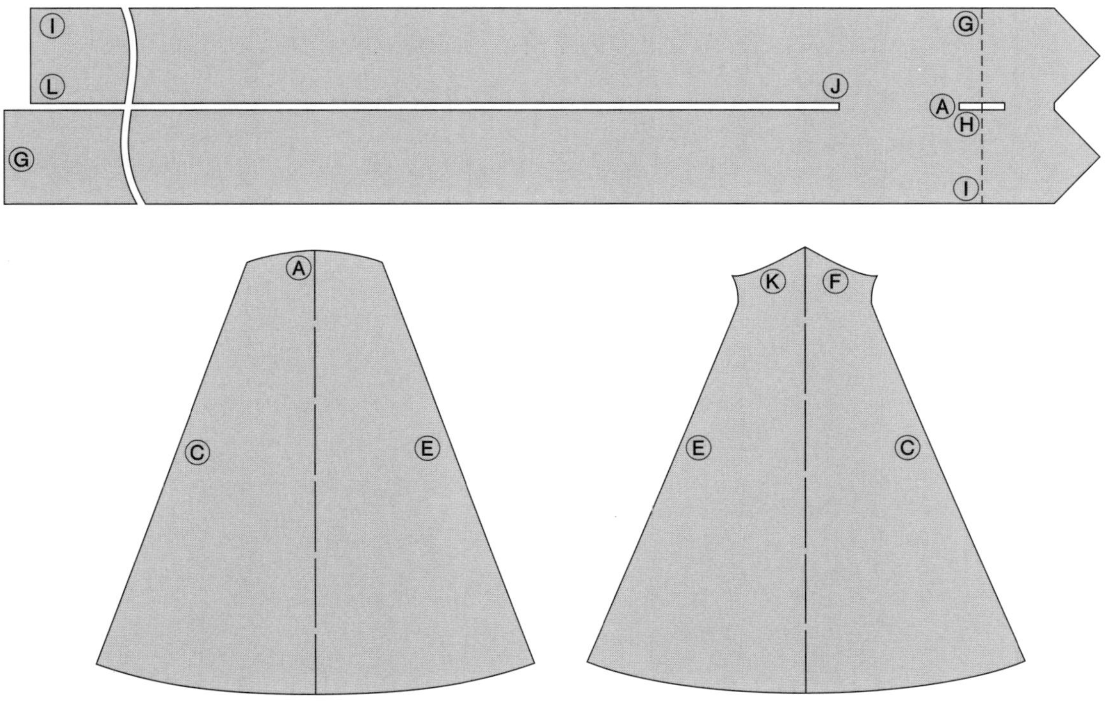

I
L
G
J
A H
I
G

A
C E

K F
E C

縫製順序

1. 前後スカートの脇ⓒⒺを縫い合わせ、左脇にあきを作り、ウエストライン、裾の始末をする。
2. サッシュの中央Ⓛ〜Ⓙに切込みを入れ、裁ち目の始末をする。前身頃側の中央Ⓗに切込みを入れ、見返しをつけてスラッシュあきを作る。折返し線から折り、点線の位置を縫いつける。
3. 前スカートとサッシュⒶを糸ループで止める。
4. 後ろスカートⒻと前スカートⒷ、後ろスカートⓀとサッシュを後ろで交差するように縫い合わせる。
5. 前スカートⒹとサッシュにホックをつける。

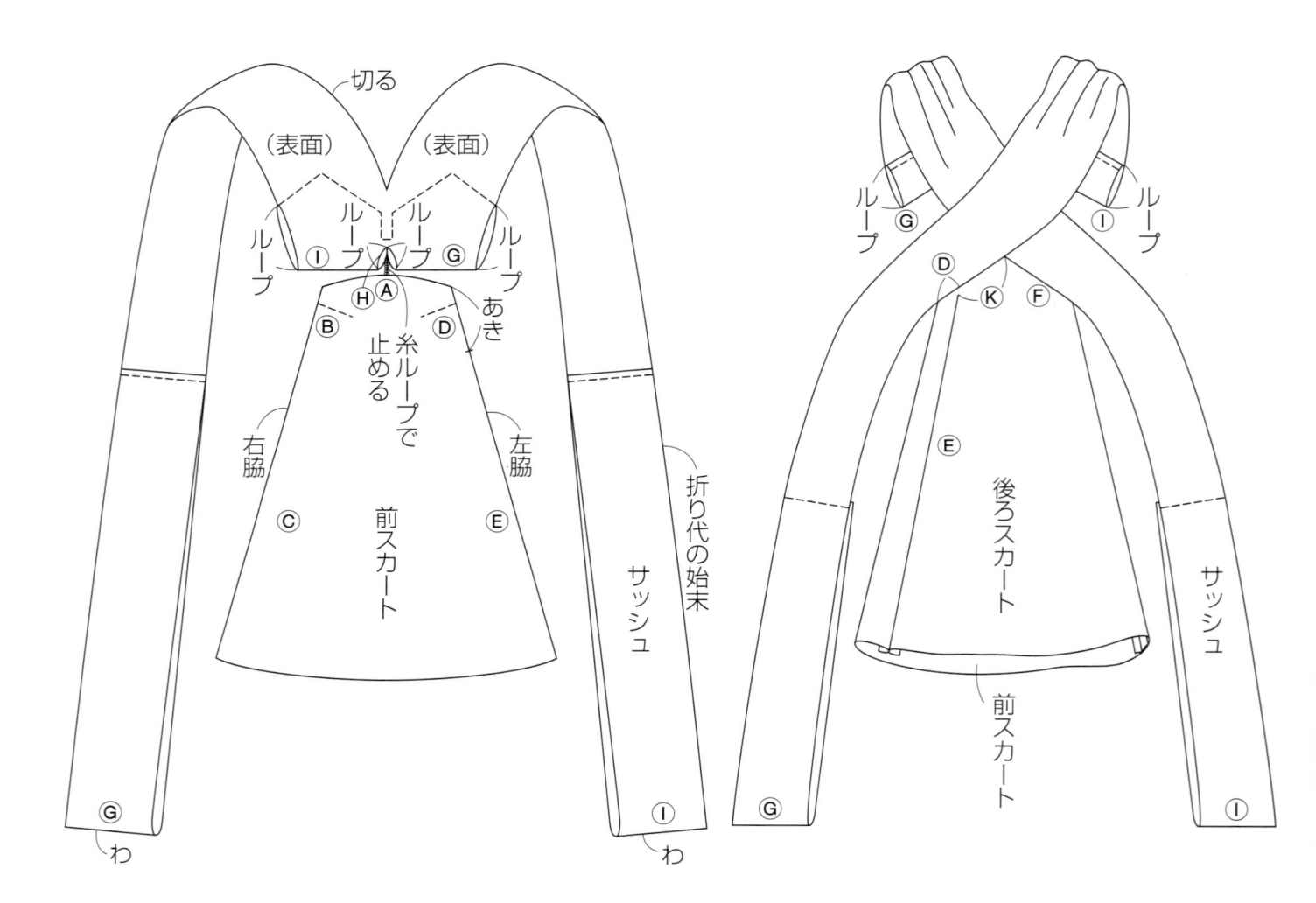

着装順序

1. サッシュの①を前に回し、中心の小さいループから脇に引き出す。もう片方のループⒼも同じように前に回し、反対側に引き出す。
2. ①Ⓖを後ろに回して交差させ、前に回して結ぶ（図参照）。

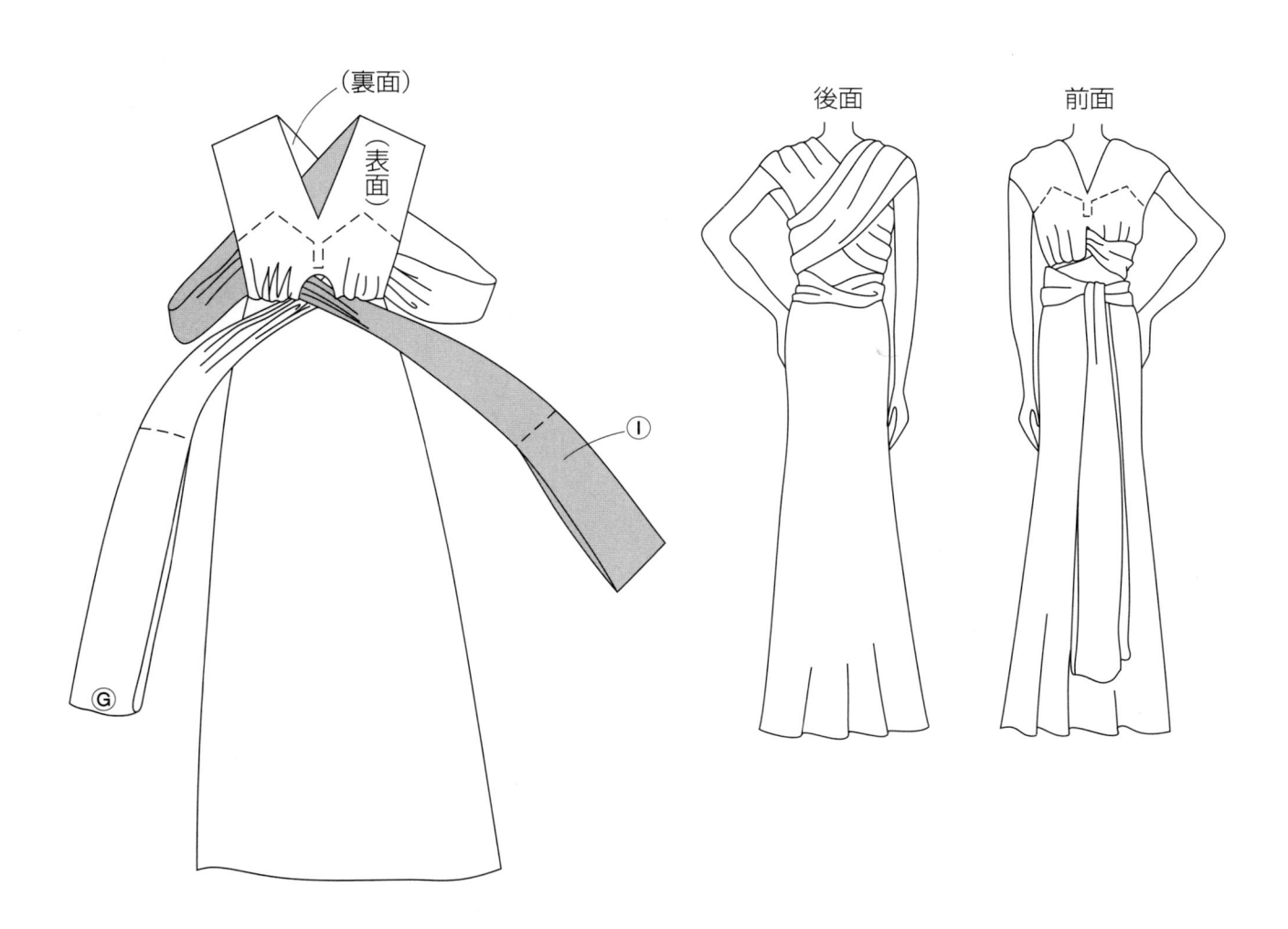

PATTERN 9 長方形の展開（1933年）

　ドレスのスカートは大きな1枚のパーツで、前後が続け裁ちになっている。後ろスカートの先端を後ろ中心ウエストラインまで持ち上げて縫い、裾がわになるように作られ、立体感のあるシルエット表現になっている。

　身頃のアンダーブラは、1枚続きの布にダーツとタックをたたんで縫うことでボディにフィットさせ、サポートストラップとつながるように作られている。その上にホールターネックのトップ、その衿もとからはバイアスに裁断された布で立体感のあるドレープをストラップに止めて形作ってある。

　オリジナルのバックスタイルは、この写真よりやや長めのトレーンである。

パターン（1）

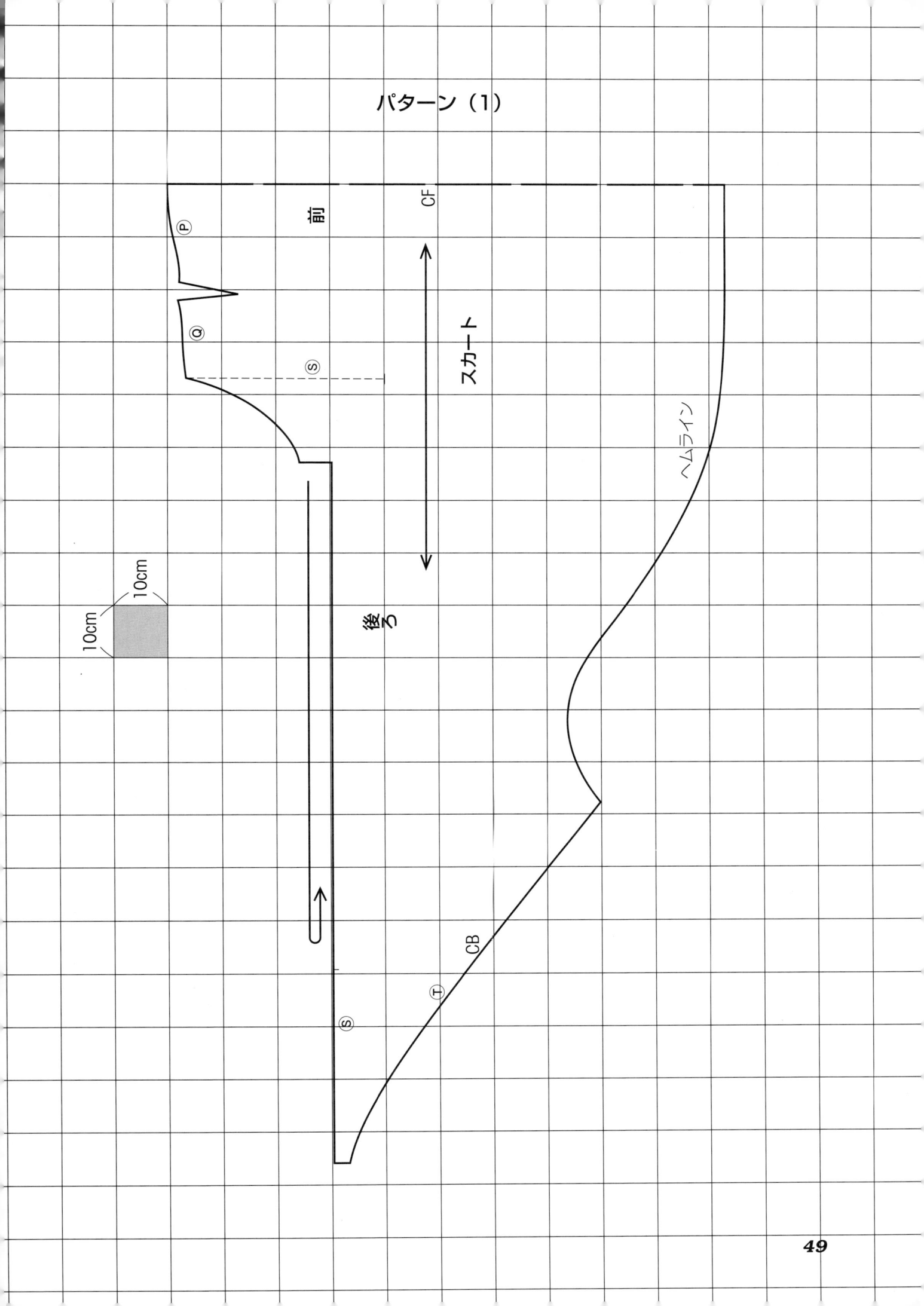

前
CF
スカート
後ろ
ヘムライン
CB
10cm × 10cm

パターン（2）

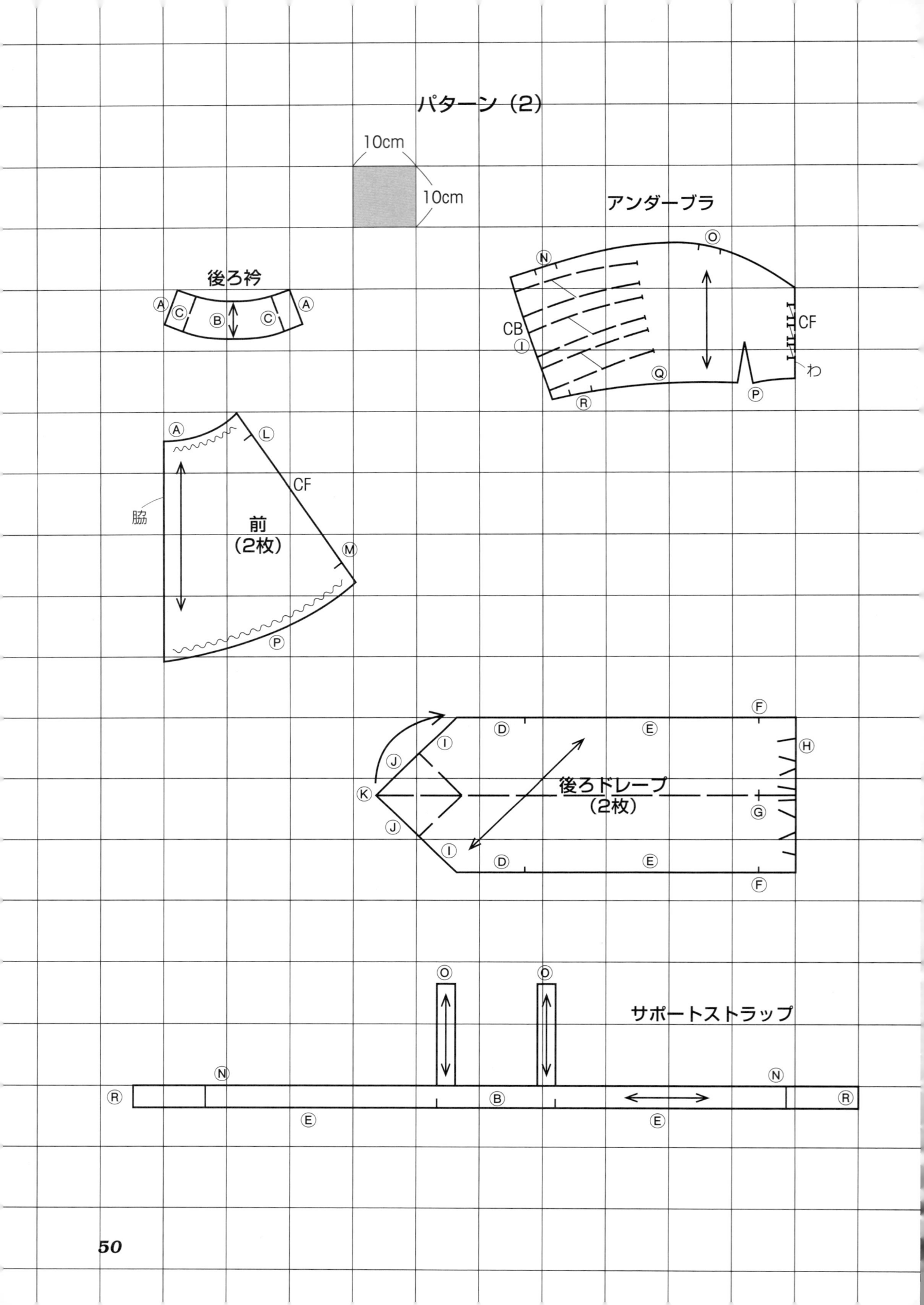

10cm
10cm

後ろ衿

アンダーブラ

前（2枚）
脇
CF

後ろドレープ（2枚）

サポートストラップ

パターンの形状

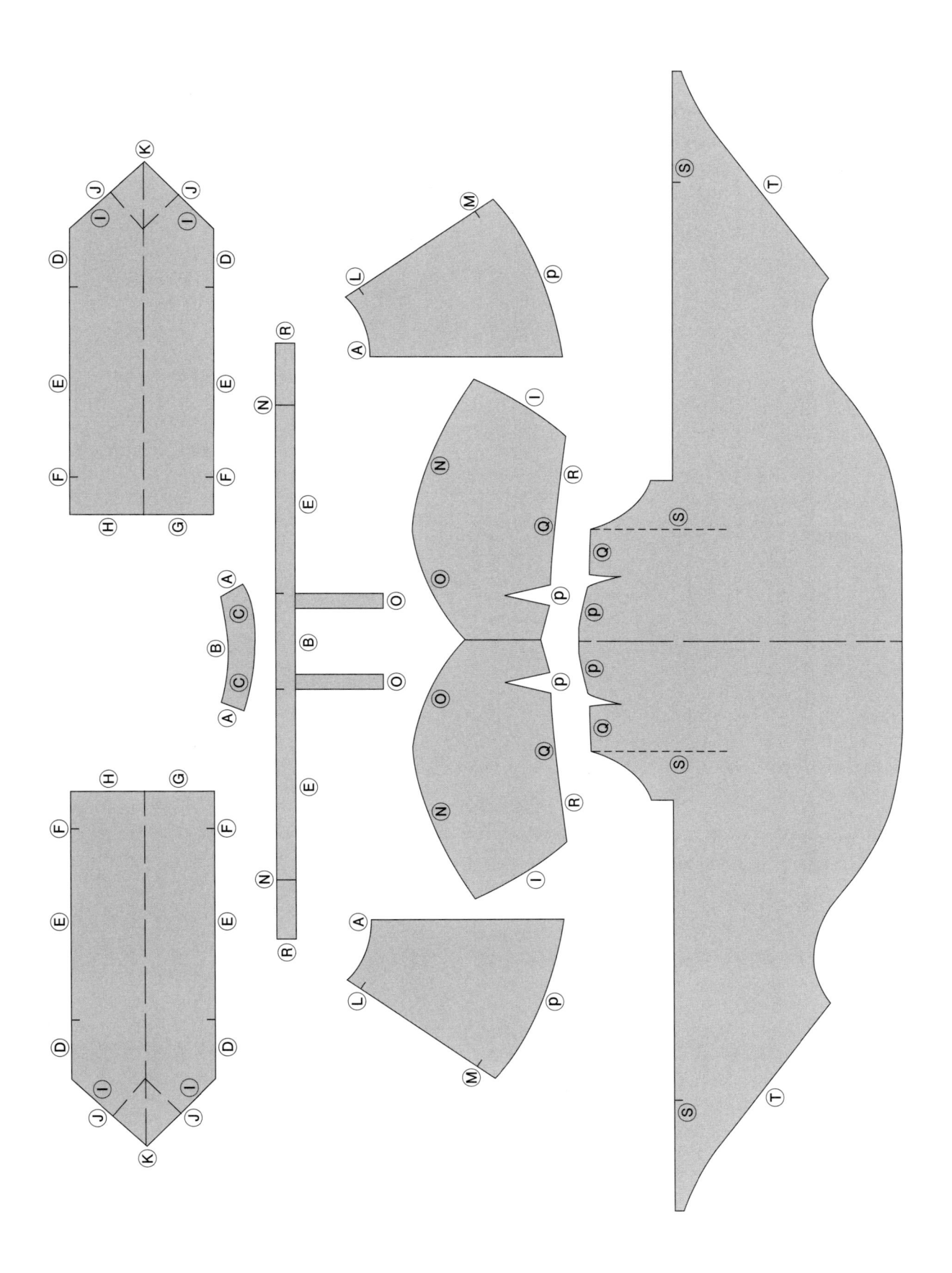

51

縫製順序

1 スカートを縫う（図1～4）。
　ウエストダーツと後ろ中心Ⓣをあき止りまで縫う。
　後ろ裾をわに折り上げ、Ⓢ線を縫う。

図1

図2

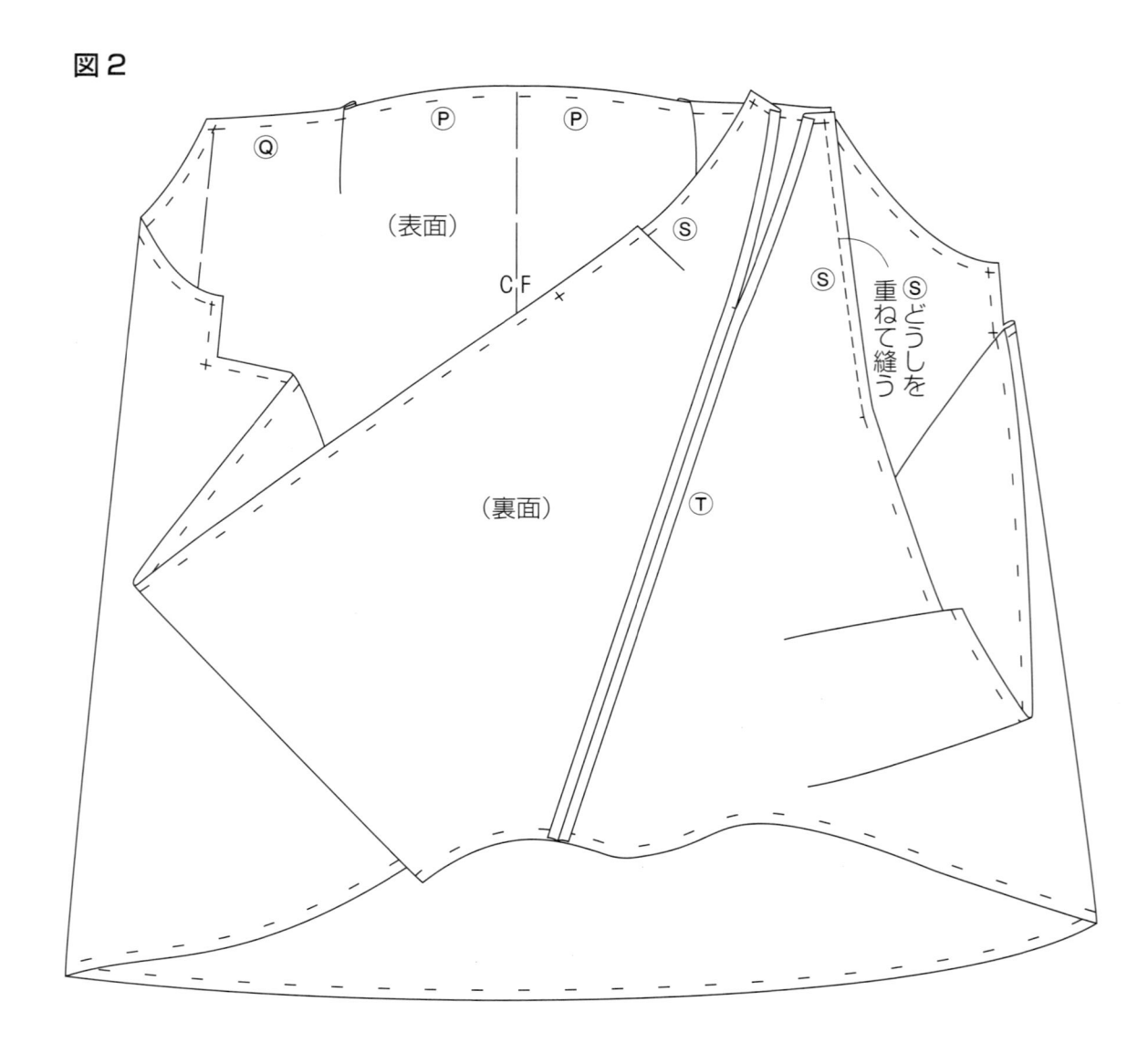

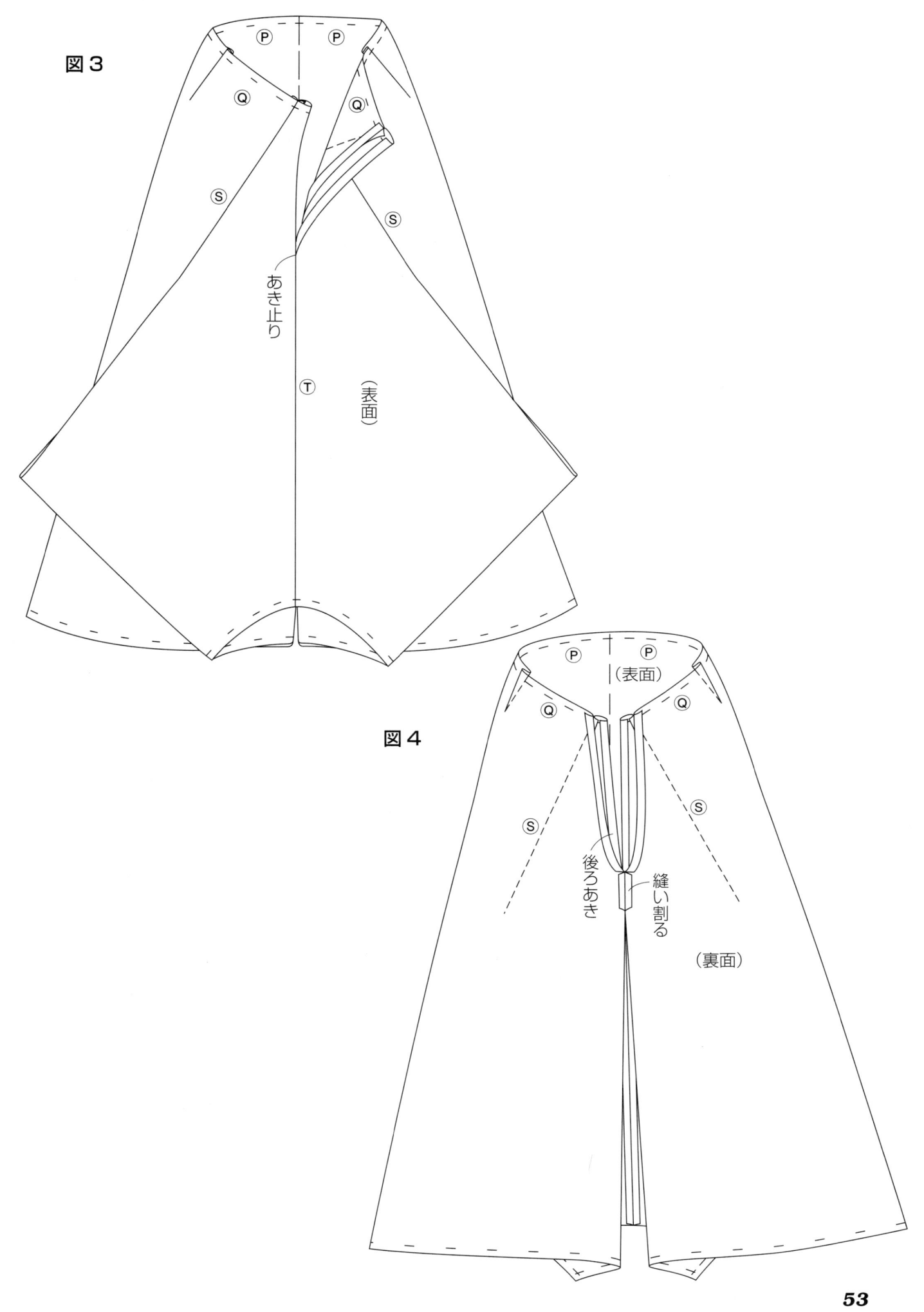

図3

あき止り
(表面)

図4

後ろあき
縫い割る
(裏面)
(表面)

図5

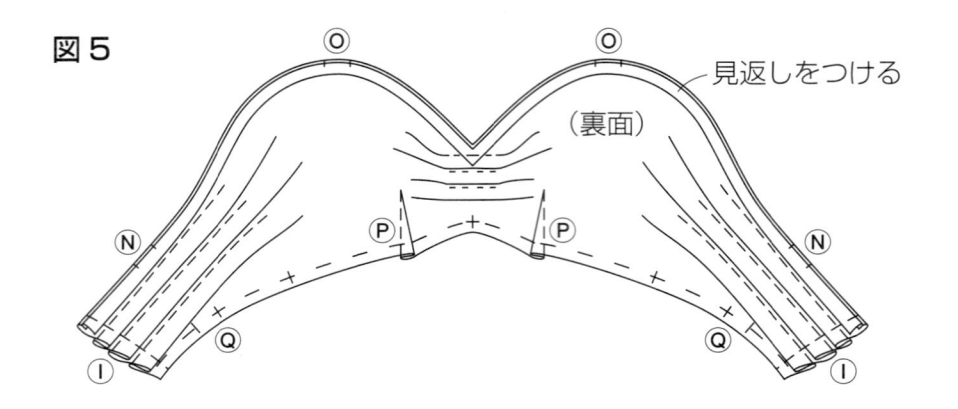

図6

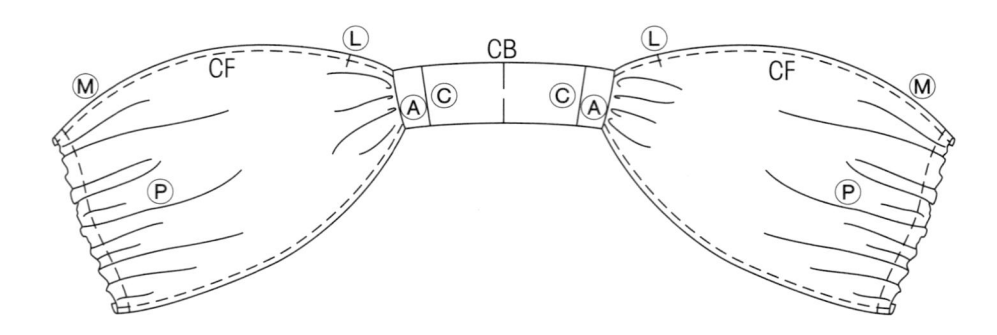

図7

図8

2　アンダーブラを作る（図5）。
　　Ⓝ Ⓞ 側に見返しをつける。切替え線のダーツを縫う。前中心と後ろのタックを中縫いする。

3　トップを作る（図6）。
　　前トップの両側を始末し、Ⓜ にギャザーを寄せる。後ろ衿を作り、前トップⒶを後ろ衿Ⓐと同寸法にギャザーを寄せて、後ろ衿につける。

4　ウエストをはぐ（図7、8）。
　　スカートⓅと前トップⓅを重ね、さらにアンダーブラⓅⓆを重ねて縫う。

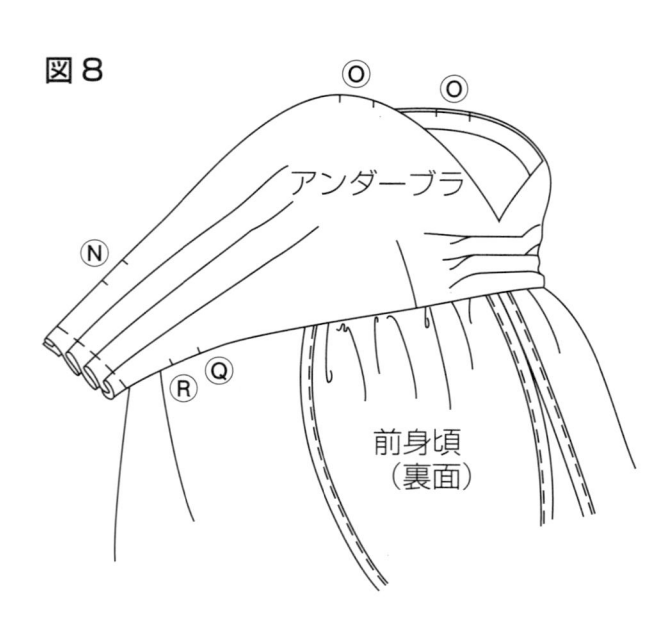

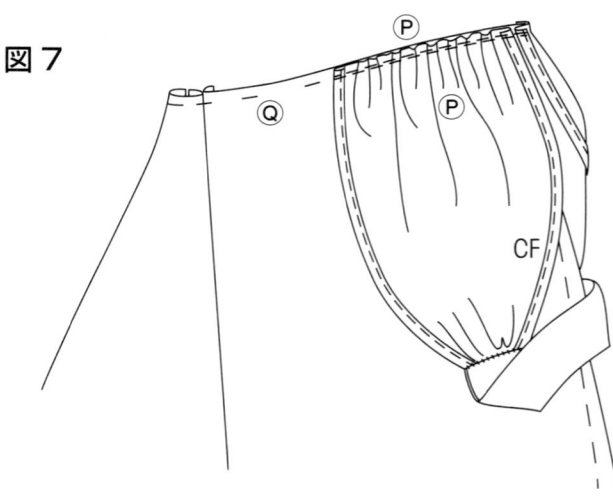

図9

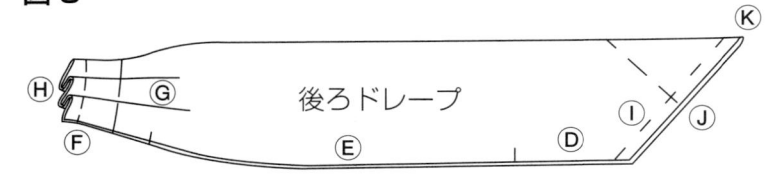

後ろドレープ

5　後ろドレープのⒹⒺⒻを縫い返し、Ⓗ線のタックをたたむ（図9）。
　サポートストラップを作り、ⓃⓇⓄをアンダーブラに止めつける（図10）。
　後ろドレープを後ろ衿Ⓒと前トップⓁにⒼ線を重ねてつけ、裏へ折り込んでつける（図11）。

図10

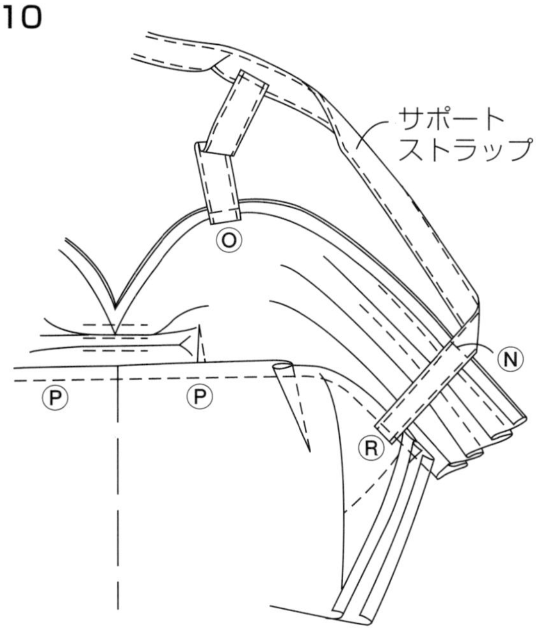

サポートストラップ

図11

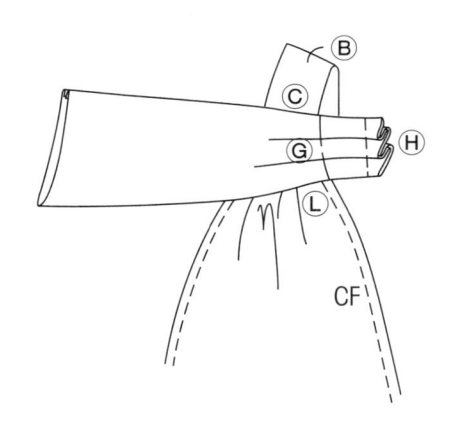

注：オリジナルでは見返しはつけていない

6　サポートストラップのⒺに後ろドレープⒺを止めつける。
　後ろスカートのあきの始末をする（図12）。
　ドレープ布のⓀ点を線Ⓙで折って、アンダーブラの後ろ中心線Ⓘと合わせて縫って仕上げる（図13）。

図12

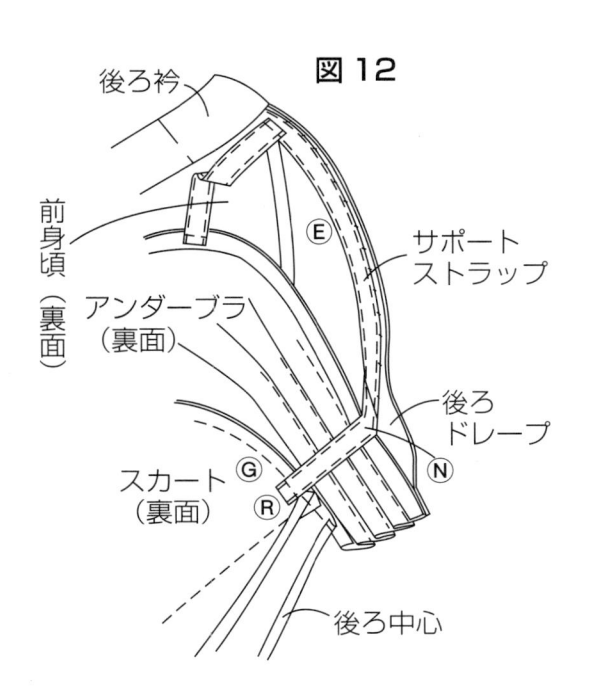

後ろ衿
前身頃（裏面）
アンダーブラ（裏面）
スカート（裏面）
サポートストラップ
後ろドレープ
後ろ中心

図13

後ろあき

55

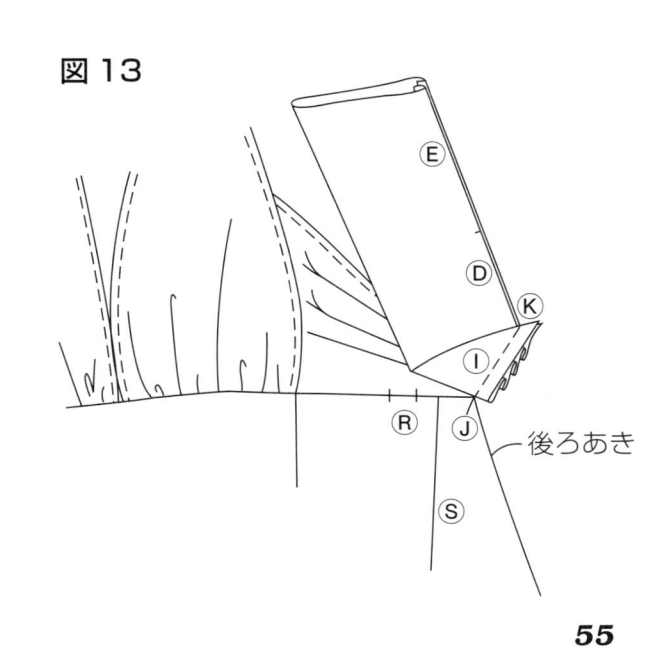

PATTERN 10 四分円の展開（1922年）

　四分円の頂点を肩線とし、中心（45度の位置）にスラッシュを入れ、広げてVネックラインになるように作られている。シンプルであるが美しいフレアを表現している。

パターン（1）

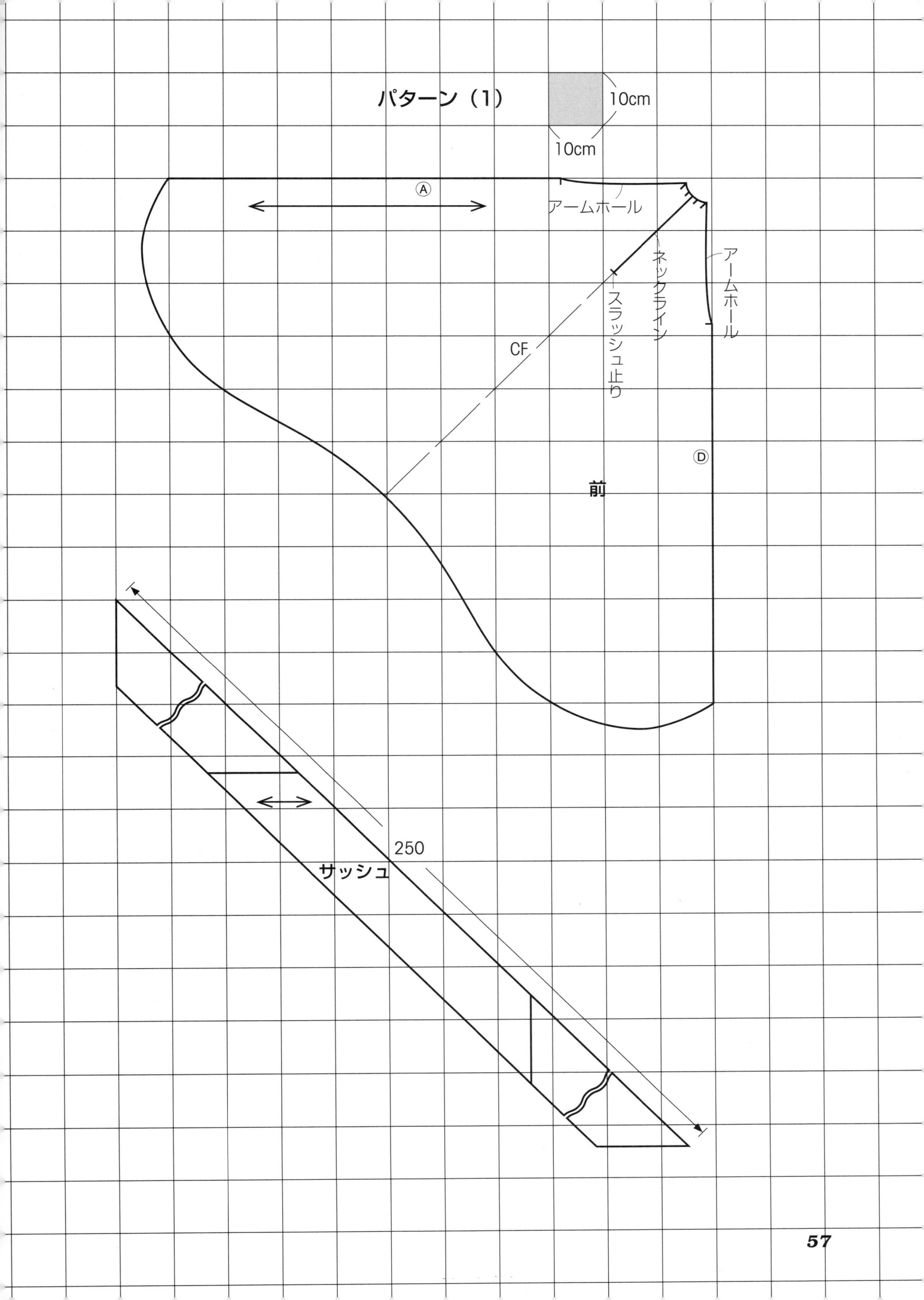

10cm
10cm

Ⓐ
アームホール
ネックライン
スラッシュ止り
アームホール
CF
Ⓓ
前

250
サッシュ

パターン（2）

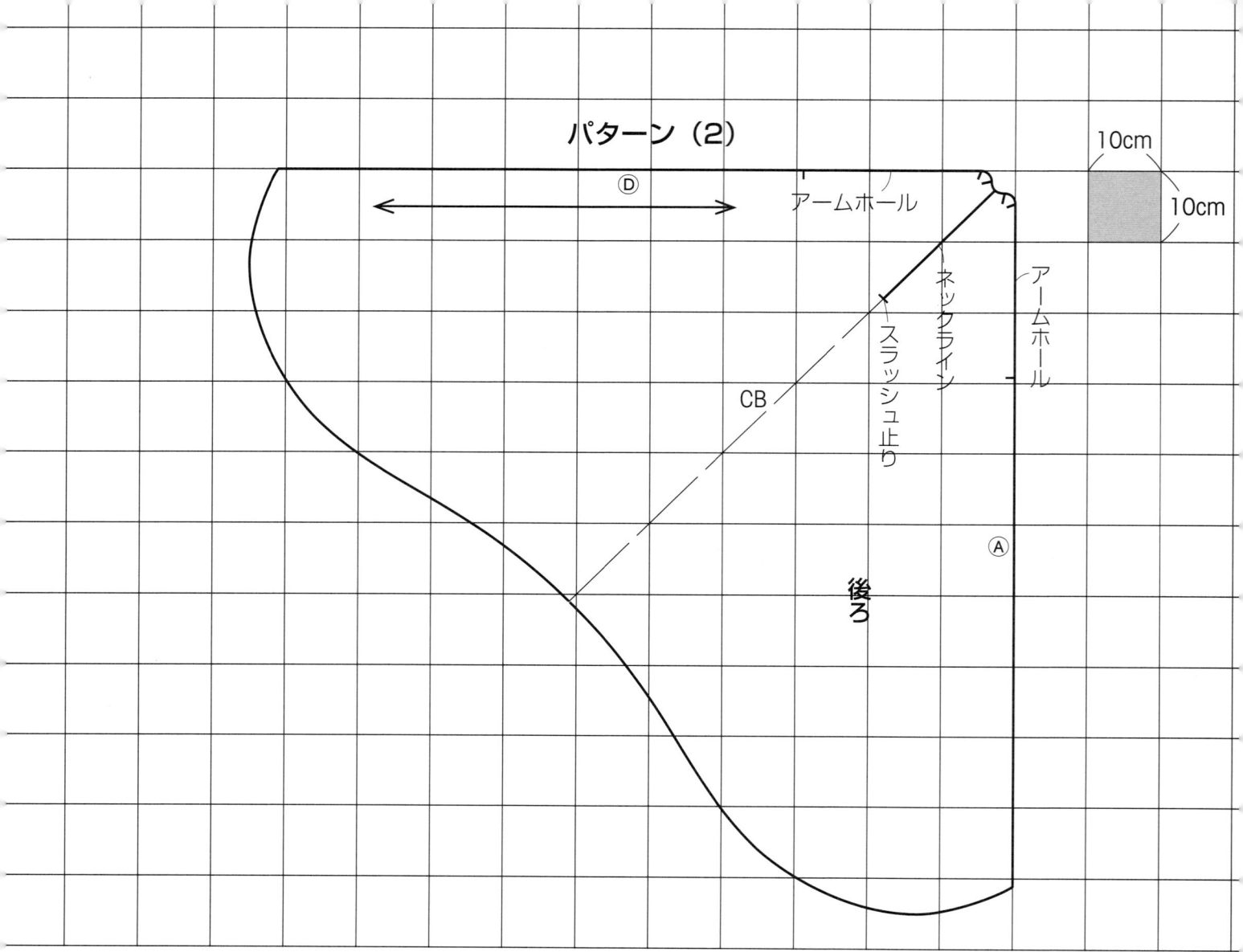

10cm / 10cm

アームホール
ネックライン
スラッシュ止り
アームホール
CB
Ⓐ
Ⓓ
後ろ

パターンの形状

Ⓐ Ⓓ

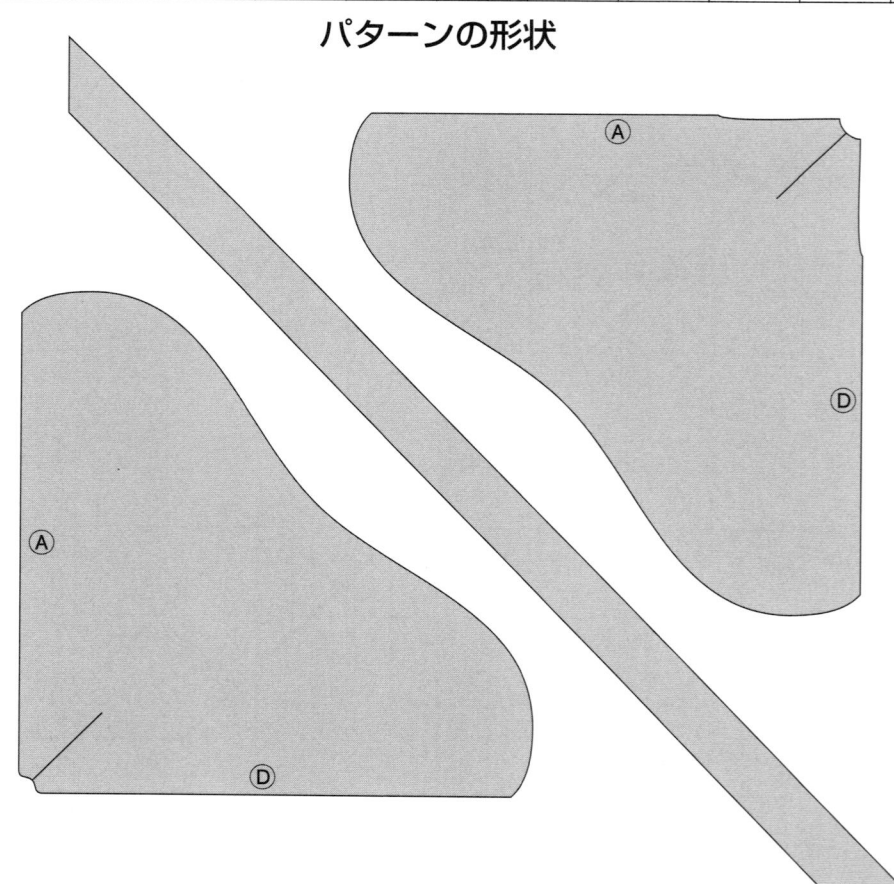

縫製順序

図1

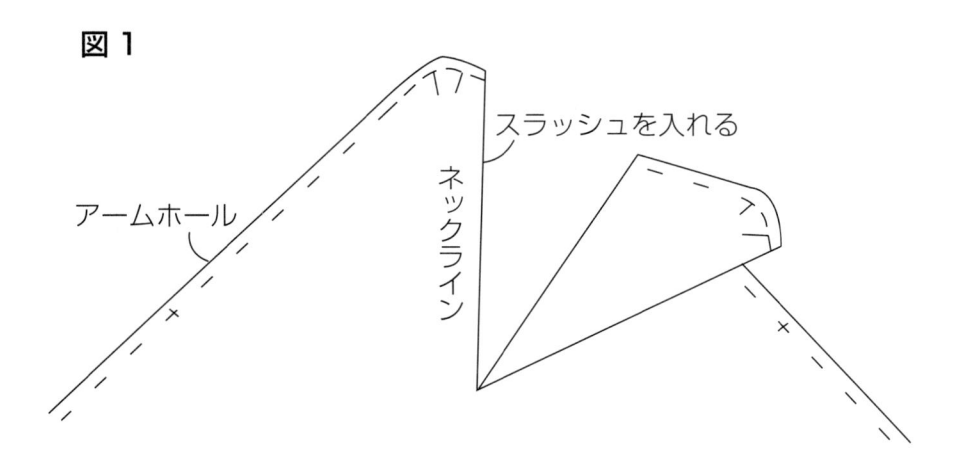

アームホール / ネックライン / スラッシュを入れる

図2

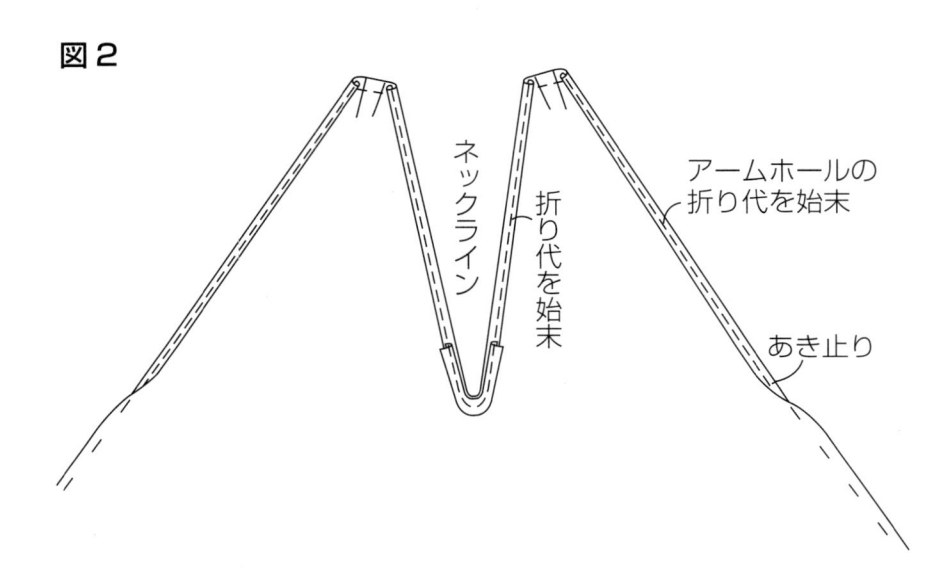

ネックライン / 折り代を始末 / アームホールの折り代を始末 / あき止り

1　衿ぐり、袖ぐりの始末（図1、2）。
　①前後衿ぐりにスラッシュを入れ、あき止りに共布を当てて縫い返し、折り代の始末をする。
　②袖ぐりはあき止りまで折って始末する。

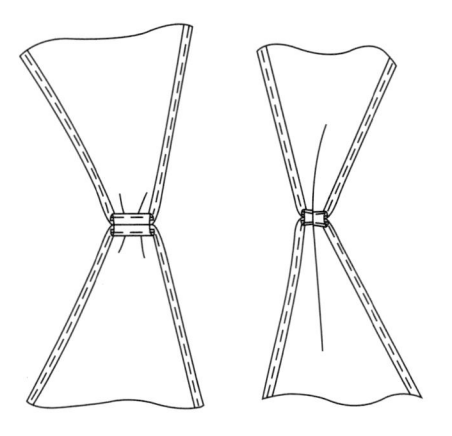

2　肩を縫い割り、肩のタックを縫う（図3）。
3　前後身頃の脇を縫う（袋縫い）。
　　衿の始末をする。

図3

PATTERN 11　四分円の展開（1928～29年）

　四分円の角をほぼ布目にそってカットして左のアームホールとし、その両側は、ボディラインにフィットするゆるやかなカーブに裁ち落とし、細幅の縦地の布をはめ込んである。
　左脇はバイアスのわ裁ちになるため左右がアシンメトリーになり、腰の位置のブラウジングと脇上りの裾がアクセントになっている。
　アームホール、ネックラインと右脇は直線で裁たれた布をトリミングし、ドレスを安定させている。

パターン（1）

10cm
10cm

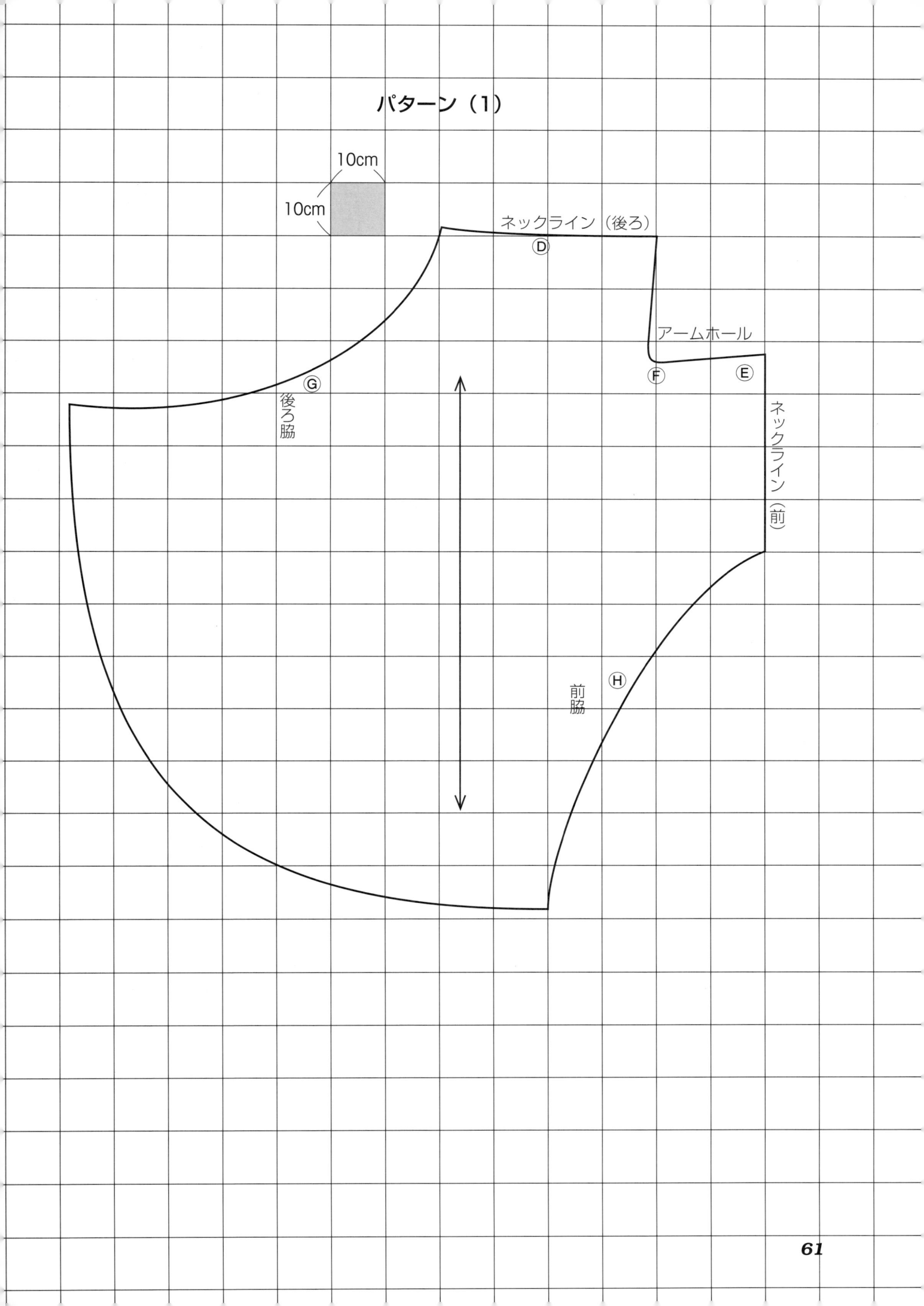

ネックライン（後ろ）
D

アームホール
F E

ネックライン（前）

G
後ろ脇

H
前脇

パターン（2）

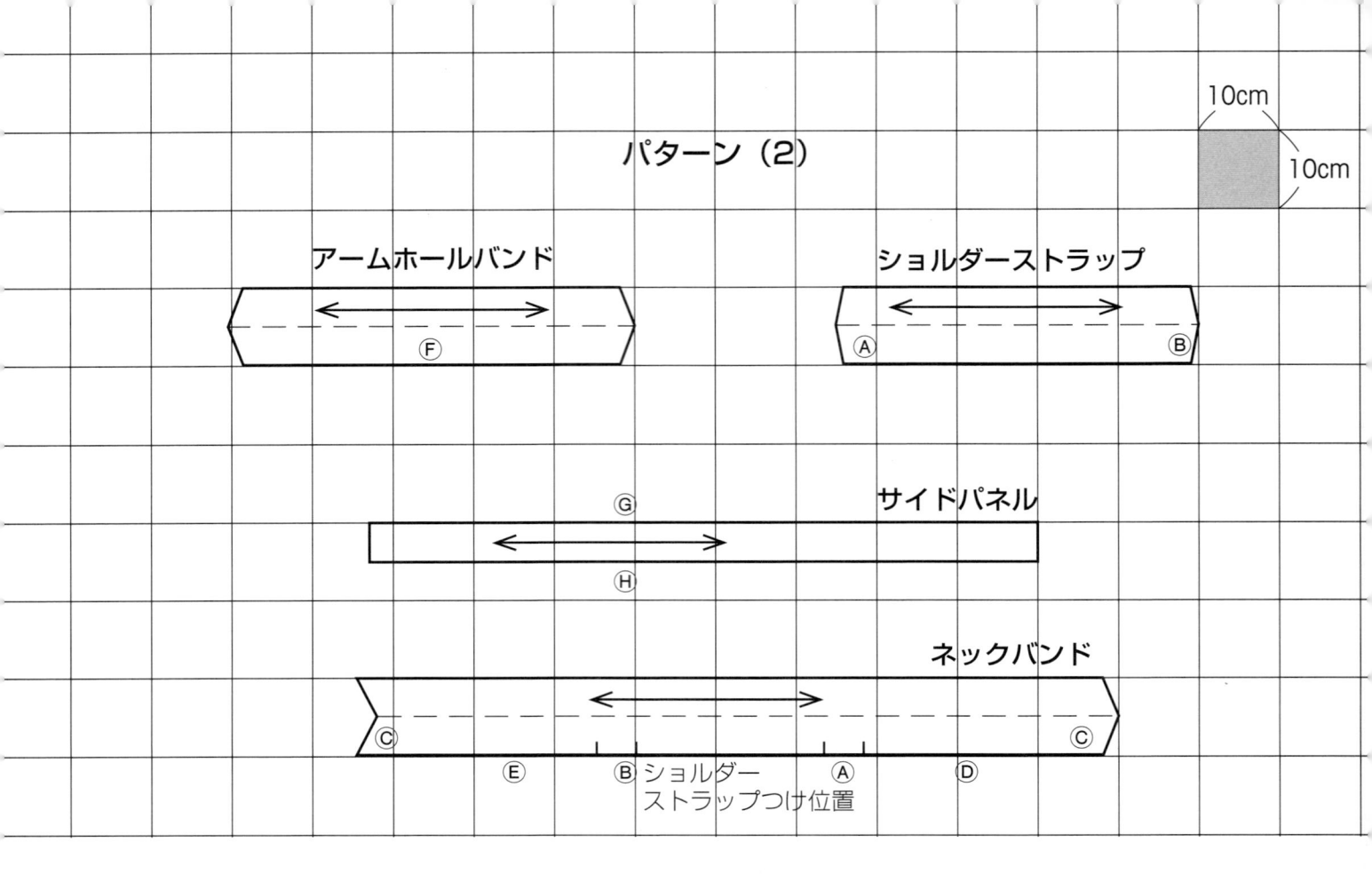

10cm × 10cm

- アームホールバンド Ⓕ
- ショルダーストラップ Ⓐ Ⓑ
- サイドパネル Ⓖ Ⓗ
- ネックバンド Ⓒ Ⓔ Ⓑ Ⓐ Ⓓ Ⓒ

Ⓑ ショルダーストラップつけ位置

パターンの形状

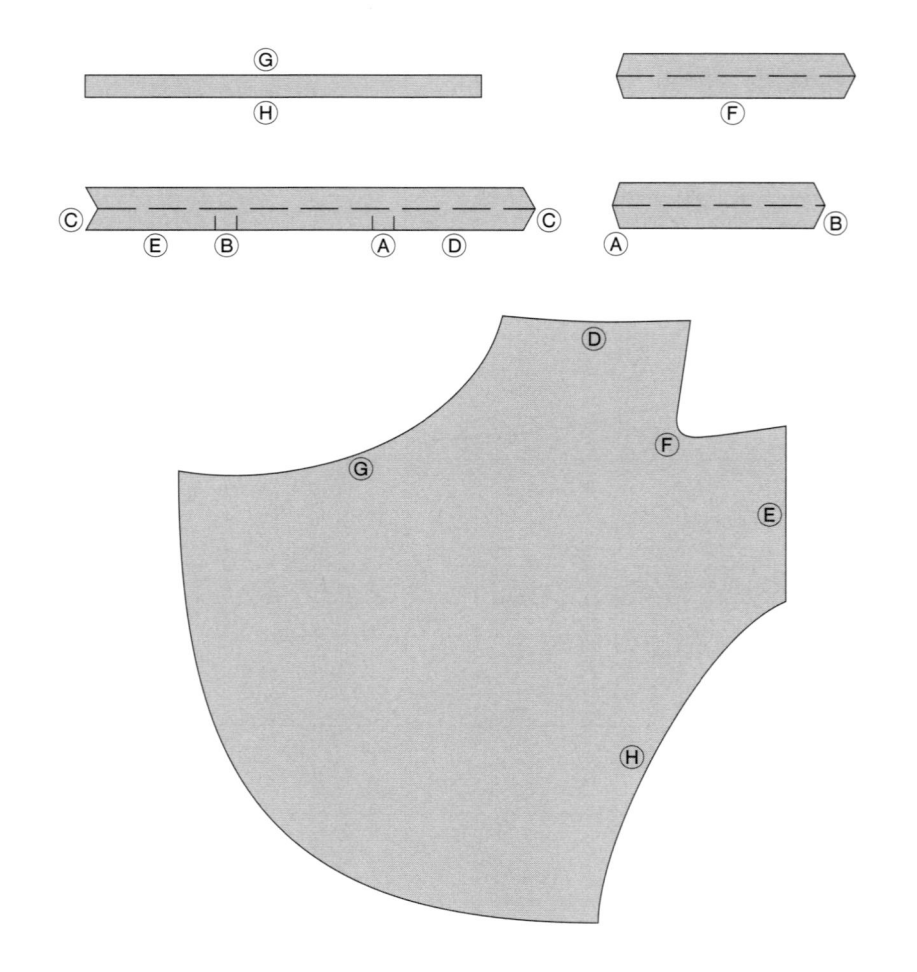

縫製順序

1 左アームホールにアームホールバンドをつける。

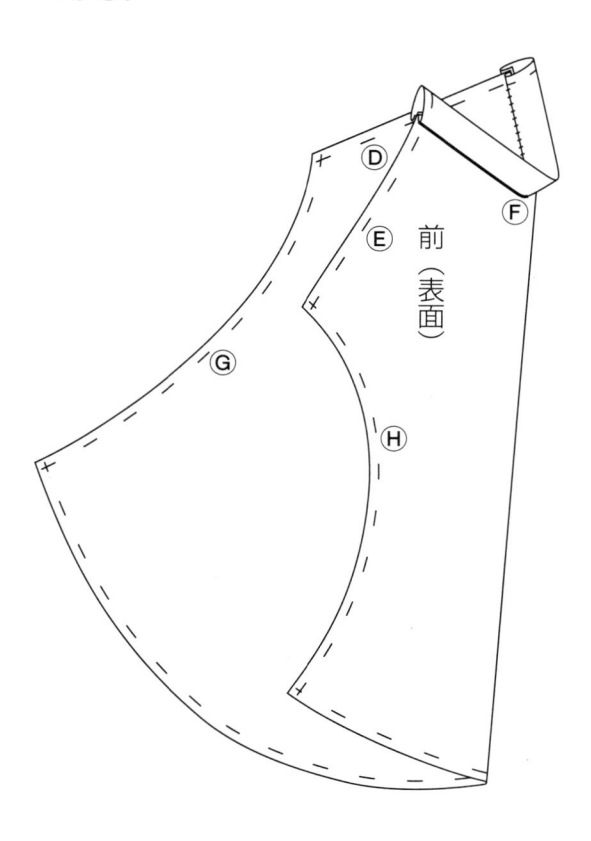

2 左脇（ⒽⒼ）に縦地の布（サイドパネル）をはめ込み、筒状に縫う。

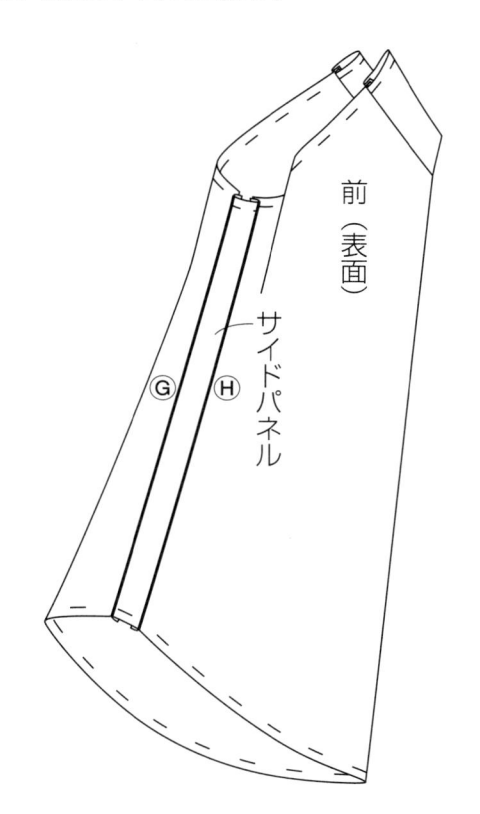

3 Ⓔ～Ⓓにネックバンドをつける。左肩先をはぎ目とする。

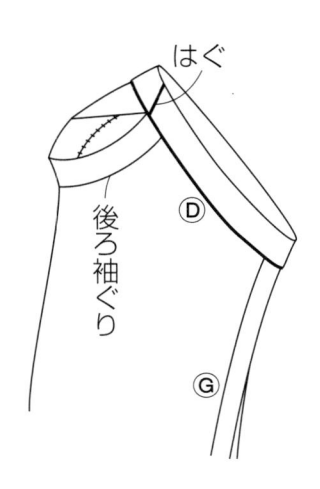

4 ⒶⒷを合わせてショルダーストラップをつける。

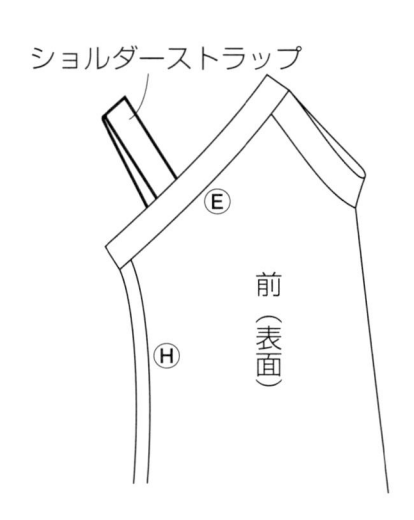

PATTERN 12 四分円の展開（1935年）

　1枚の四分円からできているシンプルなドレスである。身頃はストラップを通して絞る手法でフィットさせ、スカートはウエスト位置でドレープを寄せながらバックルで留めて前中心に美しいひだを表現している。

　身頃のウエストにあたる位置から長方形に胸を包む部分が裁ち出されている。後ろ中心のヒップの左右にスラッシュを入れ、それぞれ台形のまちを縦長にはめ込んでいる。左右のスラッシュの角度が違うのは、左右の布目が縦・横と異なるため、ドレープの流れにゆがみが出ないように調整したものと考えられる。

　前衿ぐりから続くストラップは、背中で交差して左右のまちに通し、ボディに合わせて調整するようになっている。

パターン

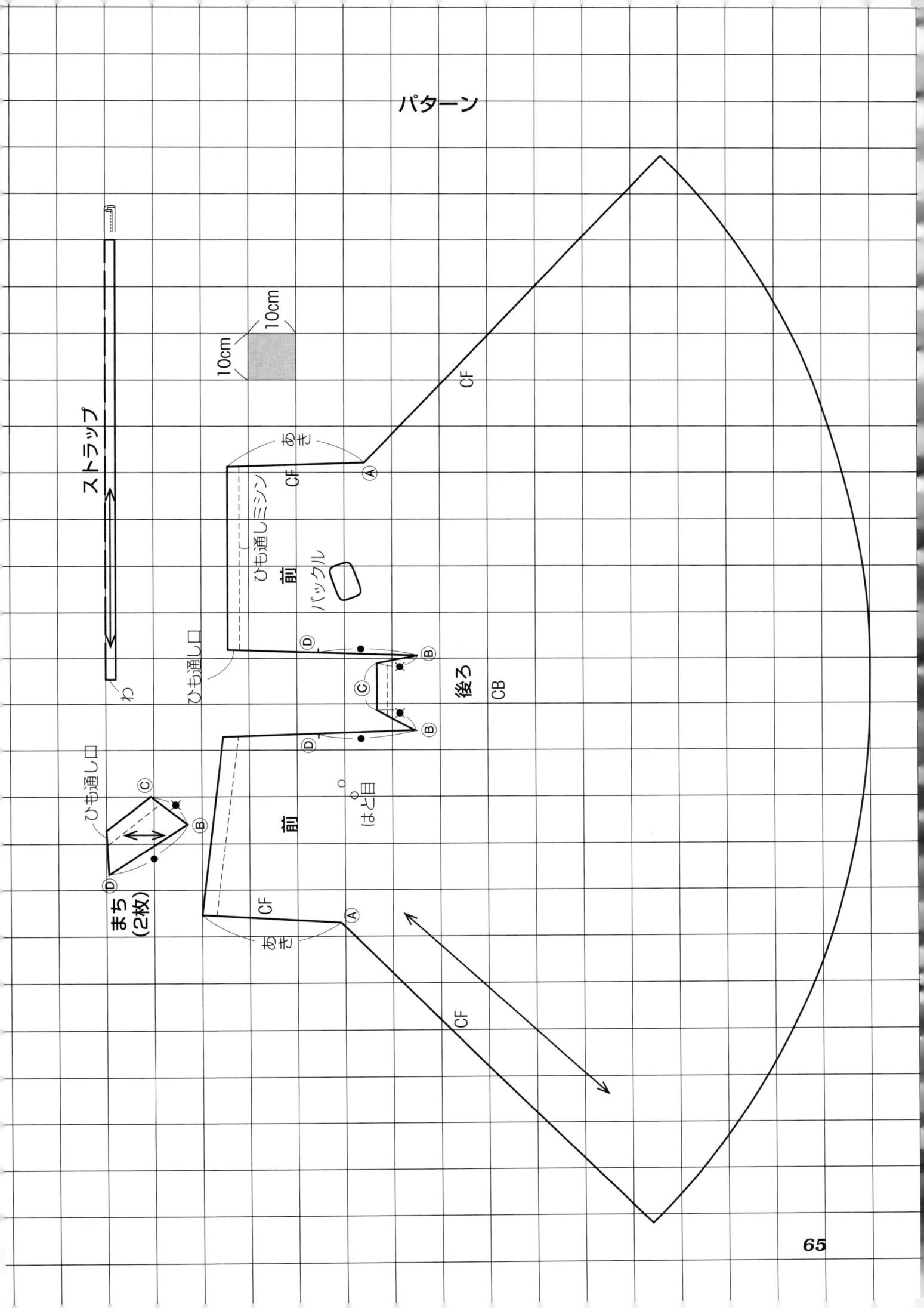

10cm×10cm

ストラップ
わ

まち(2枚)
ひも通し口

前
ひも通し口
ひも通しミシン
バックル
はと目

後ろ
CB

CF
あき

A B C D

パターンの形状

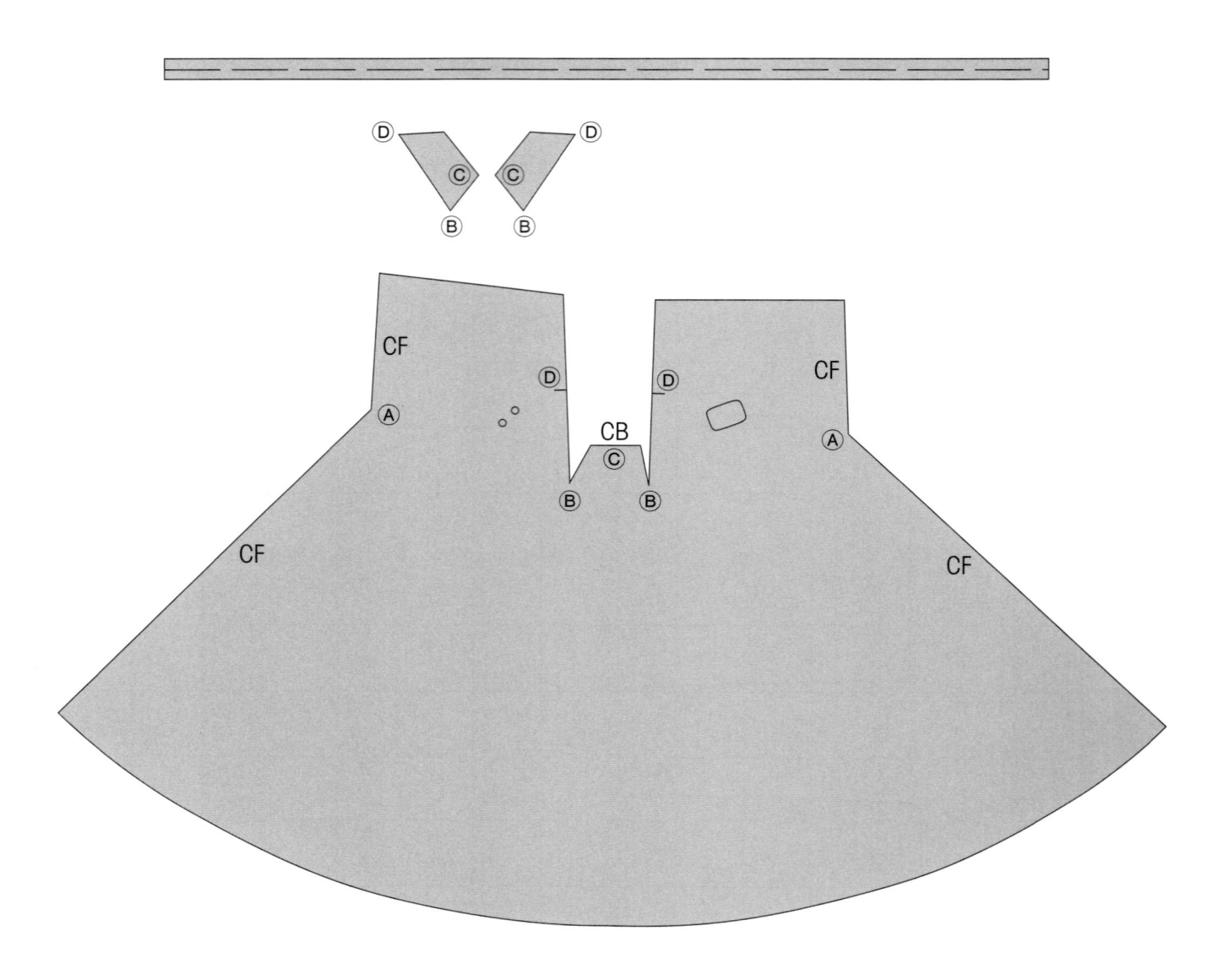

縫製順序

1 後ろ左右のスラッシュⒹ～Ⓑ、Ⓒ～Ⓑにまちをつける。
　Ⓒ～Ⓓを縫い、Ⓑ点まで切込みを入れ、Ⓒ～Ⓑを縫う。

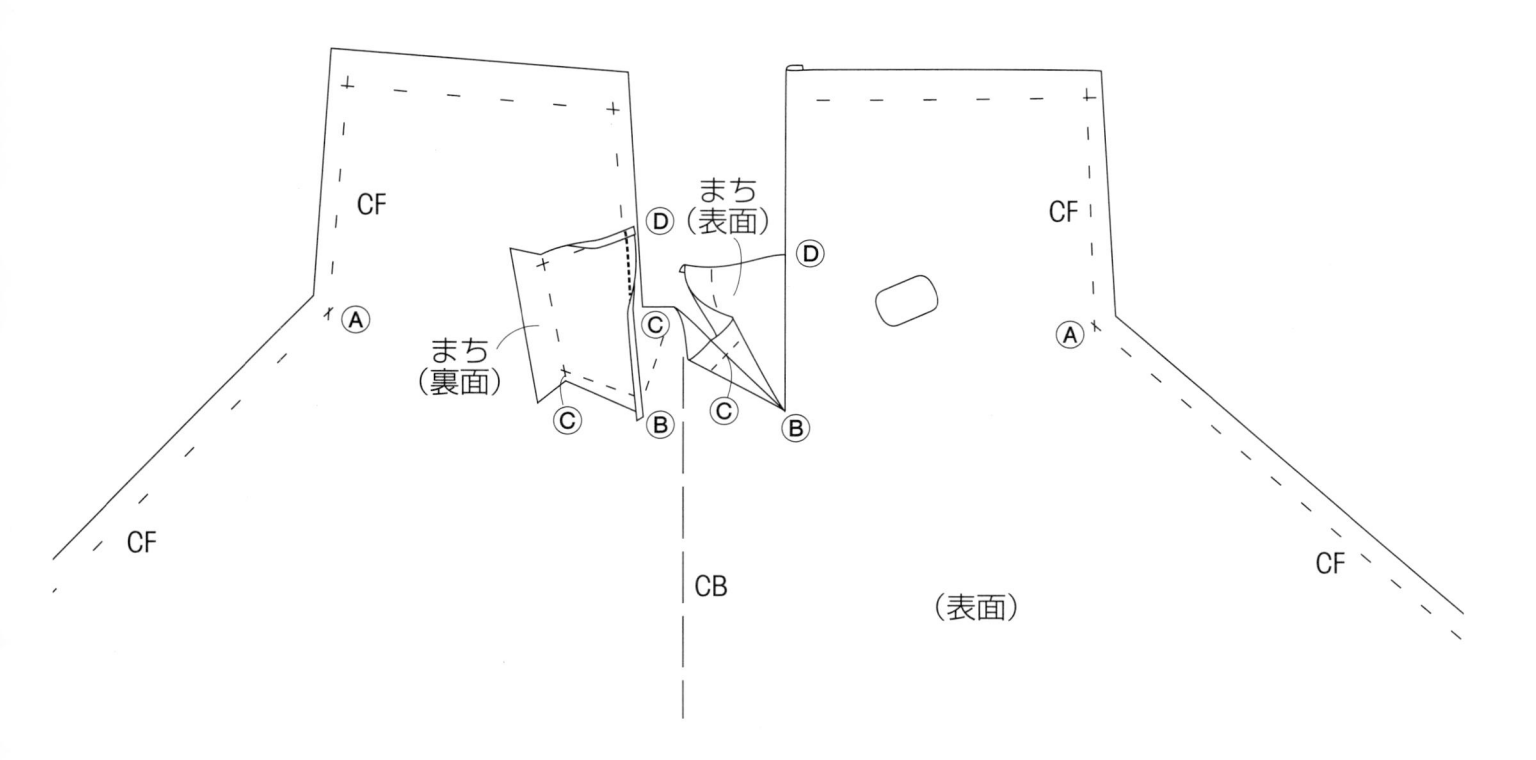

2 スカートの前中心Ⓐ～裾までを縫い、前中心スリットと脇側の折り代、ストラップを通す位置を折って始末する。
3 ストラップを作って通す。
　バックルとはと目の位置を止める。

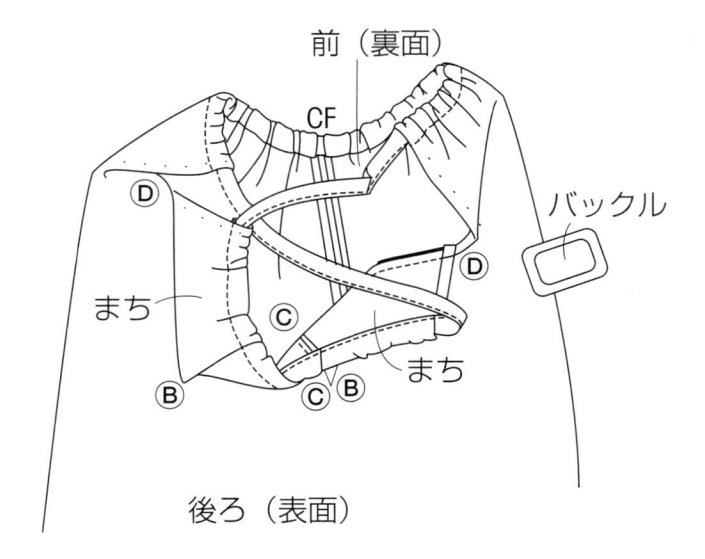

PATTERN 13 四分円の展開（1936年）

　2枚の四分円から形作られたドレスで、前身頃に左袖、後ろ身頃に右袖がそれぞれ裁ち出されている。袖の部分は前から見ると右はラグランスリーブ、左はキモノスリーブで、後ろはその逆になっている。キモノスリーブの袖下には機能的に菱形のまちがはめ込まれている。

パターン（1）

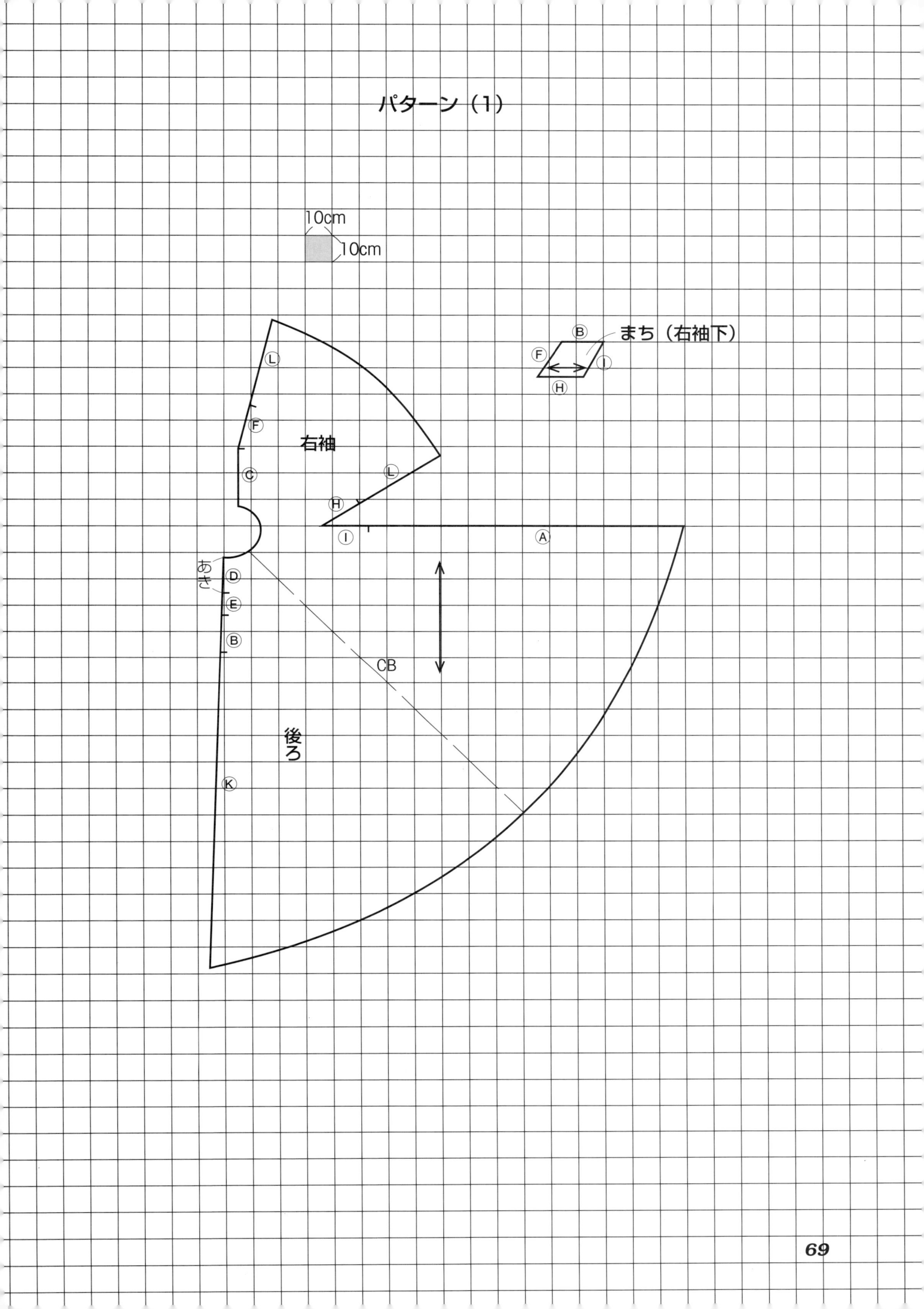

10cm
10cm

まち（右袖下）
B
F　I
H

右袖
L
F
C
H
L
I　A

D
あき
E
B
CB

後ろ
K

69

パターン (2)

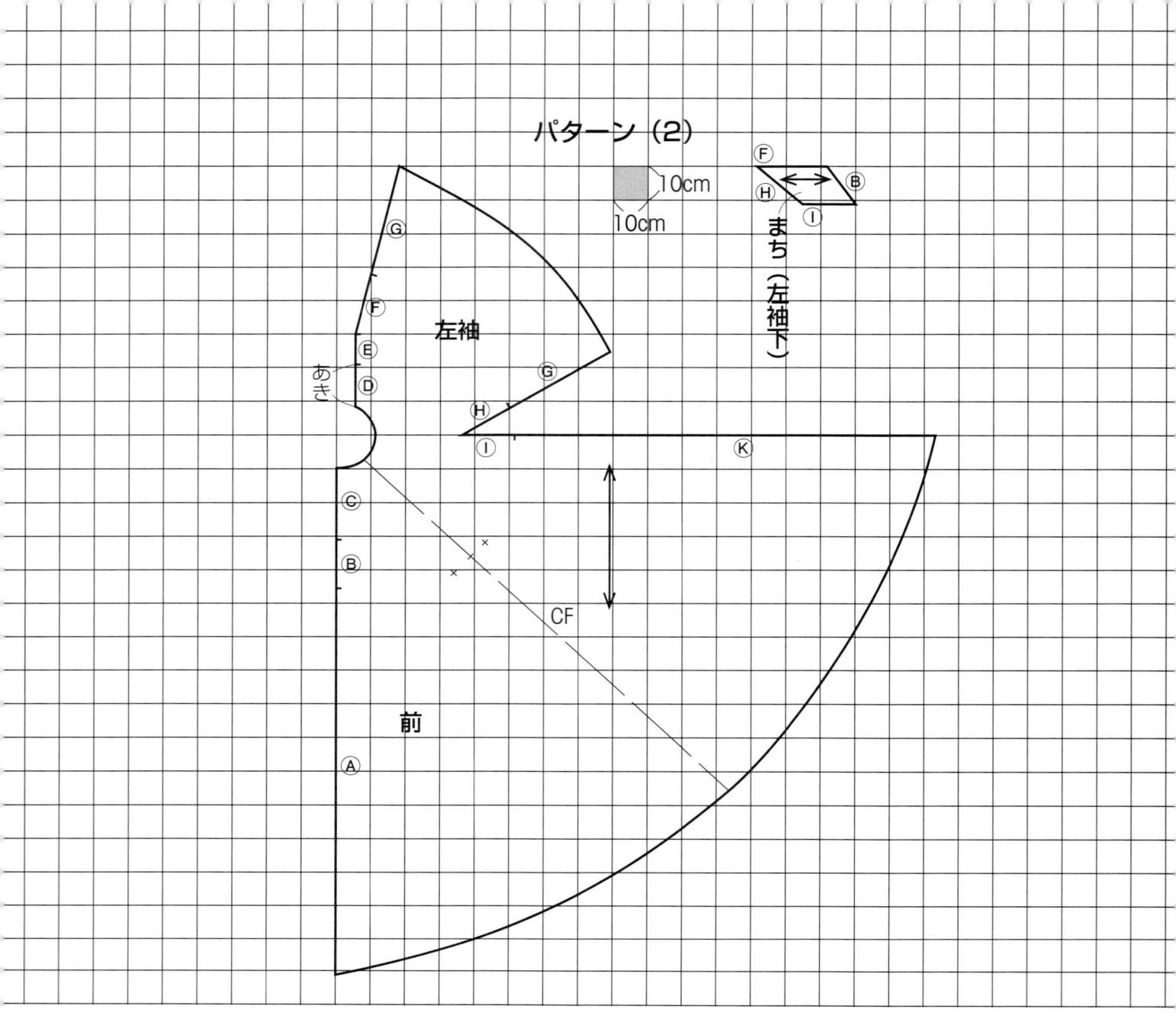

■ 10cm
10cm

左袖

まち（左袖下）

あき

前

CF

パターンの形状

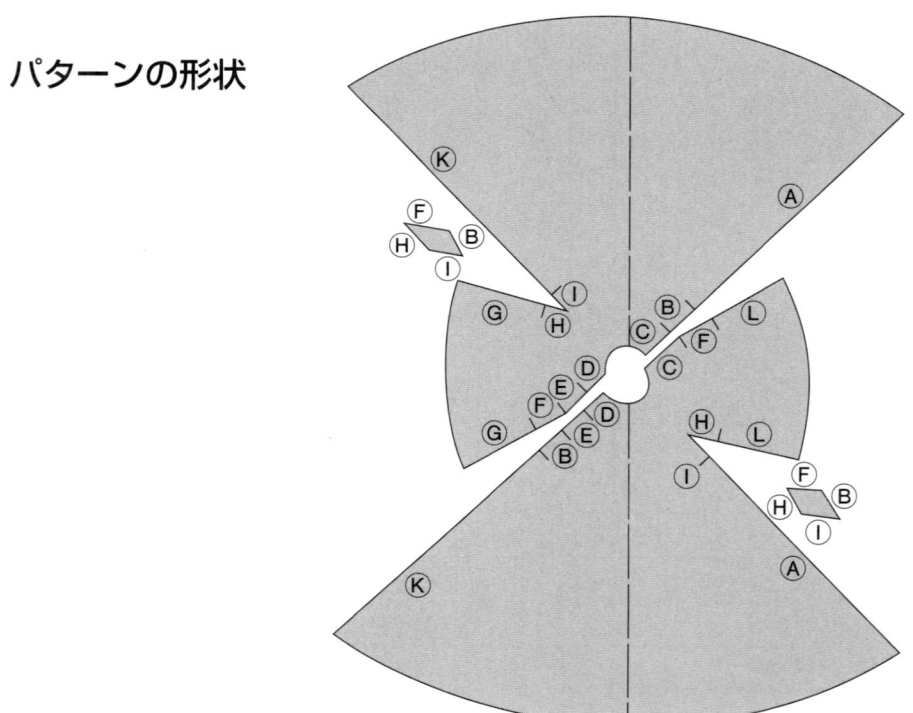

縫製順序

1 前後身頃の脇Ⓐ Ⓚ と袖下縫い目、前身頃Ⓖ、後ろ身頃Ⓛどうしを縫う。

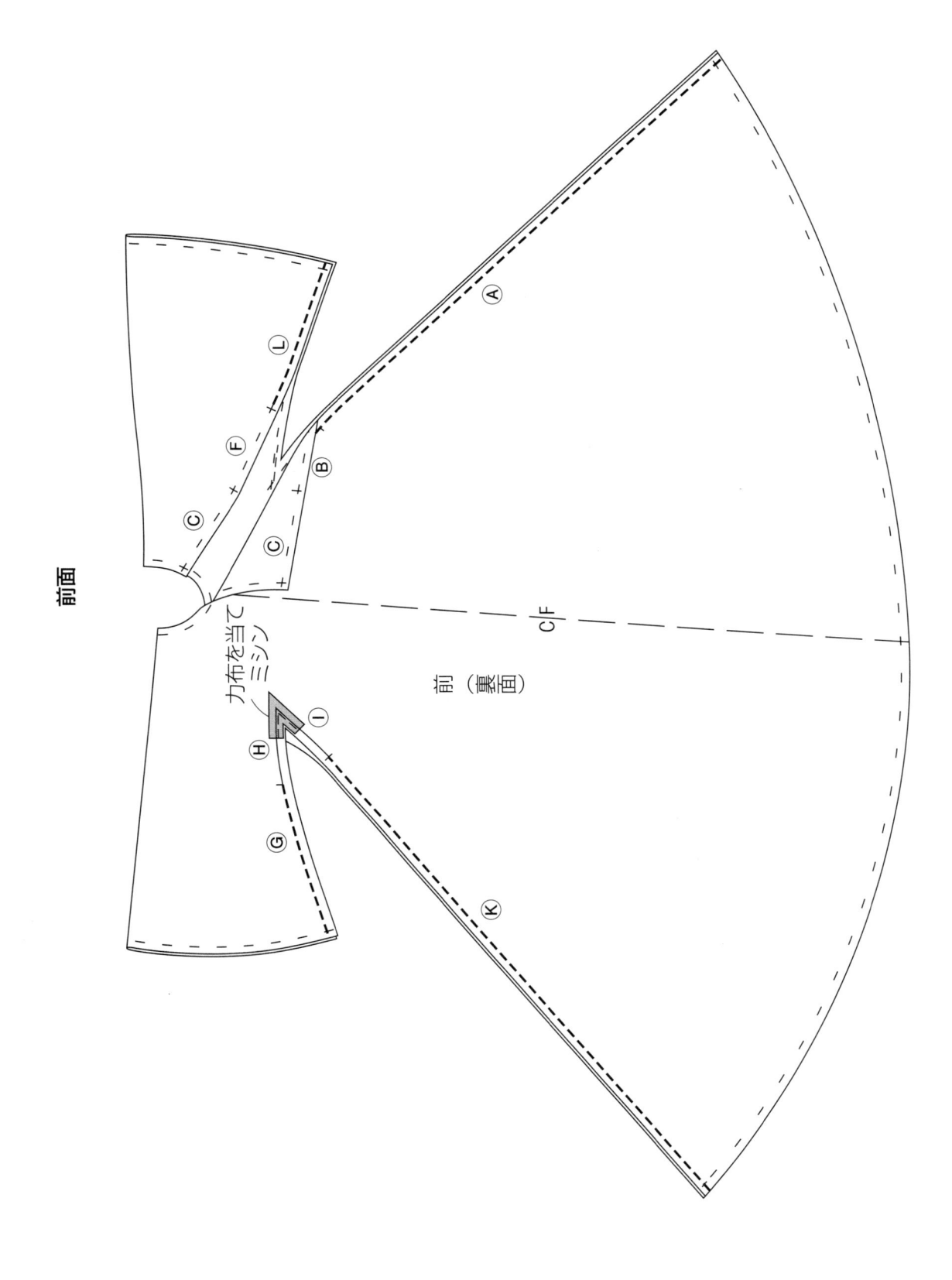

後面

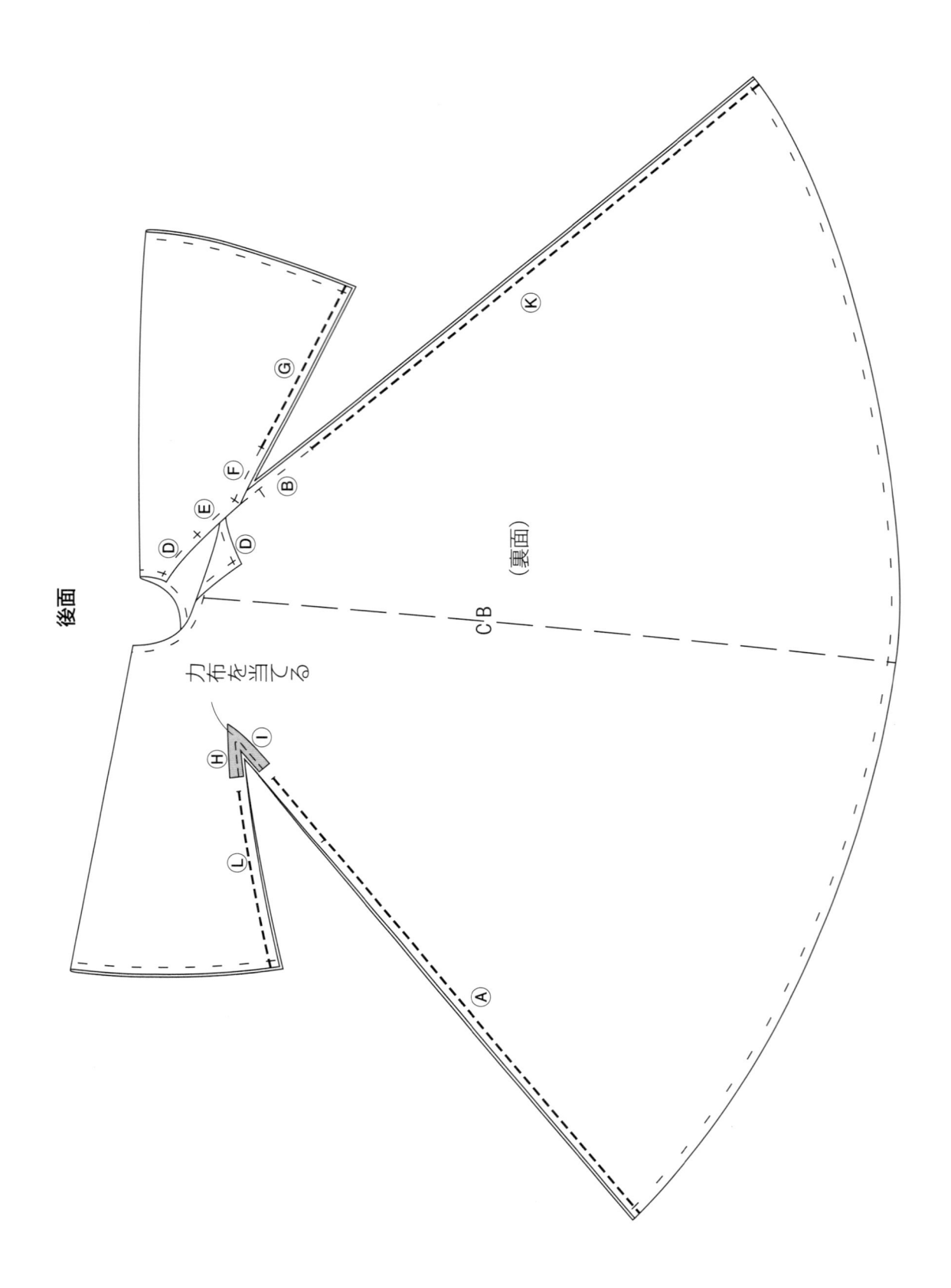

(裏面)

C/B

布を消して

A B D D E F G H I K L

2 袖下まちⒷⒻⒽⒾを縫う。

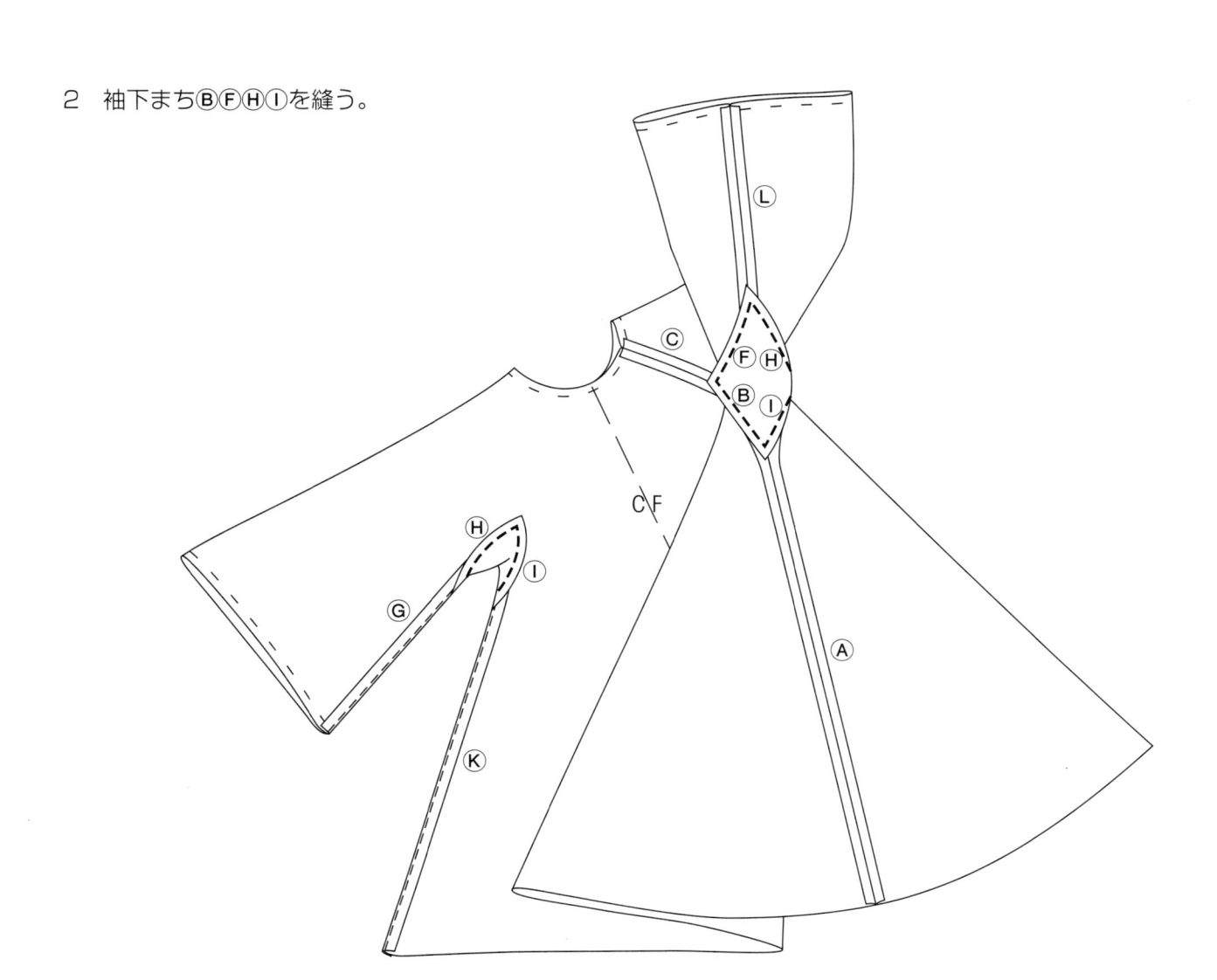

3 前後身頃のⒸを縫い、衿ぐりと後ろあき
　Ⓓの始末をする。

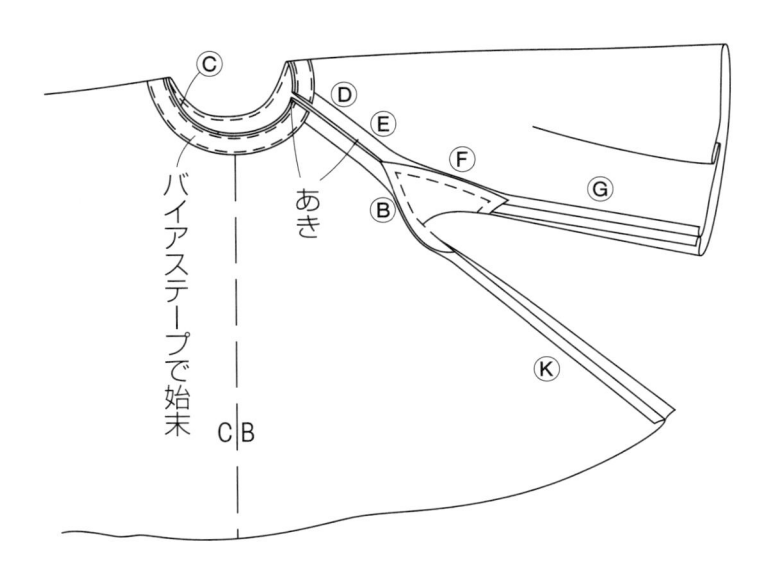

バイアステープで始末

あき

4 衿ぐりにひもを通して衿ぐり寸法に縮める。

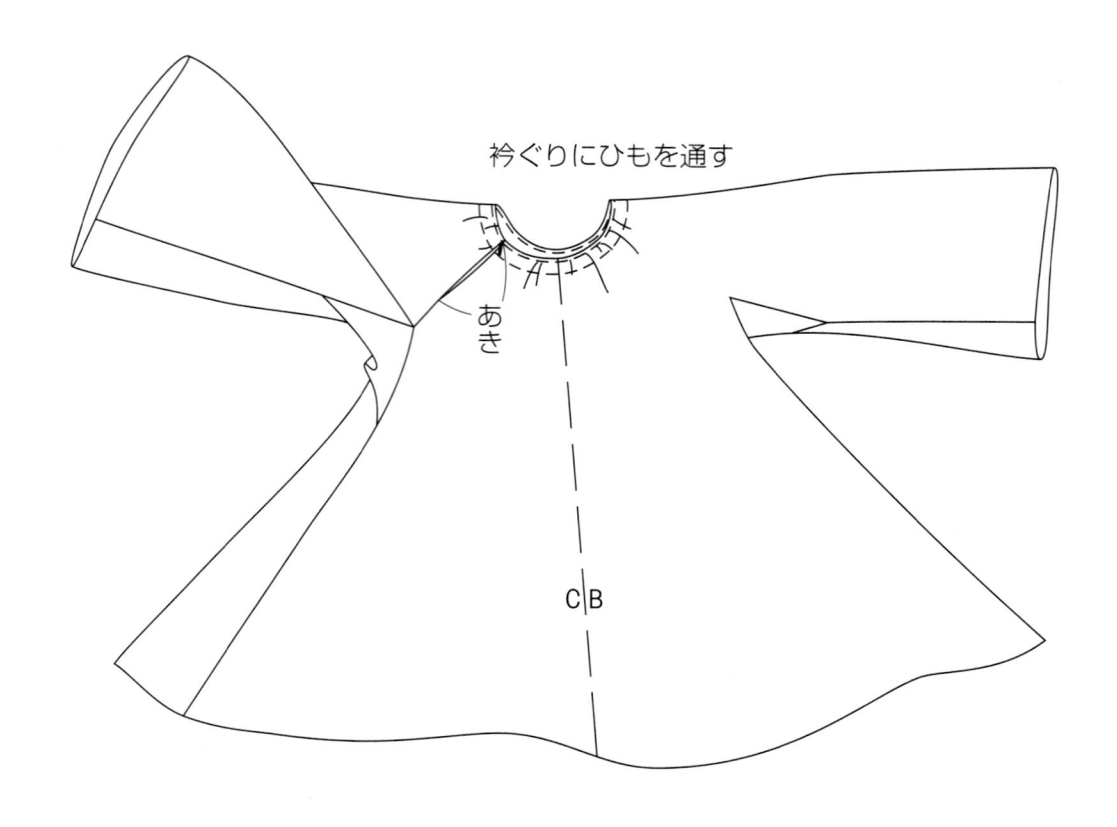

衿ぐりにひもを通す
あき
CB

5 前身頃のウエストにタックをとり、
縫い止める。

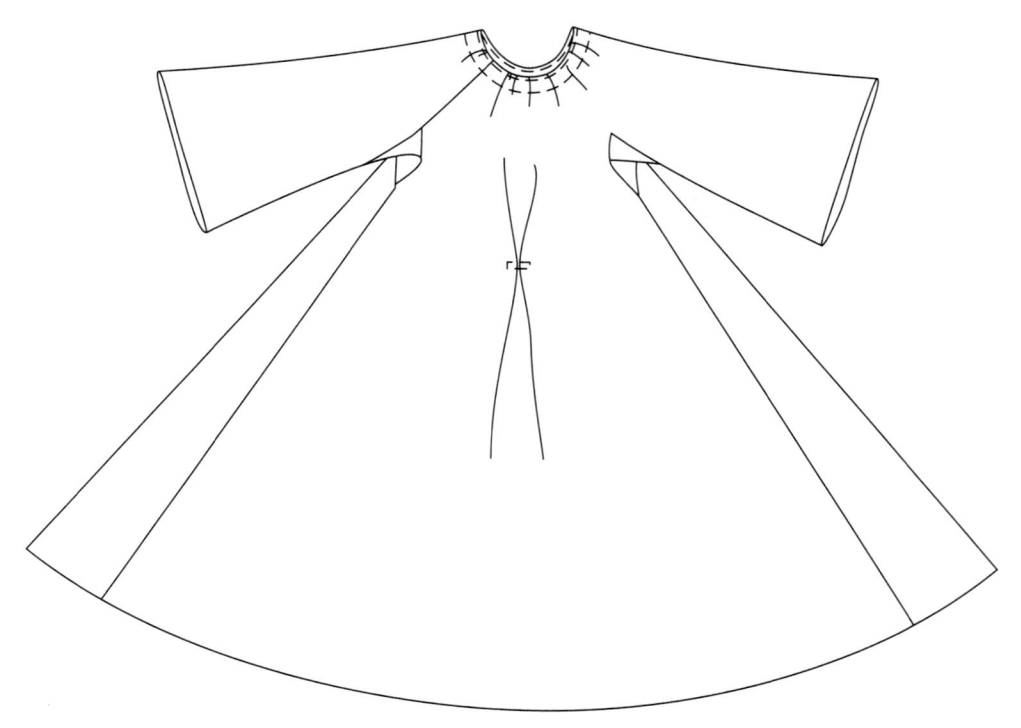

PATTERN 14 　四分円の展開（1932年）

　前スカートの部分は四分円、後ろは四分の二円で構成され、後ろスカートの中心にスラッシュを入れて身頃と縫い合わせることで深いひだになり、美しいシルエットを表現している。

　全パーツの中心はバイアス地であるが、縫い目では縫製がしやすく形くずれしない布目（縦地とバイアス地）に裁断され、体の動きと一体化する位置にデザイン線が考えられているドレスである。

パターン（1）

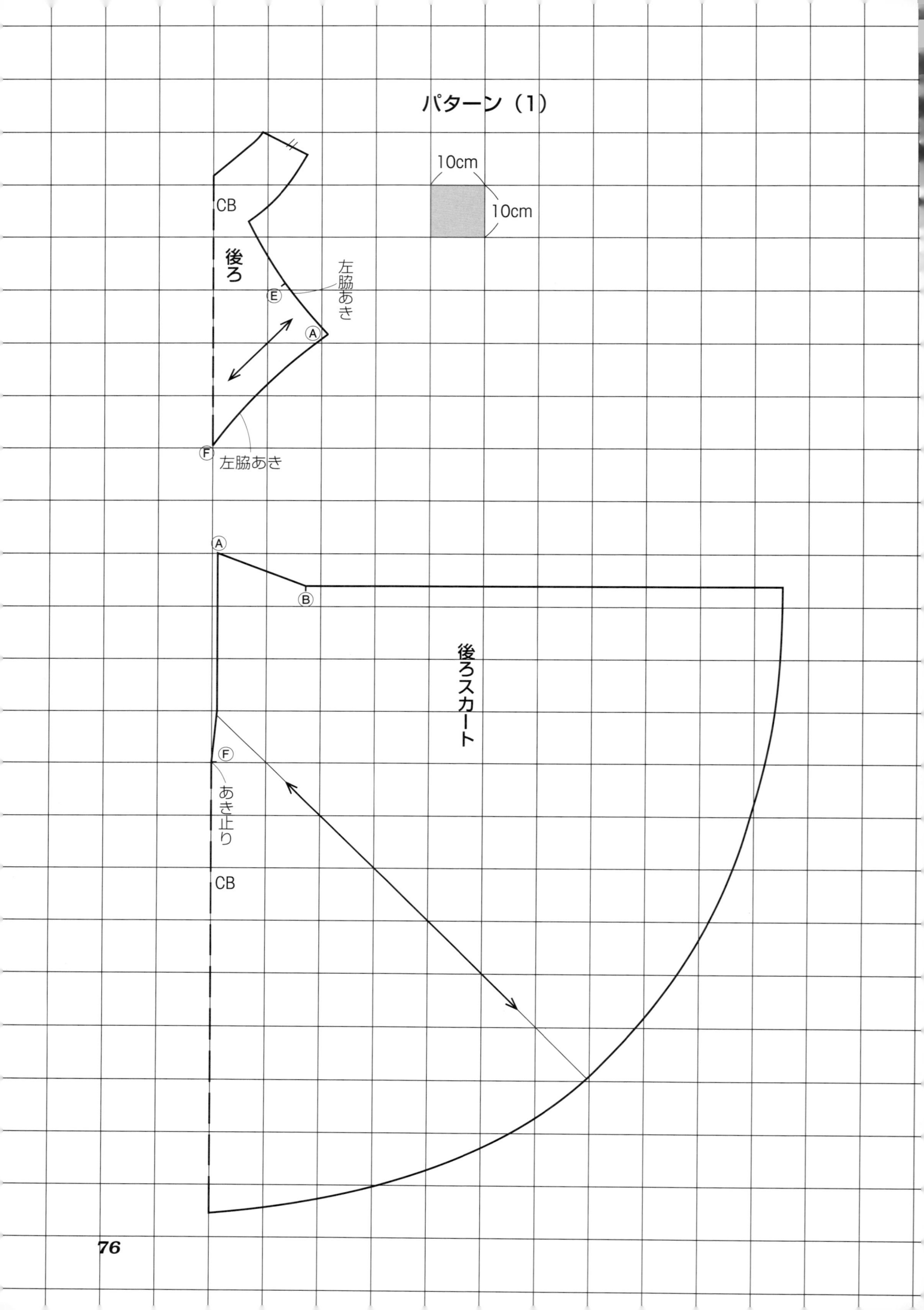

10cm × 10cm

後ろ
CB
E
A 左脇あき
F 左脇あき

A
B
後ろスカート
F あき止り
CB

パターン (2)

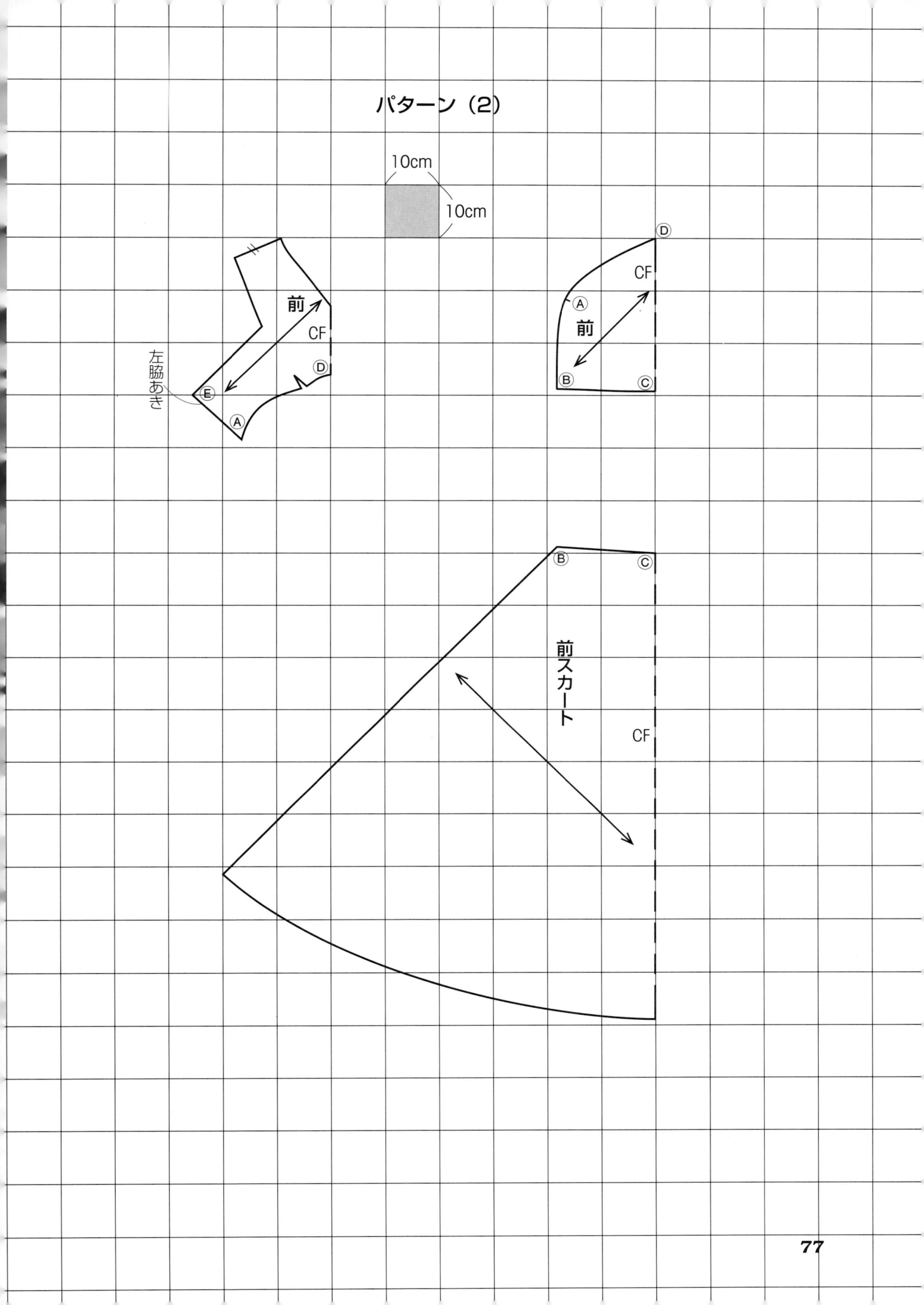

10cm
10cm

前
CF
左脇あき
E
A
D

D
CF
A
前
B
C

B
C
前スカート
CF

77

パターンの形状

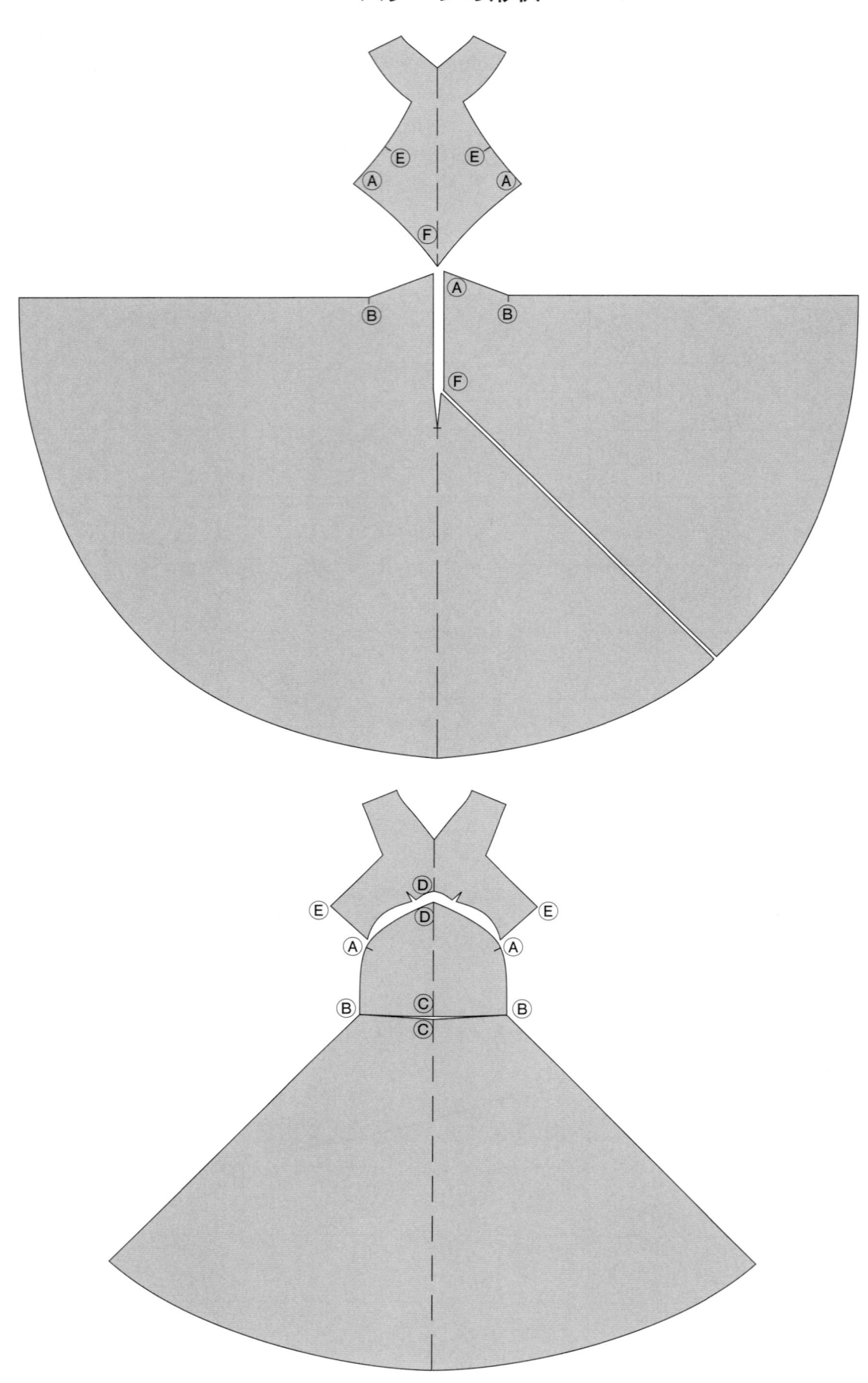

78

縫製順序

図1

1. 前後身頃を作り、ネックライン、アームホールの始末をする（図1、2）。
2. 前後の脇をはぎ（図2）、前後の肩をつなげる。
3. トップの部分はあきを作る。

注：オリジナルは左肩あき。ホックと糸で作ったアイで留めるようになっているとのこと。
　　身頃はバイアス裁ちのため、肩あきだけで着脱が可能である。

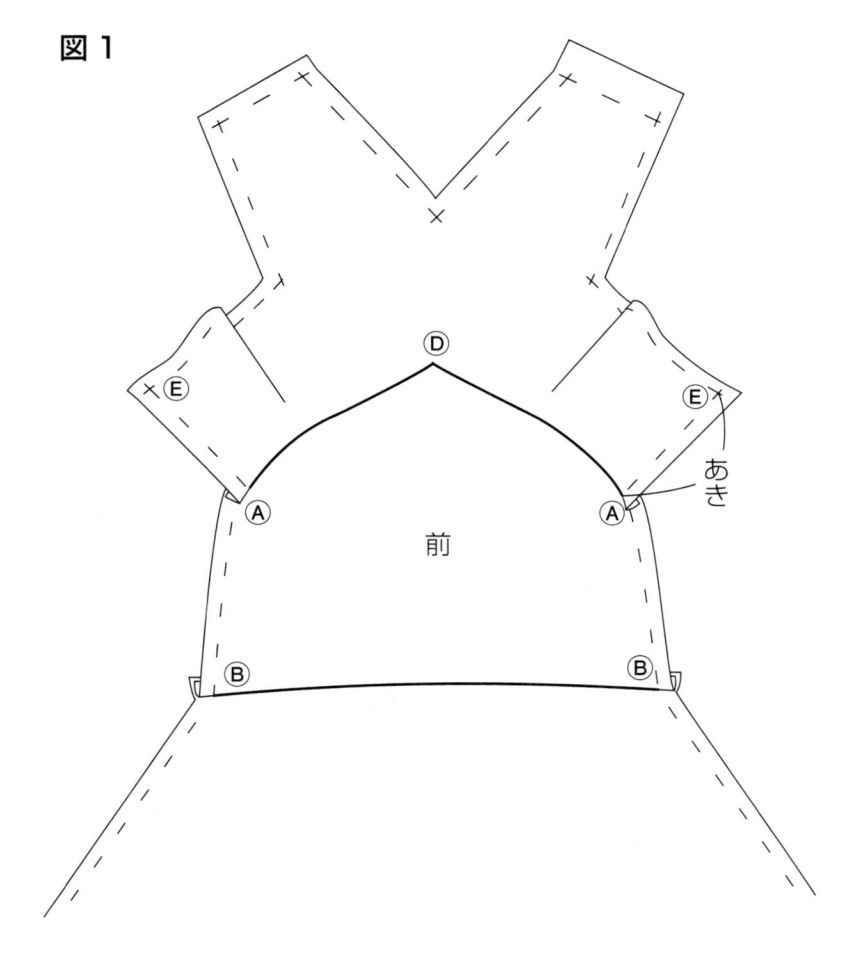

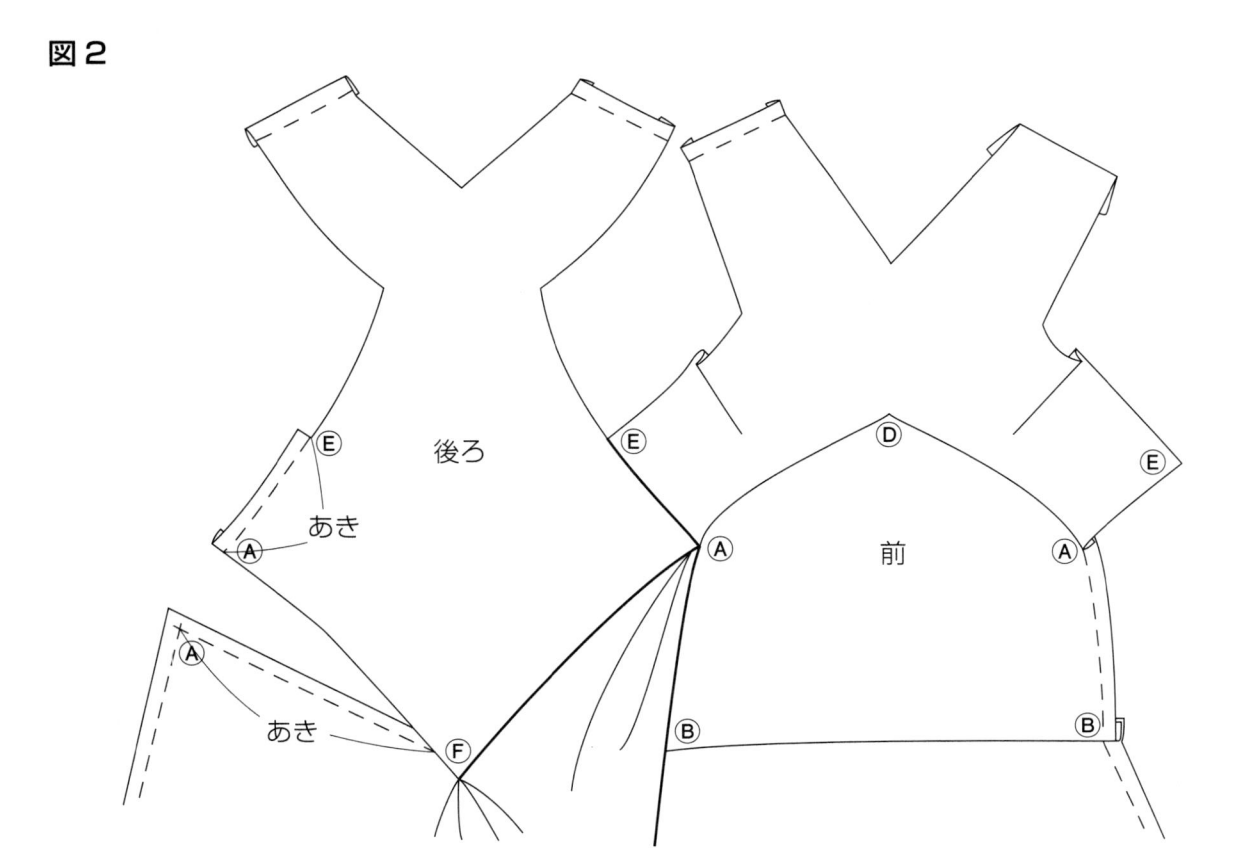

図2

PATTERN 15　四分円の展開（1937年頃）

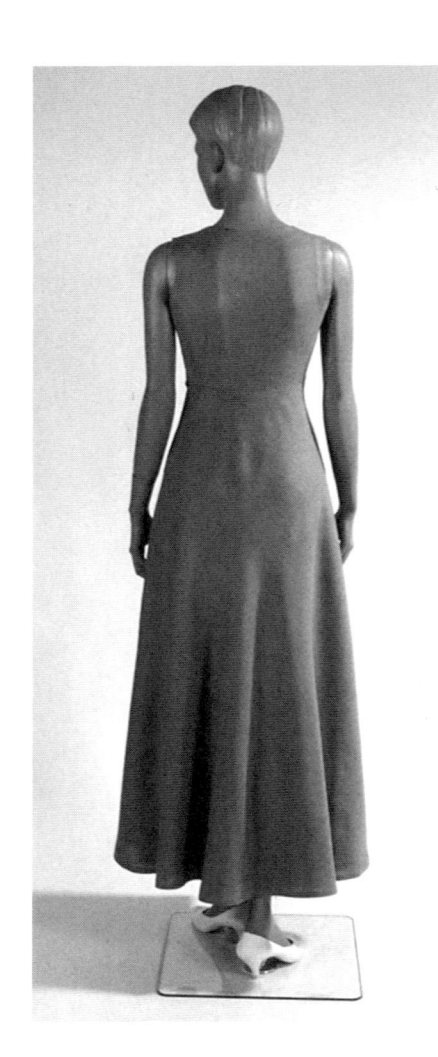

　四分の三円で作られているこのドレスは前面がパンツで後面がスカートという構造になっている。四分円の中央を後ろスカートの中心とし、股上の部分をカットして縫い、後ろから前に回し、股にくるりと巻き込んで一周するという構造である。
　スカートの脇の位置にくさび形のまちをはめ込み、裾に向かって美しいフレアを出している。まちの大きさを変化させることによってスカートのシルエットを変化させることができる。
　上身頃は前面、後面、側面の三面構成になっていて、側面のパターンはスカートのくさび形のまちと接続するようになっている。

パターン（1）

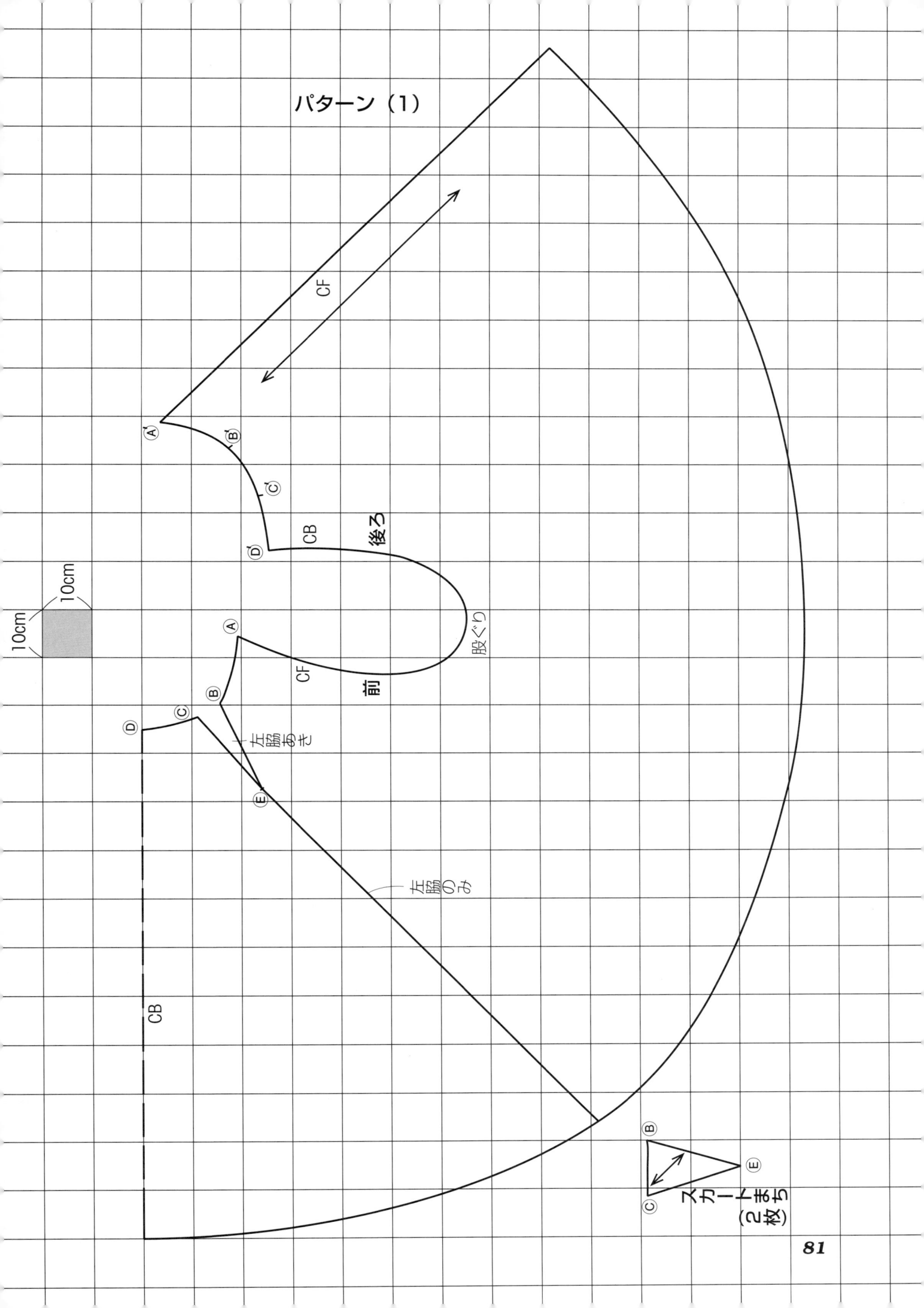

CF

Ⓐ
Ⓑ
Ⓒ
Ⓓ CB
後ろ

10cm
10cm

Ⓐ
Ⓑ
Ⓒ
Ⓓ
Ⓔ
CF
前
股ぐり
左脇あき

左脇のみ

CB

Ⓑ
Ⓒ
Ⓔ
スカートまち
（2枚）

81

パターン（2）

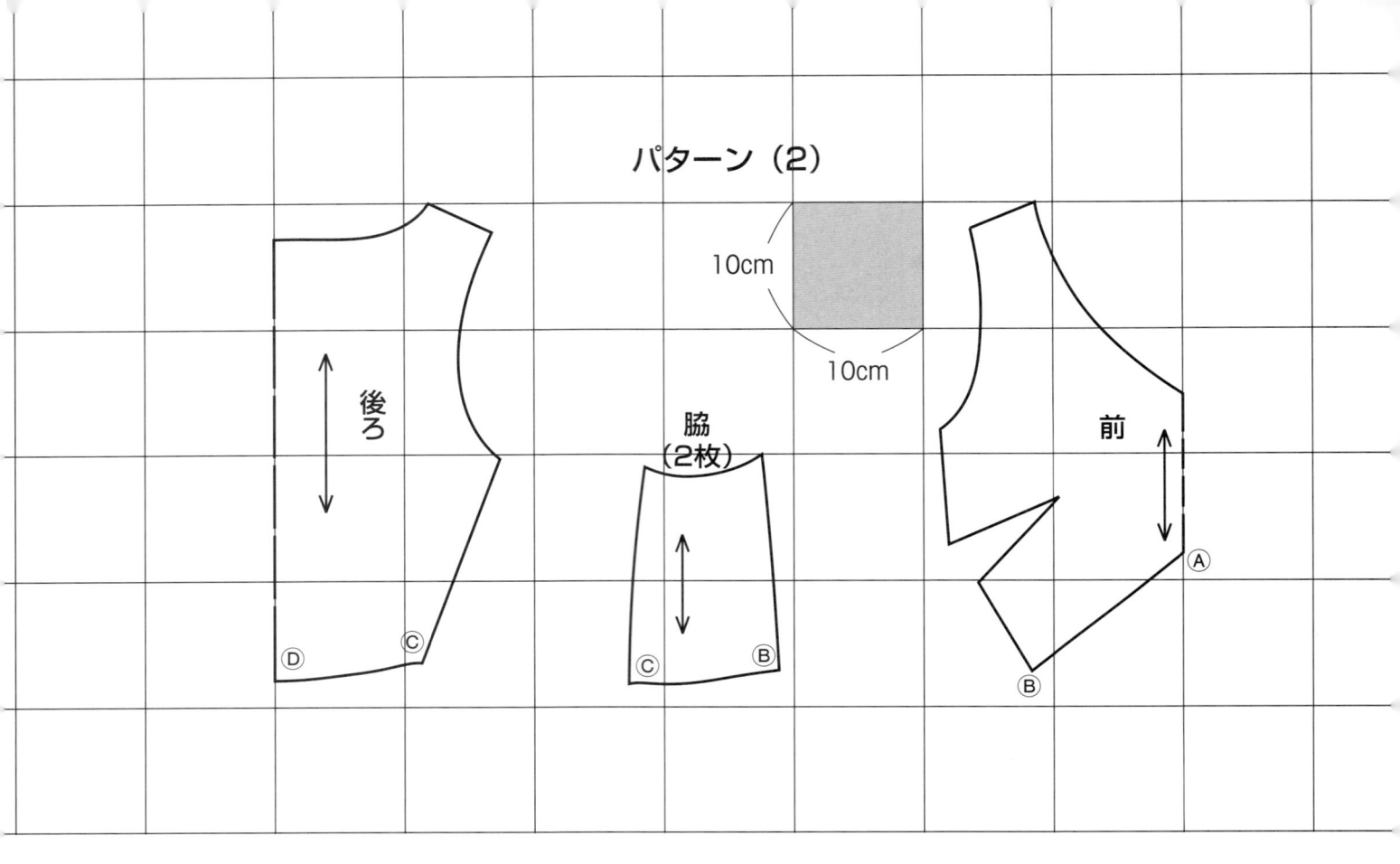

後ろ　脇（2枚）　前

10cm
10cm

Ⓐ Ⓑ Ⓒ Ⓓ

パターンの形状

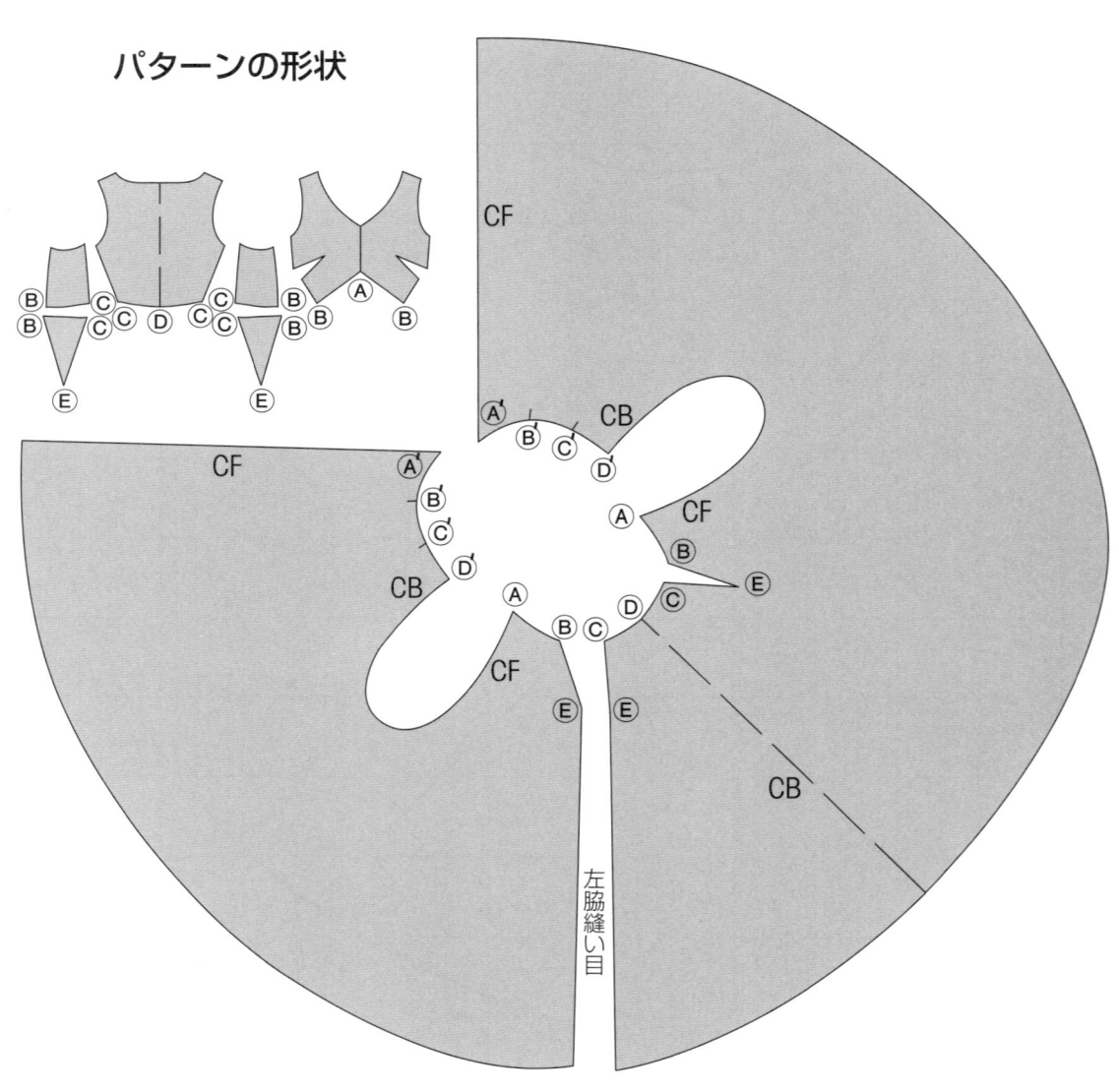

CF　CB　CF　CB　CF

左脇縫い目

縫製順序

1 トップを作る（図1）。
　前後のダーツを縫い、脇布でつなげる。

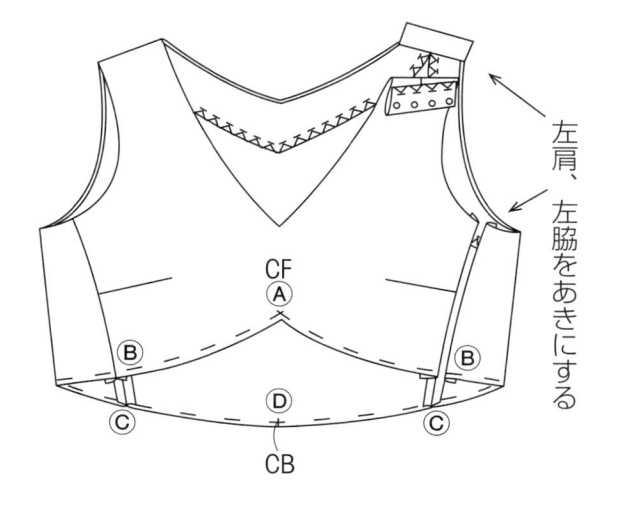

図1

CF
Ⓐ
Ⓑ　Ⓑ
Ⓒ　Ⓓ　Ⓒ
CB

左肩、左脇をあきにする

注：オリジナルの始末は見返しではないとのこと。

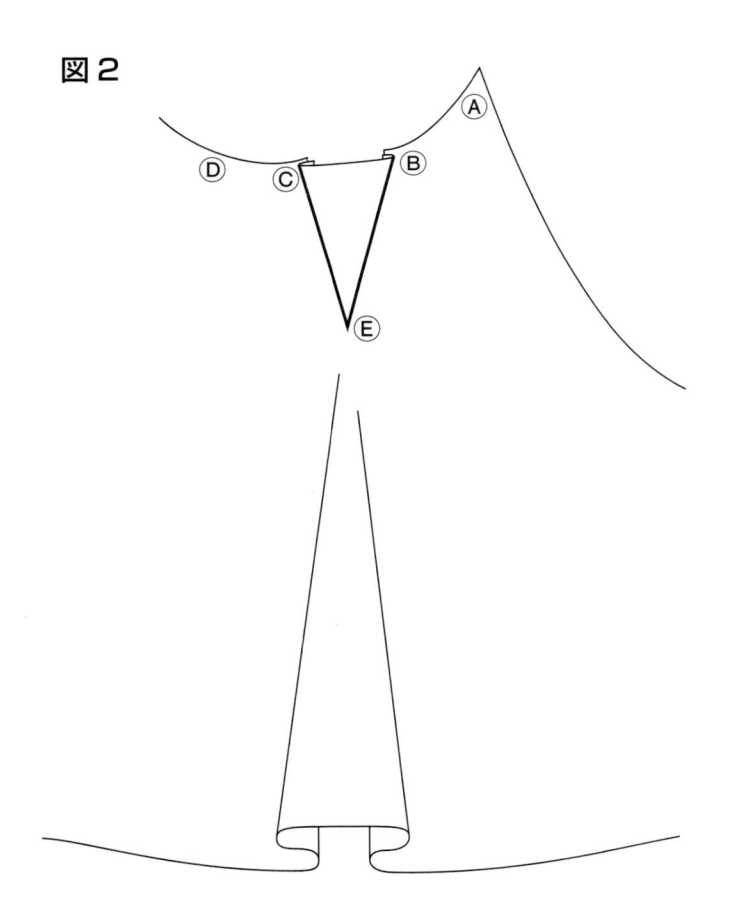

図2

Ⓐ
Ⓓ　Ⓒ　Ⓑ
Ⓔ

2　パンツを作る。
　ⒸⒺⒷに三角まちをつける（図2）。
　左脇（前側）をあきにする。
　股ぐりⒶ～Ⓓを中表に合わせて縫う。
　一度表に返し、Ⓓ'（中の布の後ろ中心）とⒹ（外の布の後ろ中心）を左右の手に持ってⒹからくぐらせてⒹの中側にセットする。つまり、円側の後ろ中心を外の後ろ中心側に持っていって重ねる（図3）。

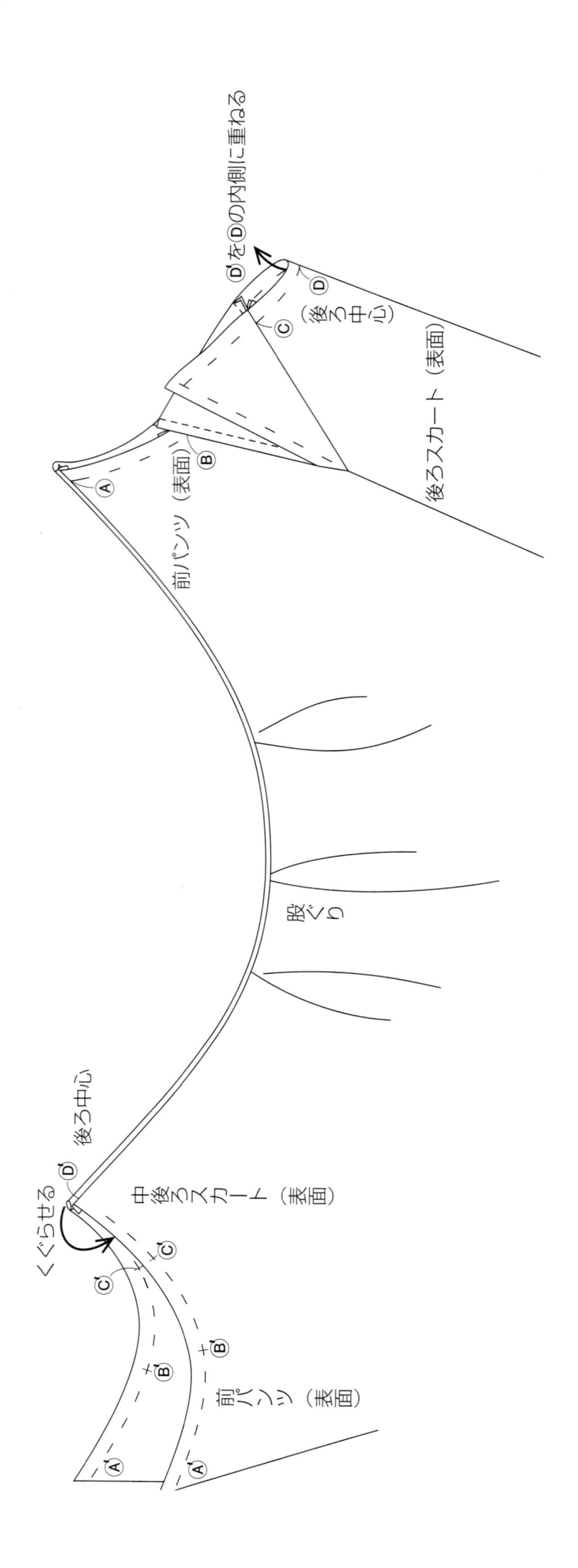

図3

図4

3　右側のⒶ'（中の布の前中心）をⒶ（外側の布の前中心）にセットしてウエストラインを作る（図4、5）。
4　ウエストをはぐ。
　　パンツの中の布の左Ⓐ'Ⓑ'間は離して、Ⓑ～Ⓐ'（右）は2枚、Ⓐ'～Ⓑ（左）は1枚でトップと合わせて縫う。
　　左脇にあきを作り、離して縫ったⒶ'は前中心のⒶに止めて着るようにスナップをつける。
　　トップの左肩は、あきの始末をしてスナップをつける。

ウエストの断面図

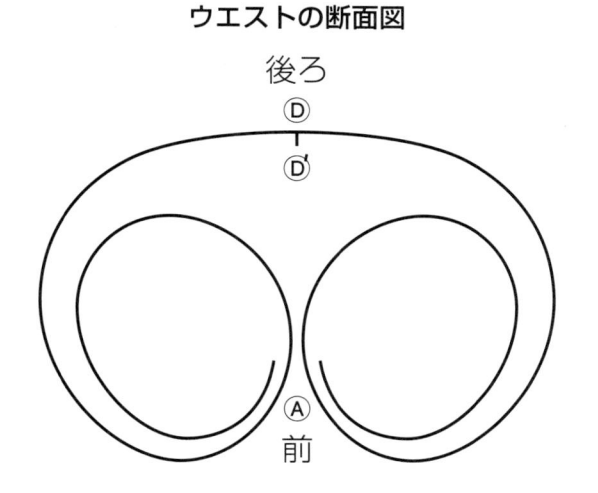

後ろ
Ⓓ
Ⓓ'

Ⓐ'
前

図5

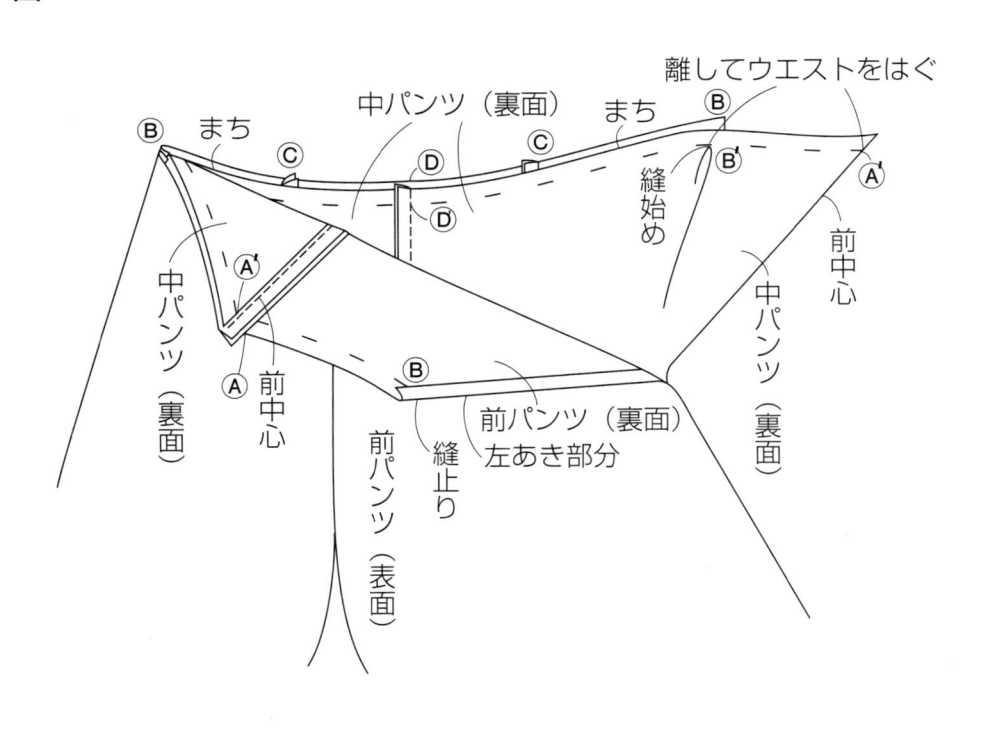

離してウエストをはぐ

中パンツ（裏面）　　まち

Ⓑ　まち　　Ⓒ　　　　Ⓓ　Ⓒ　　　Ⓑ　　　　　　Ⓑ'　　　　Ⓐ'
　　　　　　　　　　　Ⓓ　　　　　　　　　　縫始め　　　　　前中心

中パンツ（裏面）　Ⓐ'　　　　　　　　　　　　　　　　　　中パンツ（裏面）
　　　　　　　Ⓐ　前中心

　　　　　　　　　　　Ⓑ　前パンツ（裏面）
　　　　　　　　　　　　縫止り　左あき部分

　　　　　　　　　　前パンツ（表面）

PATTERN 16　四分円の展開（1933年）

　パターンの構造は単純に見えるが、スラッシュ、まち、ねじり、巻きつけの技法を駆使して、表面と裏面が違う素材を効果的に扱ったドレスである。
　袖と続け裁ちになっている長いパーツは、衿もとでねじることで肩ダーツを兼ね、肩から肩甲骨を包み、美しいドレープを作りながら後ろで交差し、ウエストに巻いて結んでいる。袖口はバレルカットになるように別布で切り替えてある。

パターン（1）

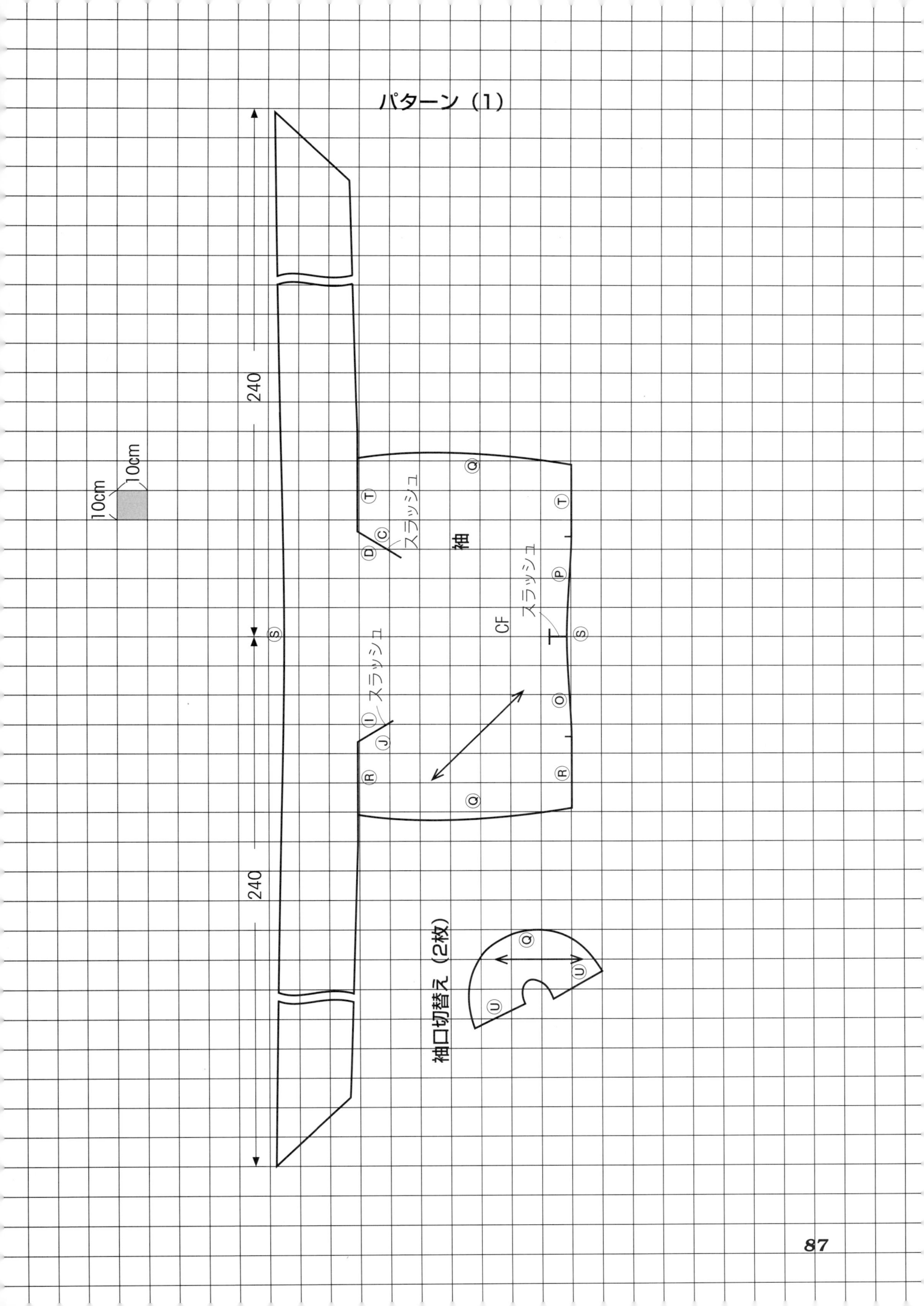

240

10cm 10cm

袖

スラッシュ
CF スラッシュ
スラッシュ

240

袖口切替え（2枚）

パターン（2）

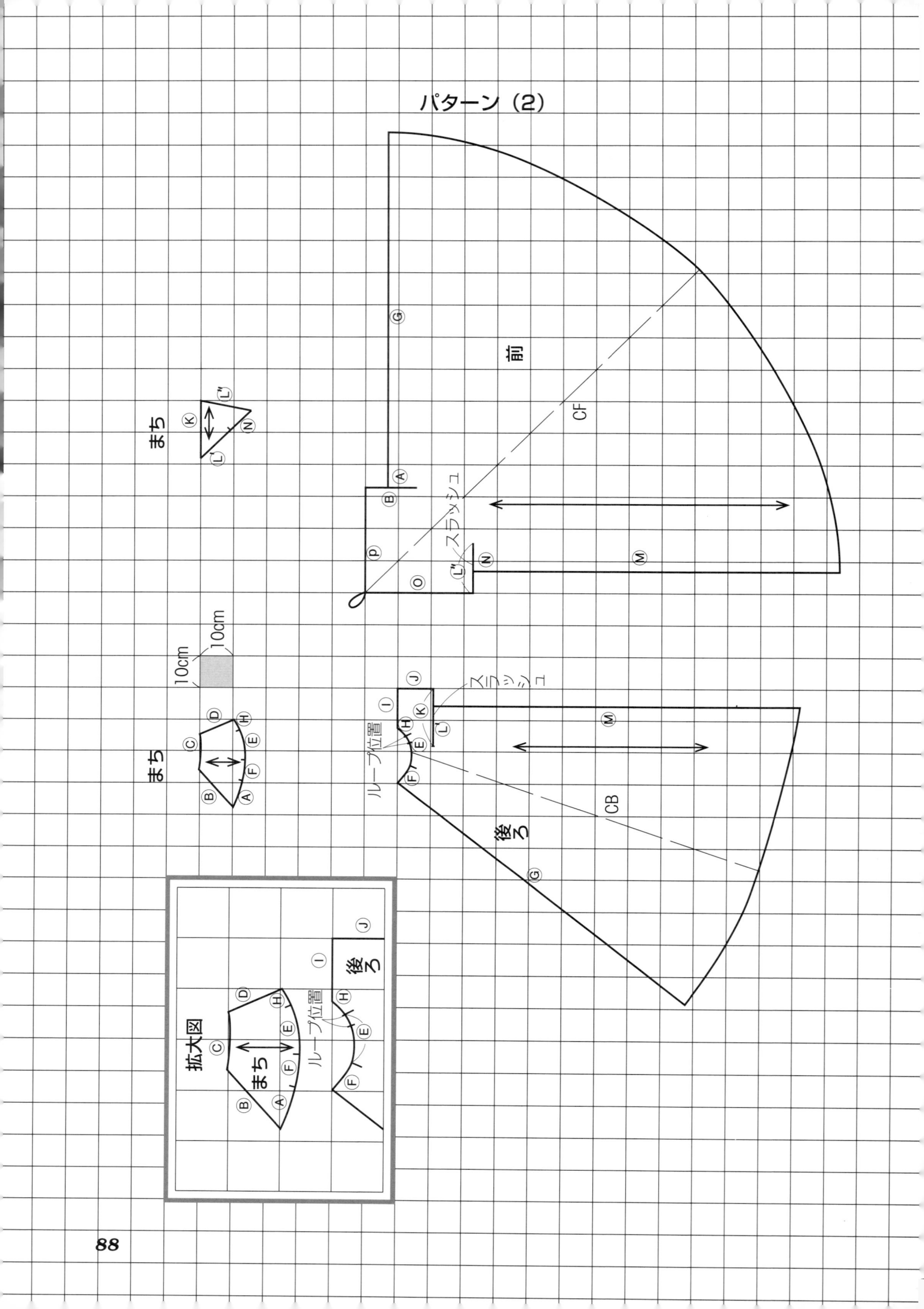

まち

前
CF

後ろ
CB

まち

拡大図
まち
後ろ

パターンの形状

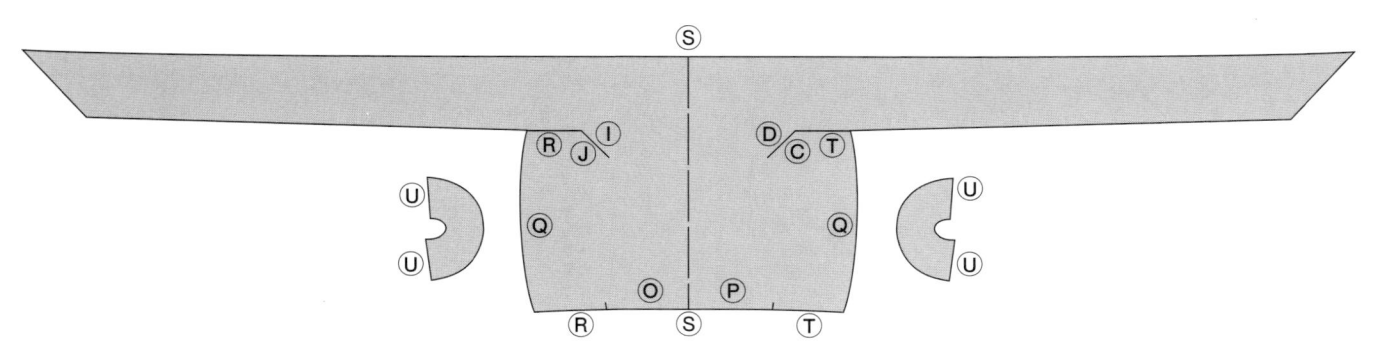

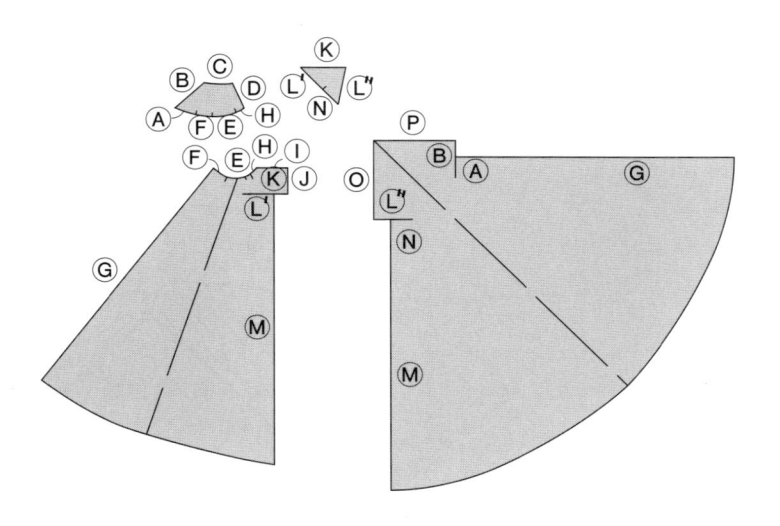

縫製順序

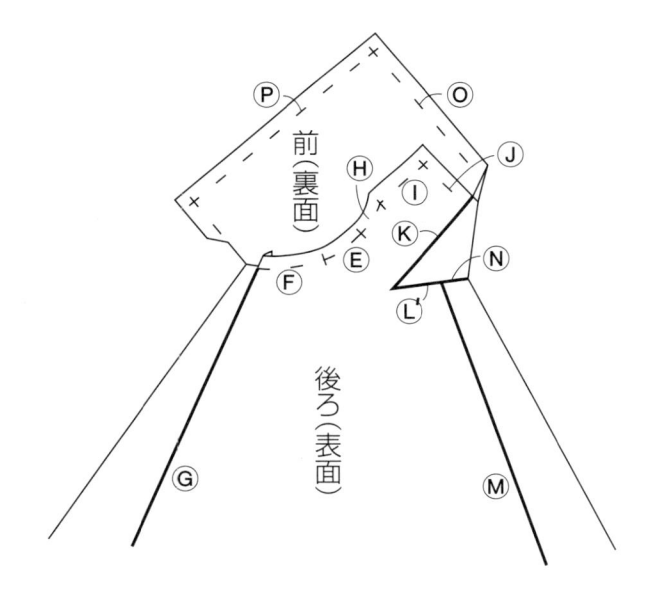

1　身頃胴部を縫う。
　●前後スカートの脇ⓖⓜを縫い、裾の始末をする。
　●右身頃のまち（三角形）ⓚⓛ'ⓝⓛ"をはぎ合わせる。

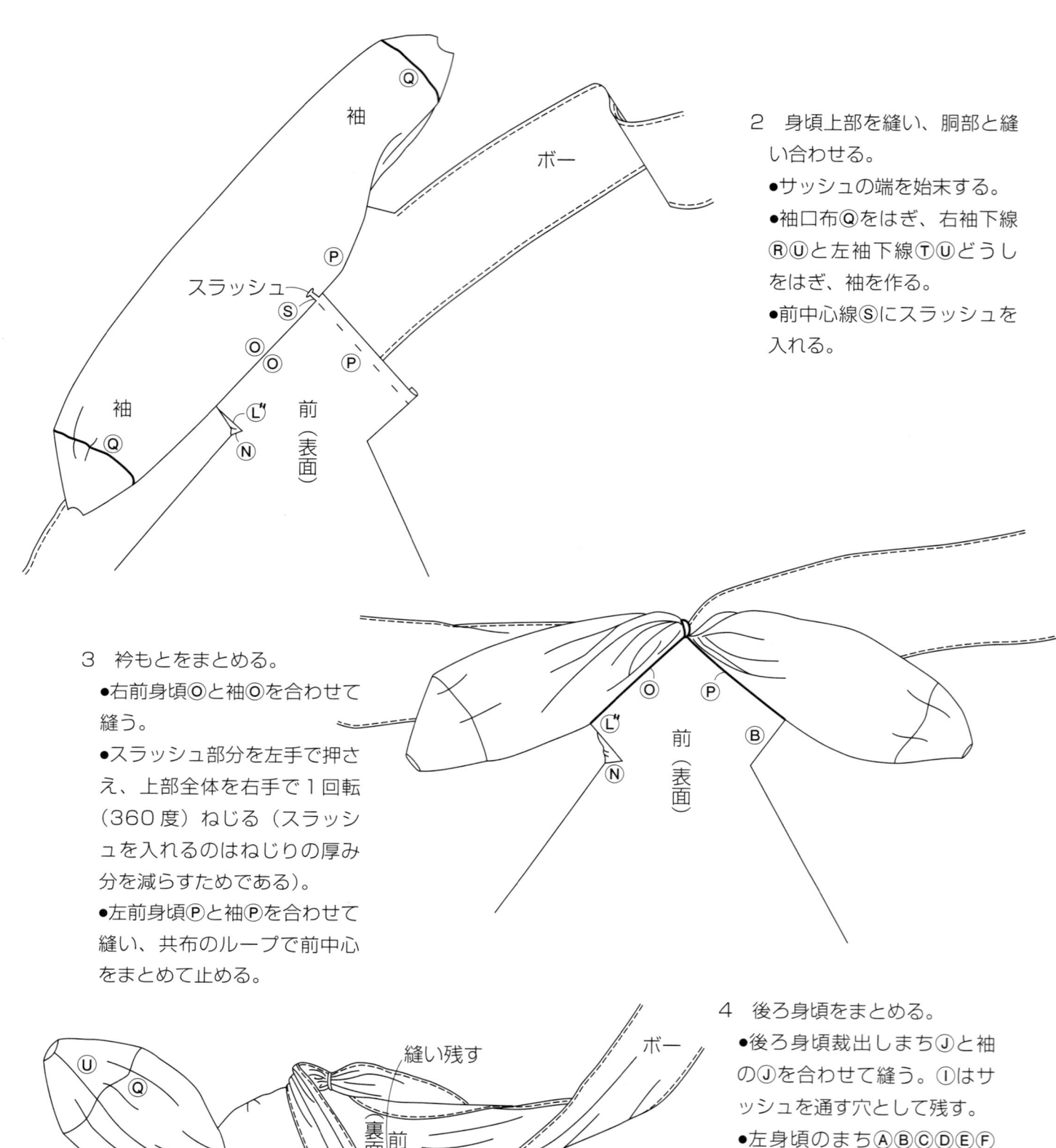

2　身頃上部を縫い、胴部と縫い合わせる。
- サッシュの端を始末する。
- 袖口布Ⓠをはぎ、右袖下線ⓇⓊと左袖下線ⓉⓊどうしをはぎ、袖を作る。
- 前中心線Ⓢにスラッシュを入れる。

3　衿もとをまとめる。
- 右前身頃Ⓞと袖Ⓞを合わせて縫う。
- スラッシュ部分を左手で押さえ、上部全体を右手で1回転（360度）ねじる（スラッシュを入れるのはねじりの厚み分を減らすためである）。
- 左前身頃Ⓟと袖Ⓟを合わせて縫い、共布のループで前中心をまとめて止める。

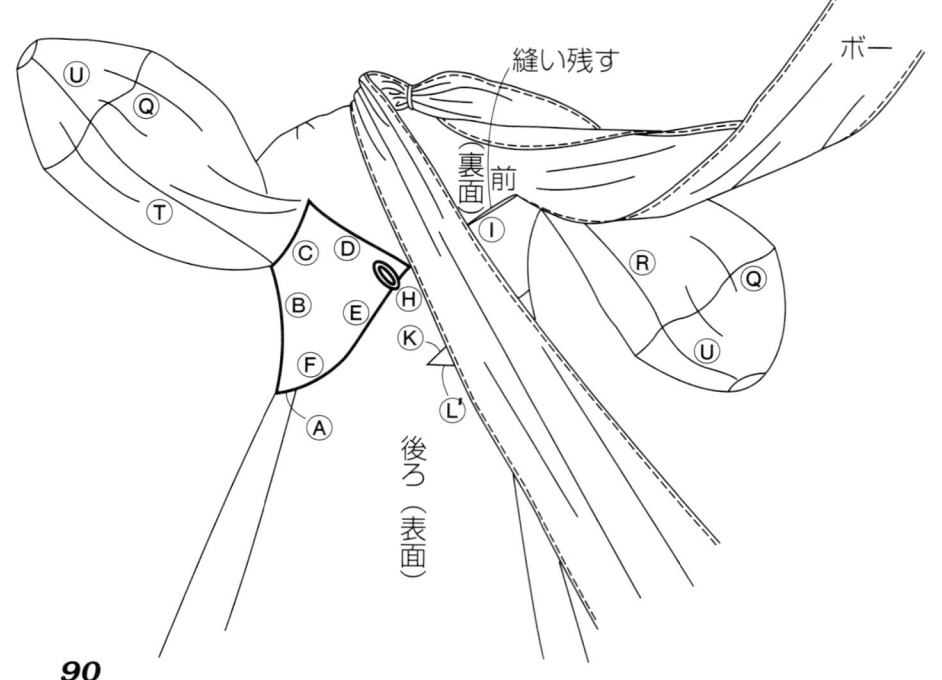

4　後ろ身頃をまとめる。
- 後ろ身頃裁出しまちⒿと袖のⒿを合わせて縫う。Ⓘはサッシュを通す穴として残す。
- 左身頃のまちⒶⒷⒸⒹⒺⒻを後ろ身頃ⒺⒻ、前身頃ⒶⒷ、袖ⒸⒹと合わせて縫う。
- 後ろスカートⒽに共布のループをつけ、右側のサッシュを通す。
- 左側のサッシュは縫い残したⒾに通し、サッシュを前に回して、交差させて後ろに回し、もう1度前に回して結ぶ。

PATTERN 17 四分円の展開（1922年）

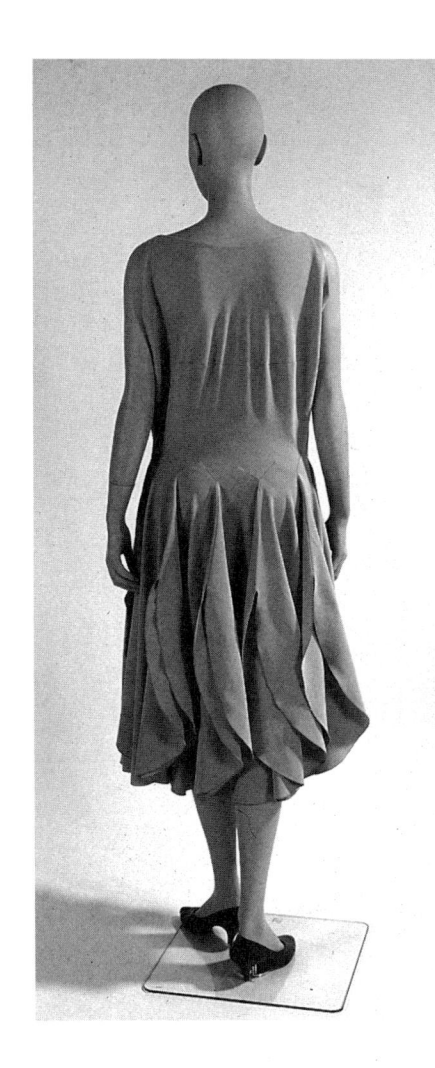

　バレルシルエットの身頃とペタルスカートのドレス。身頃は扇形に裁たれた四分円のパターン4枚で構成されている。花びらが重なり合うようなボリュームのあるスカートは、四分円の一辺をわにした2枚続きの花びら5パーツで10枚の花びらになるように作られている。

　身頃とスカートは、縦、横の布目にそってジグザグにはぎ合わせてある。

パターン（1）

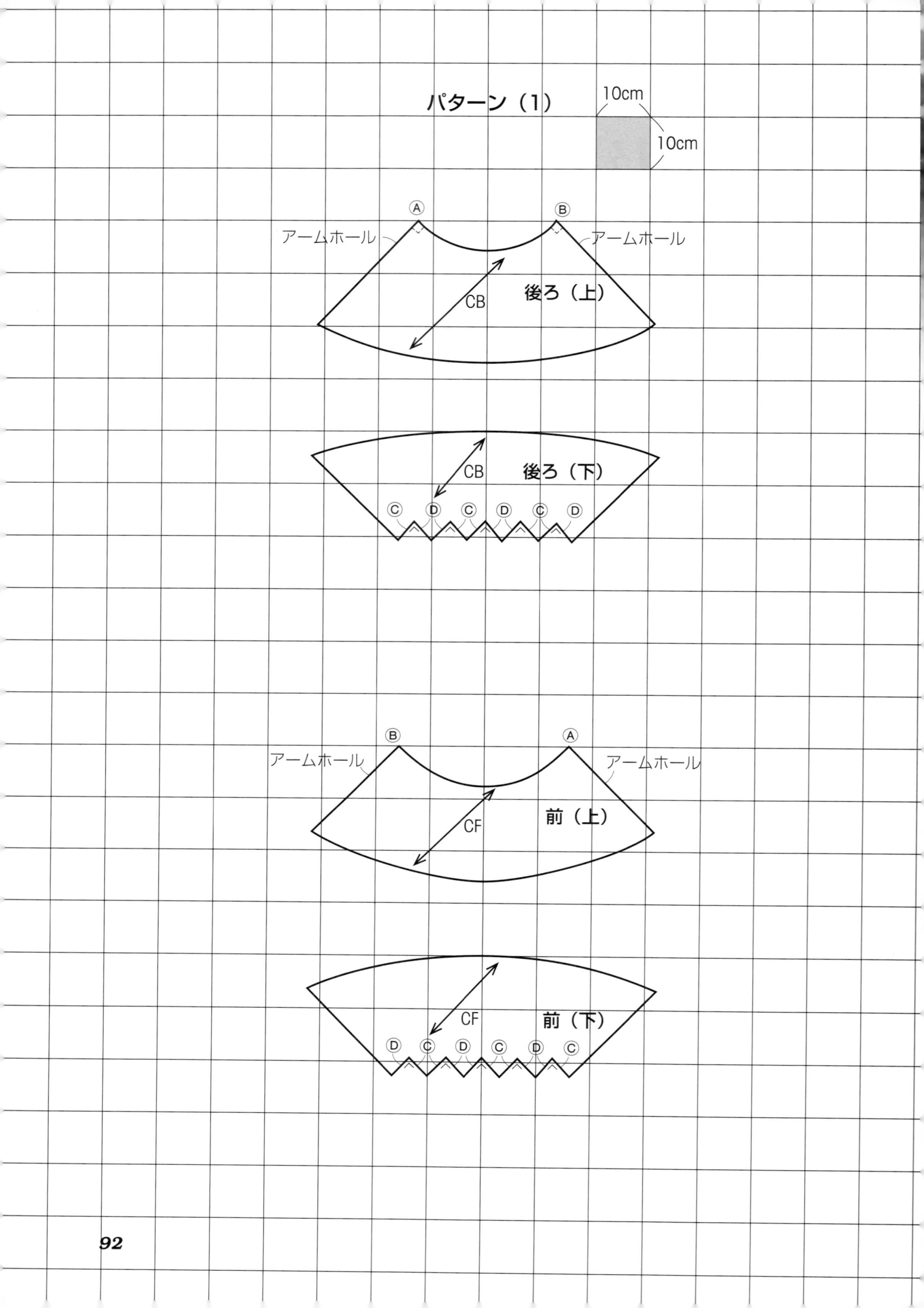

10cm × 10cm

アームホール　Ⓐ　Ⓑ　アームホール
CB　後ろ（上）

CB　後ろ（下）
Ⓒ Ⓓ Ⓒ Ⓓ Ⓒ Ⓓ

アームホール　Ⓑ　Ⓐ　アームホール
CF　前（上）

CF　前（下）
Ⓓ Ⓒ Ⓓ Ⓒ Ⓓ Ⓒ

パターン（2）

10cm × 10cm

端始末の止り ― Ⓔ Ⓒ Ⓒ Ⓔ ― 端始末の止り

スラッシュ

Ⓖ Ⓖ

Ⓕ

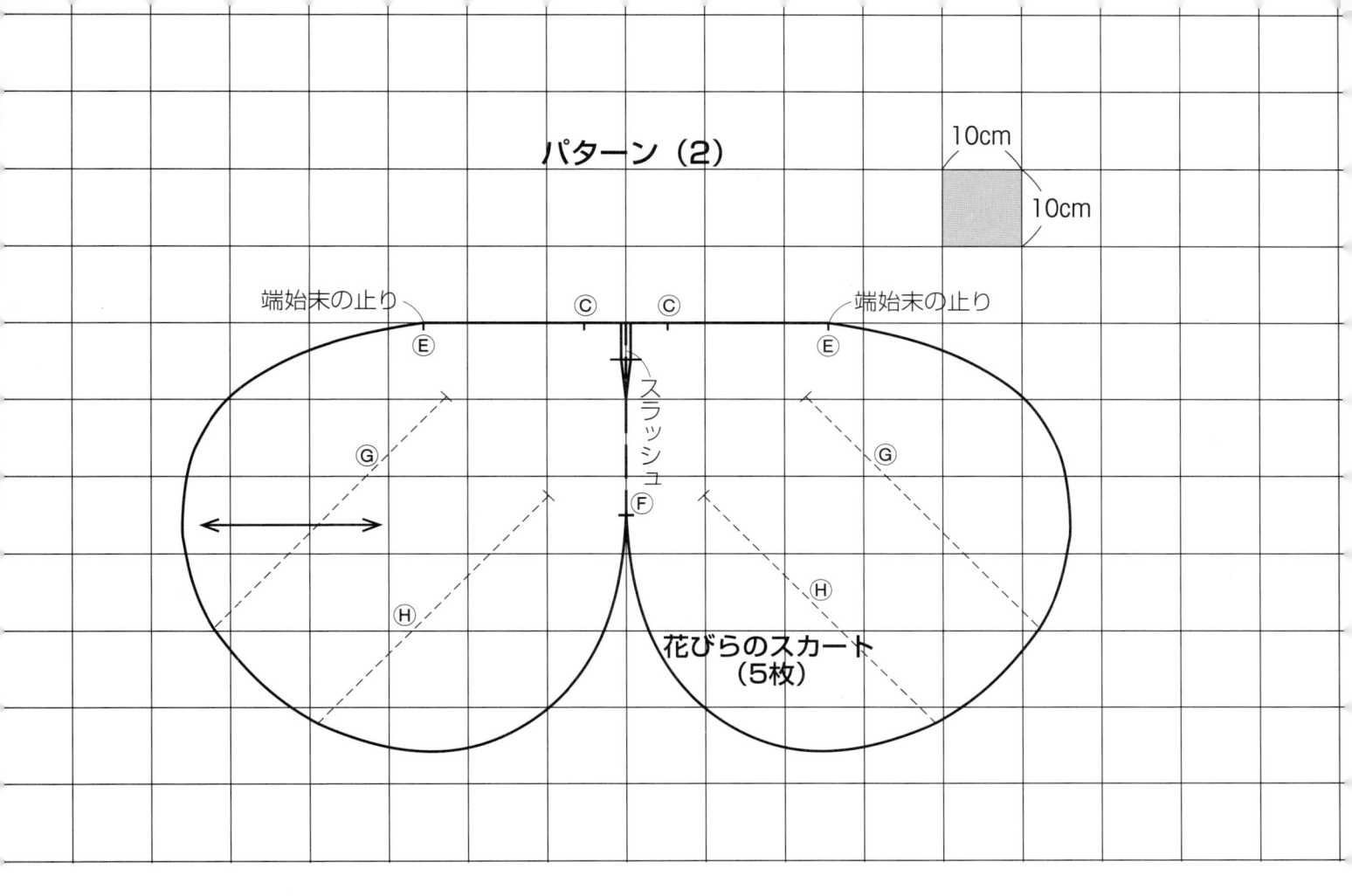

Ⓗ Ⓗ

花びらのスカート（5枚）

パターンの形状

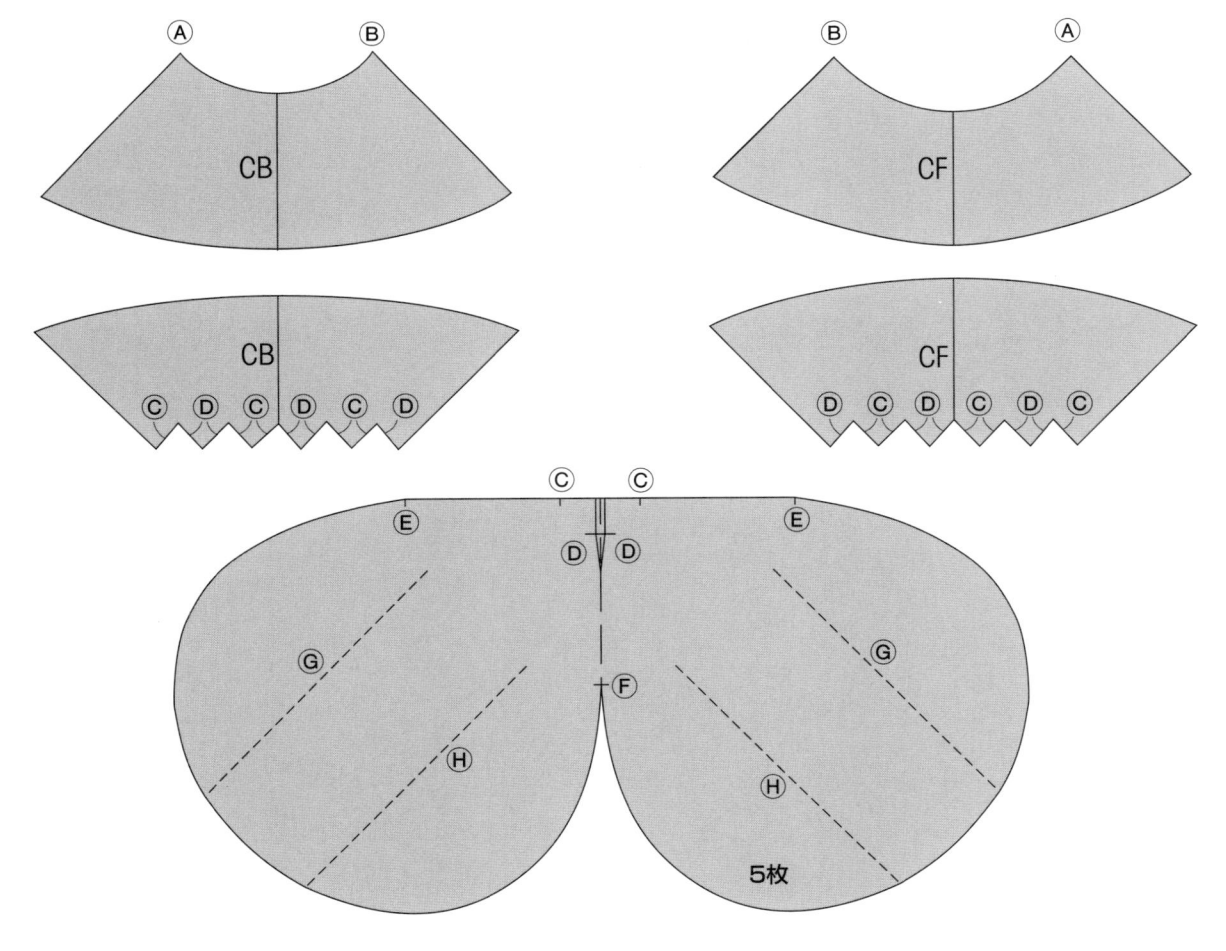

Ⓐ Ⓑ　　　　Ⓑ Ⓐ
CB　　　　　CF

CB　　　　　CF
ⒸⒹⒸⒹⒸⒹ　　ⒹⒸⒹⒸⒹⒸ

Ⓒ Ⓒ
Ⓔ　　　Ⓔ
ⒹⒹ
Ⓖ　　　Ⓖ
Ⓕ
Ⓗ　　　Ⓗ
5枚

縫製順序

1　身頃を作る（図1）。
　　上下のパーツの外周側を縫い合わせて、ネックラインとアームホールの折り代を始末し、右脇側を縫う。左脇はあきとする。Ⓐ Ⓑ点を合わせて肩をつなげる。

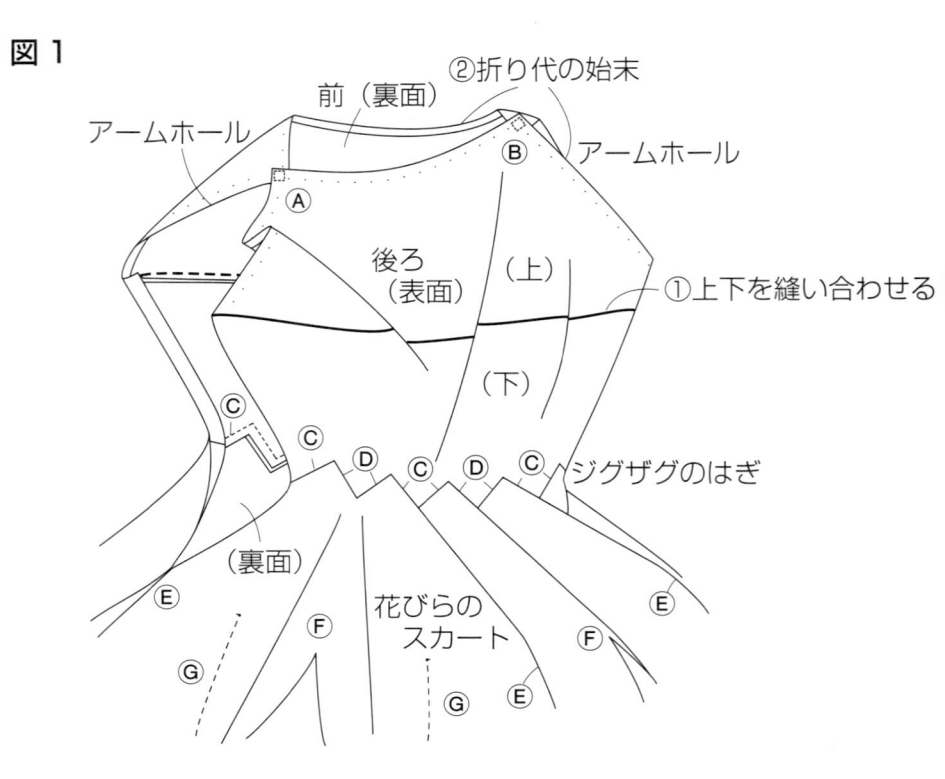

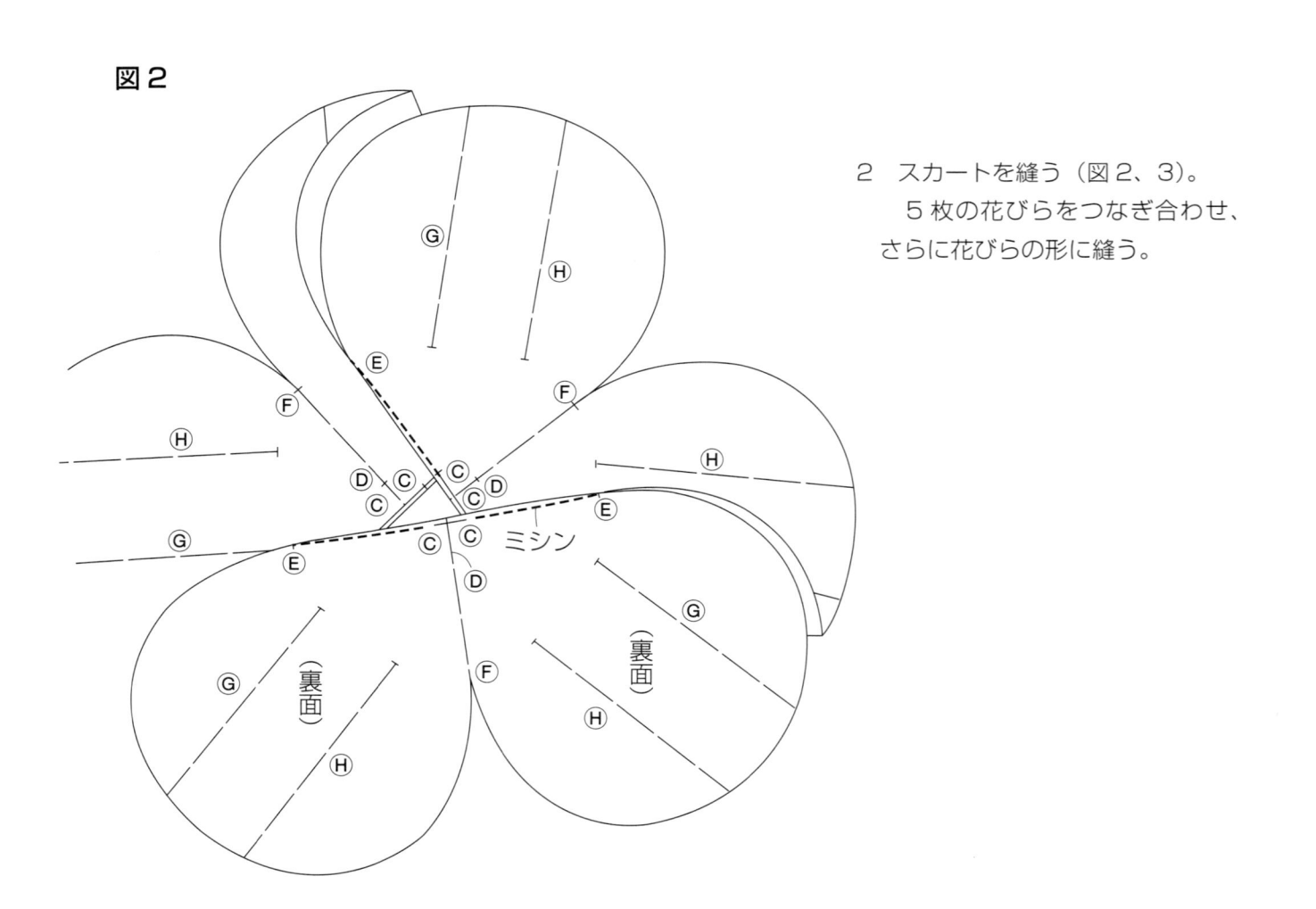

図1

②折り代の始末
前（裏面）
アームホール
アームホール
Ⓐ　Ⓑ
後ろ（表面）
（上）
①上下を縫い合わせる
（下）
ジグザグのはぎ
（裏面）
花びらのスカート

図2

2　スカートを縫う（図2、3）。
　　5枚の花びらをつなぎ合わせ、さらに花びらの形に縫う。

ミシン
（裏面）

図3

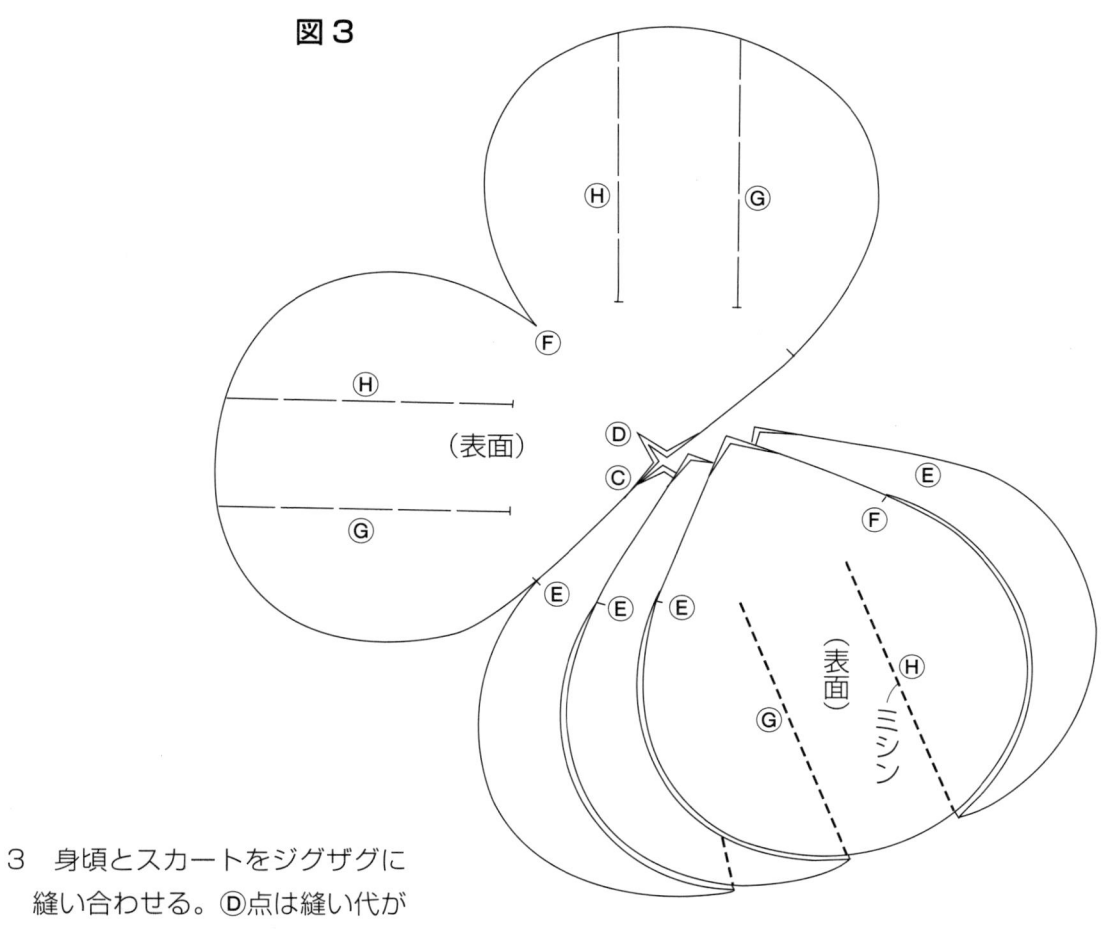

3 身頃とスカートをジグザグに縫い合わせる。Ⓓ点は縫い代がないため、Ⓓ点の延長上でダーツをとって縫う（図1、4）。
4 左脇にあきを作る（図1）。

図4

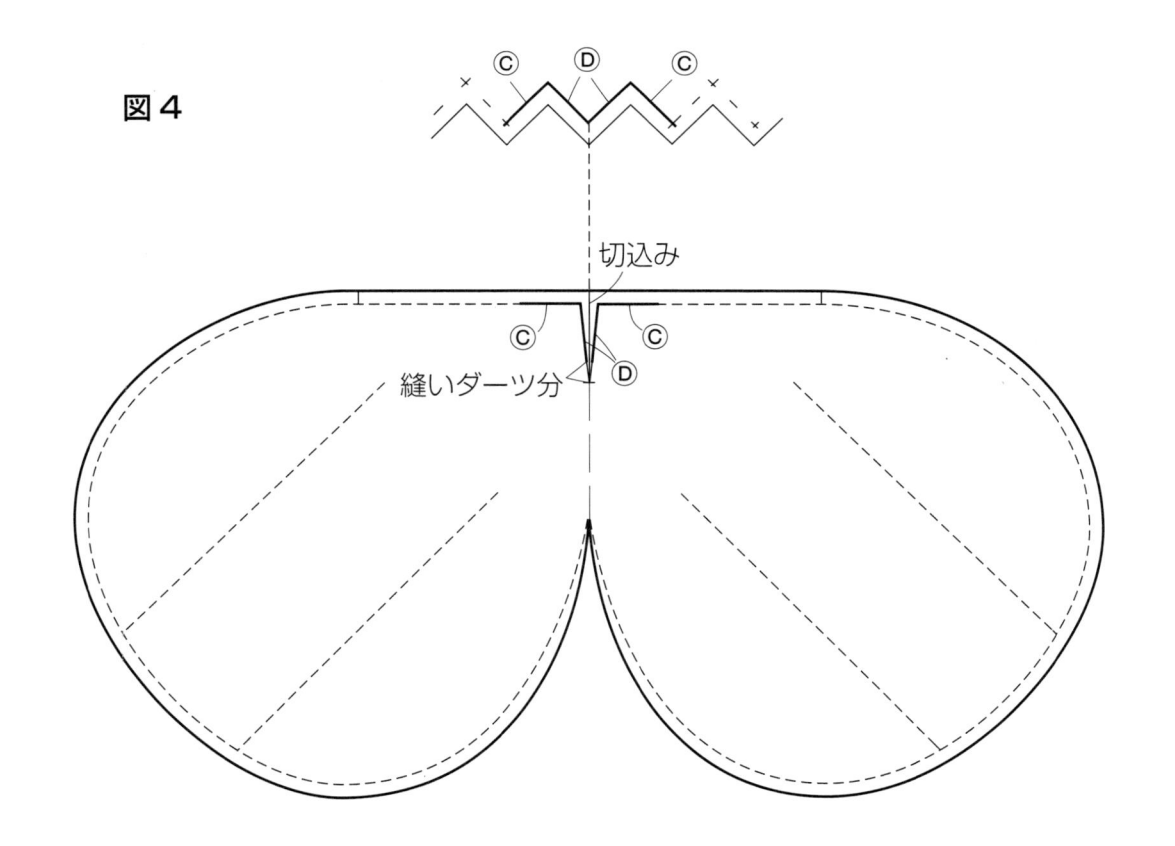

PATTERN 18 四分円の展開（1937年）

　上下のセパレーツ。円裁ちのスカートは、ヒップヨークで切り替えてバレルシルエットになっている。

　ヒップヨークは四分の二円と四分の三円の二つのパーツをつないで、スカートと縫い合わせてあるため、ボリュームのあるスカートになっている。

　トップはネックストラップをつけ、後ろでラップ式に作られている。

10cm
10cm

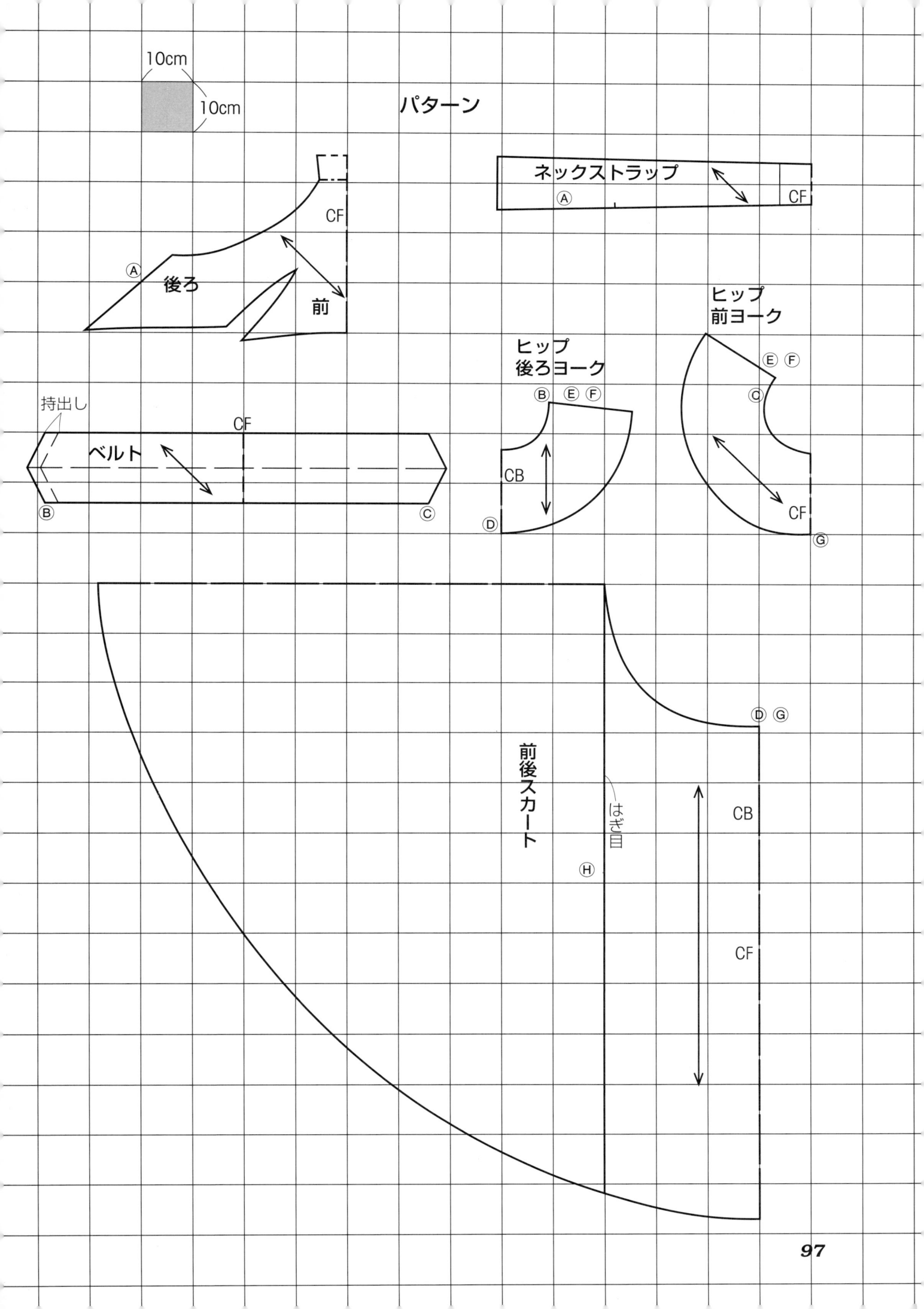

パターン

ネックストラップ
Ⓐ　　　　　　　　　CF

Ⓐ 後ろ　　CF
　　　前

ヒップ
後ろヨーク
Ⓑ Ⓔ Ⓕ

ヒップ
前ヨーク
Ⓔ Ⓕ
Ⓒ

持出し
ベルト　CF
Ⓑ　　　　　　Ⓒ

CB
Ⓓ

CF
Ⓖ

Ⓓ Ⓖ

前後スカート

はぎ目
Ⓗ

CB

CF

パターンの形状

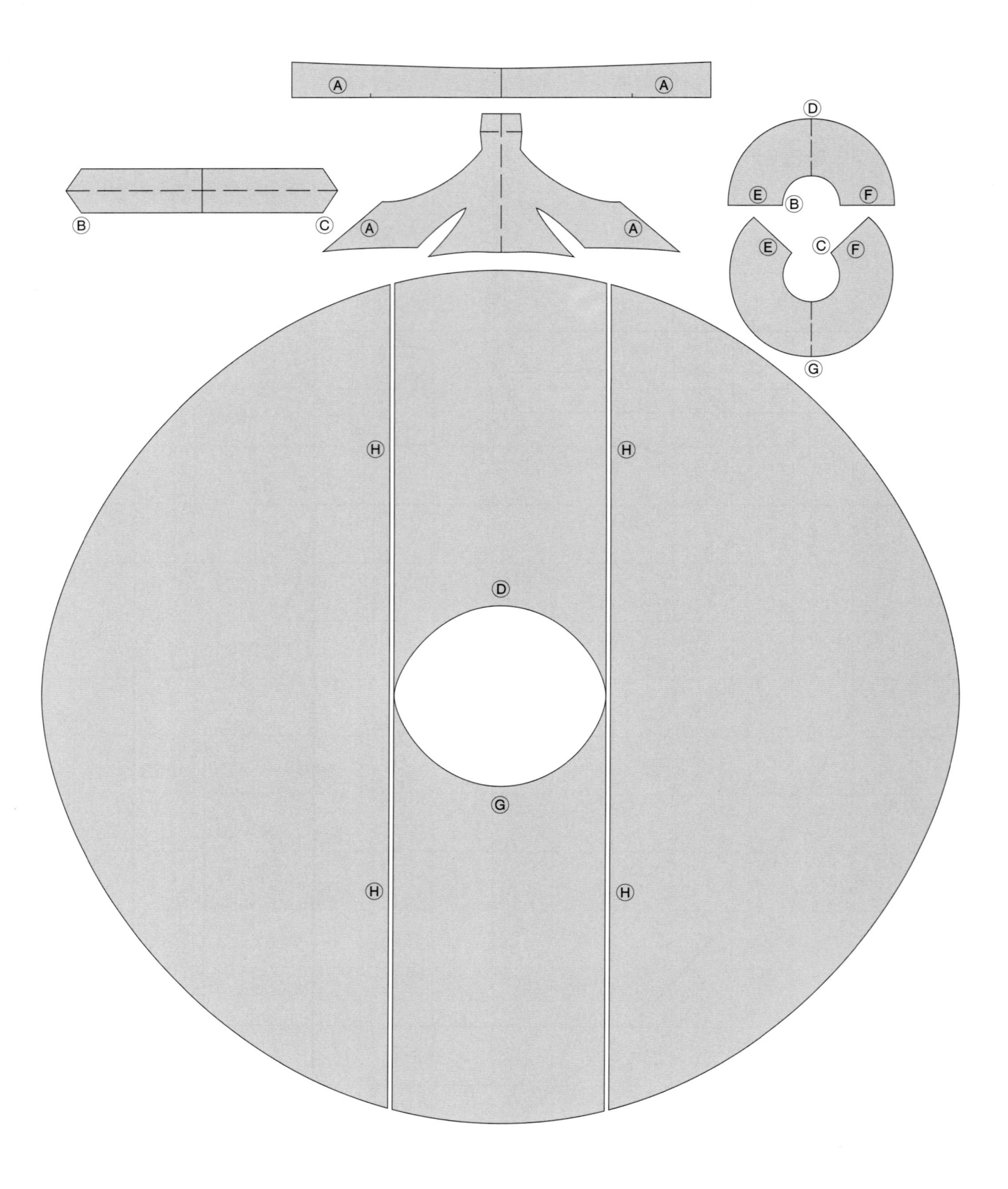

98

縫製順序

1 トップを作る（図1）。
①身頃のダーツを縫い、アームホール、ウエストの始末をする。
②前ネックを折り、ネックストラップを通す箇所を作る。
③ネックストラップを作り、前ネックに通し、金具のクリップを止める。
④身頃Ⓐとネックストラップを合わせて縫う。後ろ身頃を重ね合わせ、留め具をつける。

図1

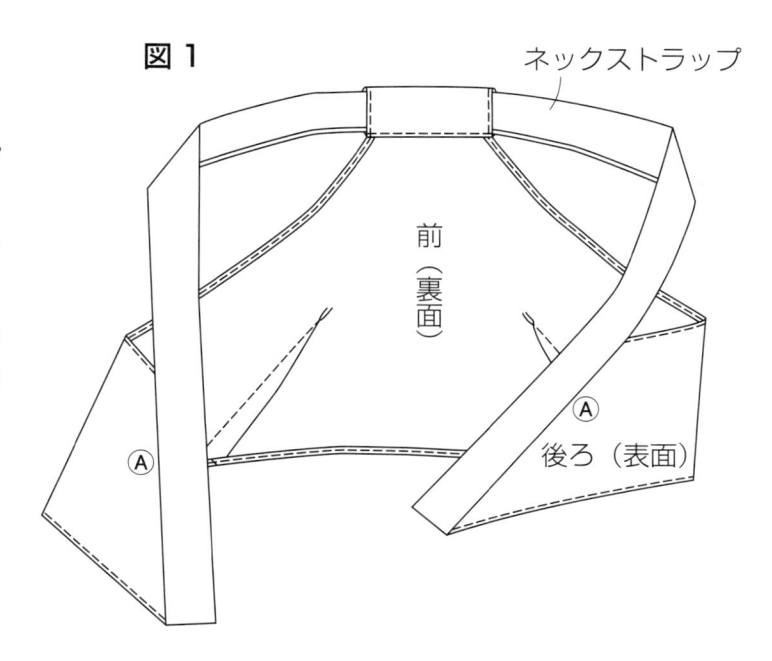

ネックストラップ
前（裏面）
Ⓐ
Ⓐ 後ろ（表面）

2 スカートを作る。
①スカートのⒽ線を縫い合わせ、全円のスカートを作る（図2）。

図2

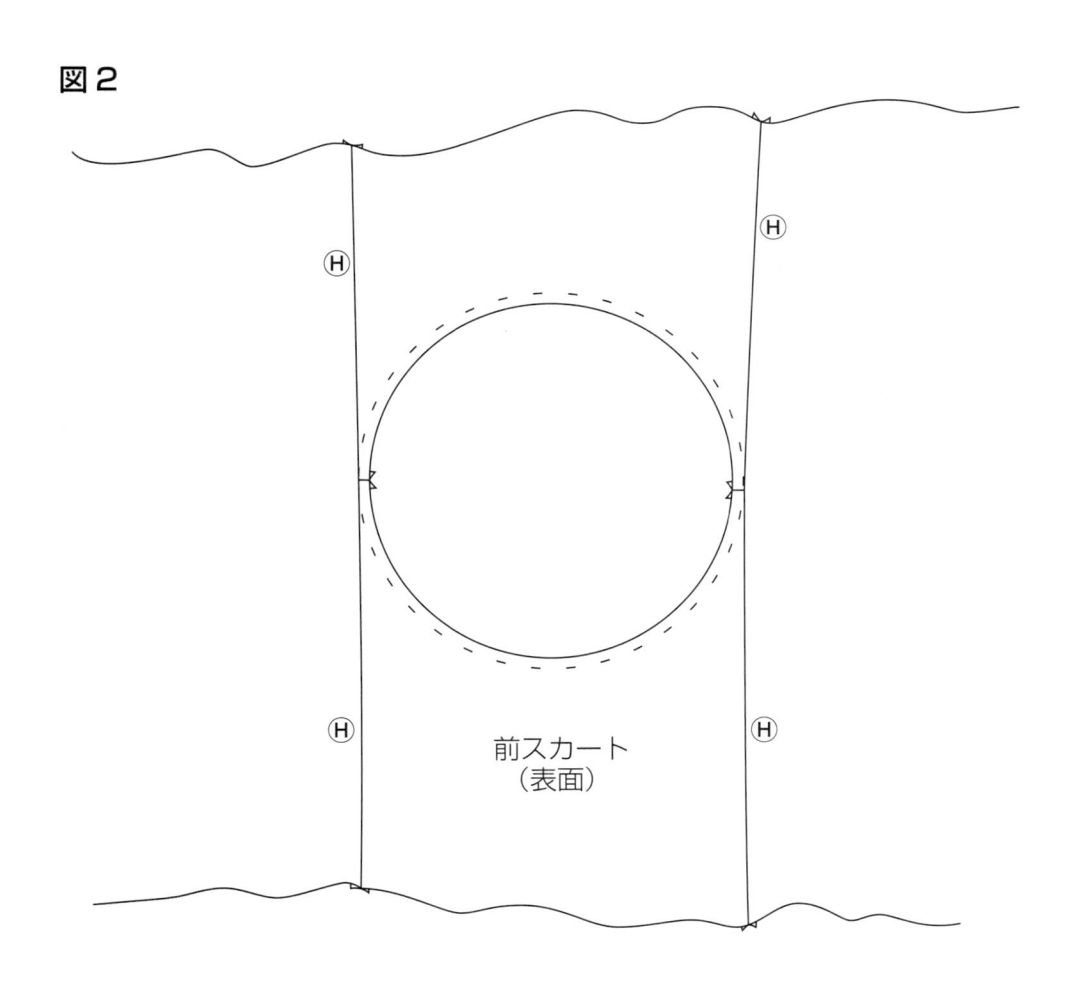

Ⓗ Ⓗ
Ⓗ 前スカート（表面） Ⓗ

②ヒップヨークⒺを縫い合わせる。Ⓕはあきになる（図3）。
③ウエストベルトに伸止めの芯をはり、ⒷⒸに合わせてベルトをつけて始末をする（図4）。
④スカートとヒップヨークをはぐ（図5）。

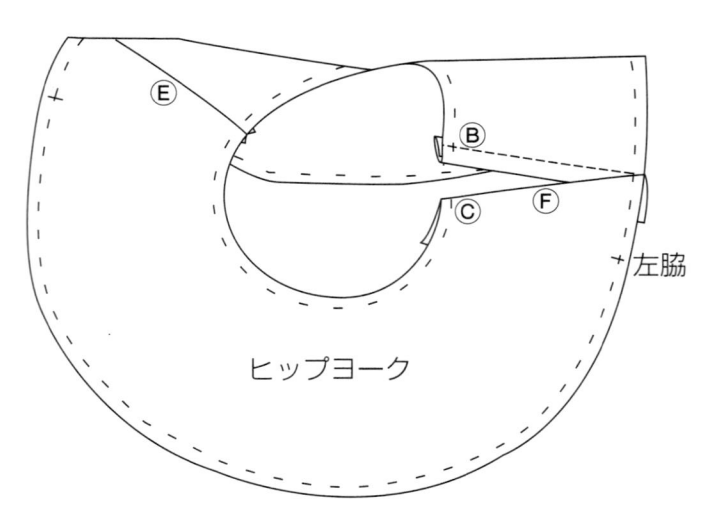

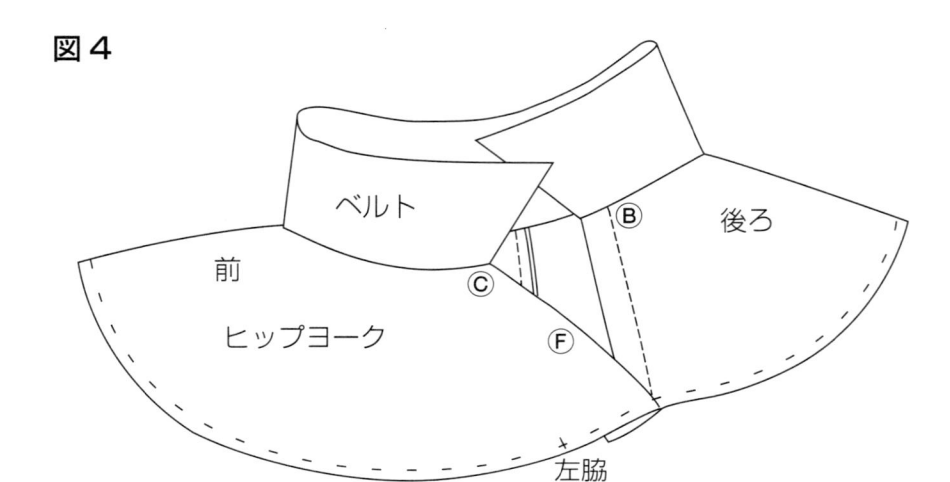

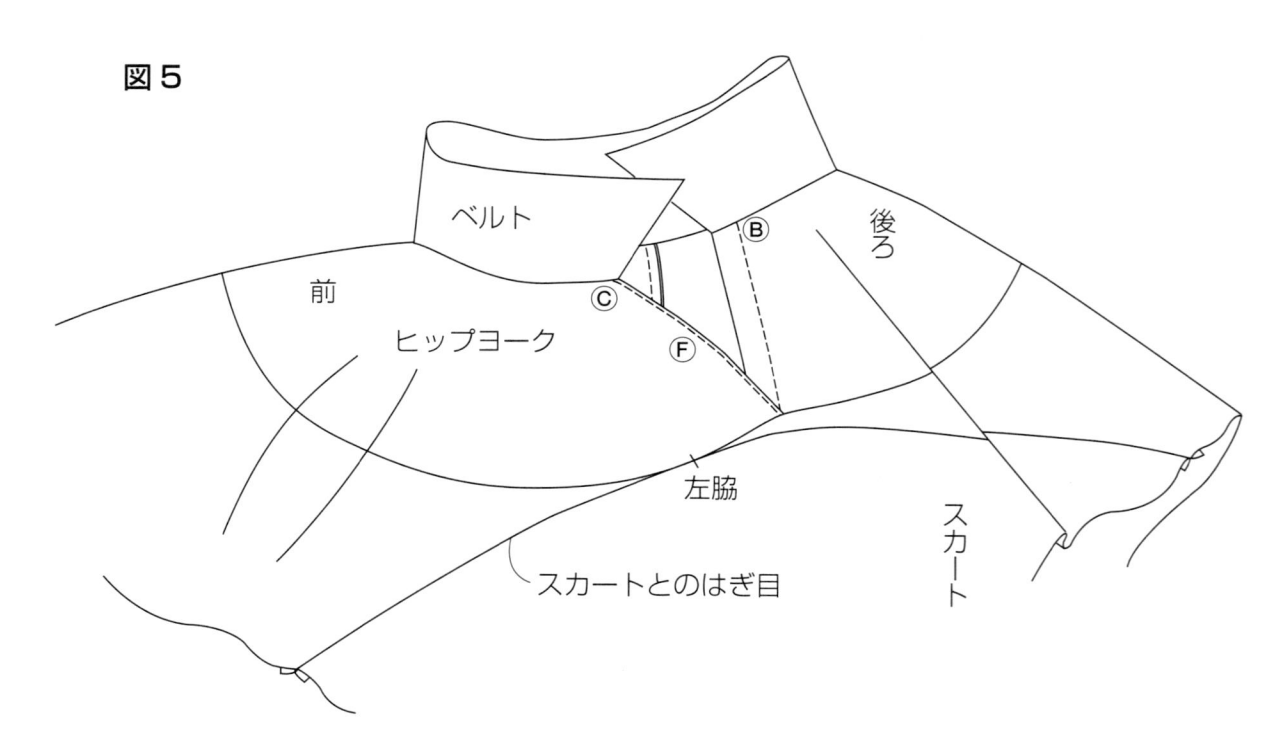

図3

図4

図5

PATTERN 19 三角形の展開（1929年）
（スラッシュとまち）

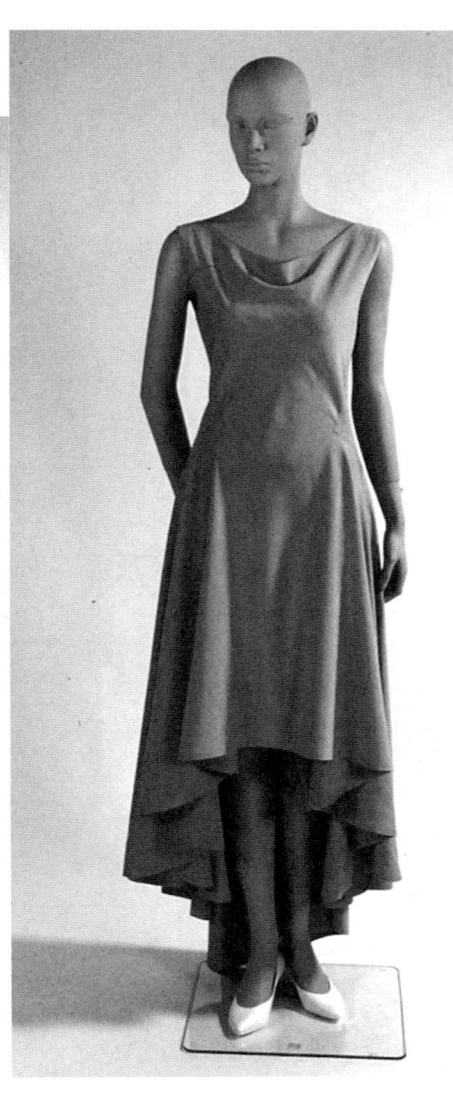

　バイアス裁ちの前後身頃の両脇に菱形のまちをはめ込むというシンプルな構成のドレス。バイアス地をボディにそわせ、ボディの動きと布目の動きの一致する位置にスラッシュを入れ、菱形のまちをはめ込むことでダーツなしでボディの凹凸を無理なく包み、運動量も補っている。

　ドレス全体の構造は後ろが四分の一円、前が四分の二円で構成されていて、裾に向かって大きく波うつシルエットと、裾線の花びらのようなラインは絶妙である。

パターン（1）

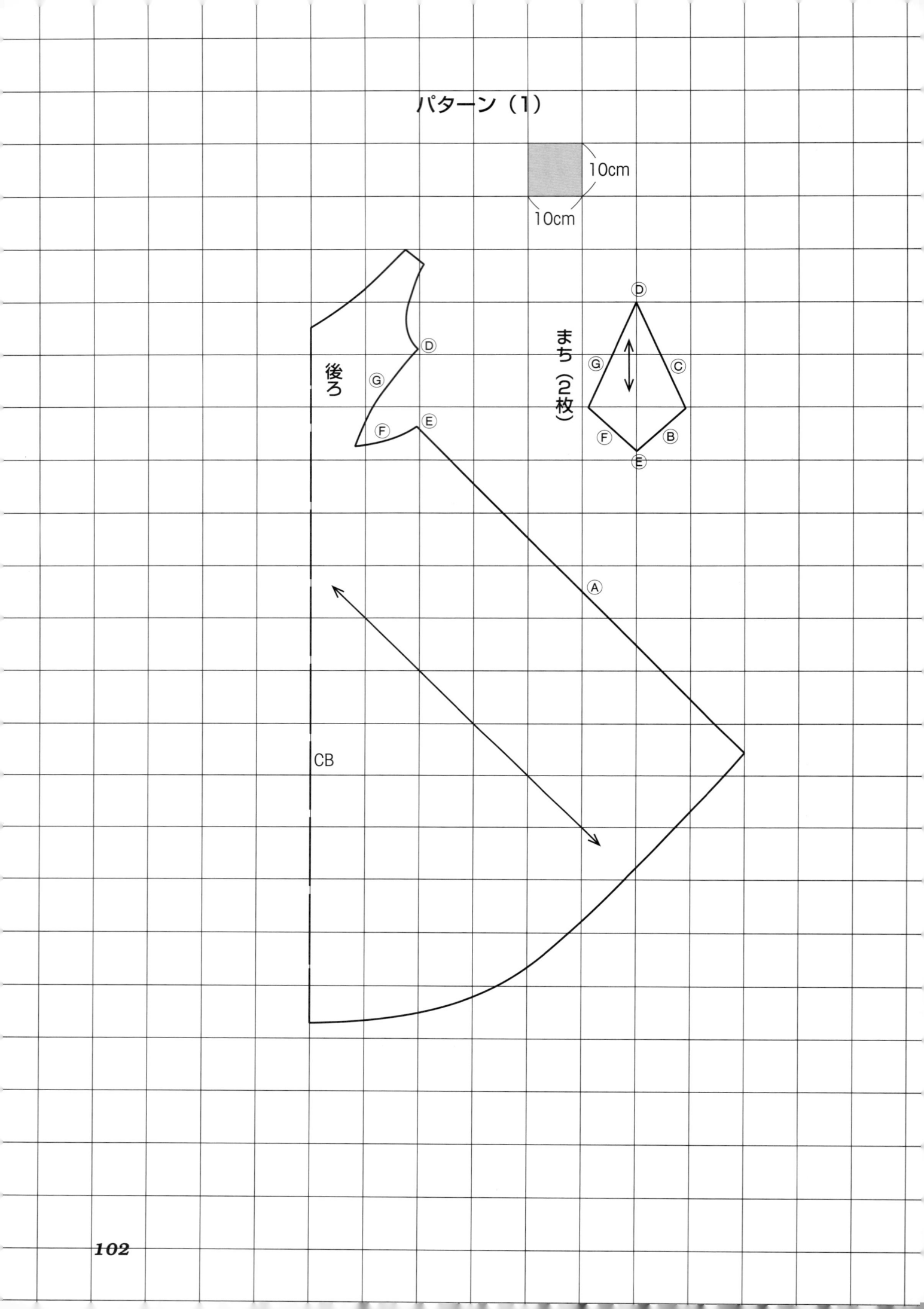

10cm
10cm

後ろ

まち（2枚）

CB

パターン（2）

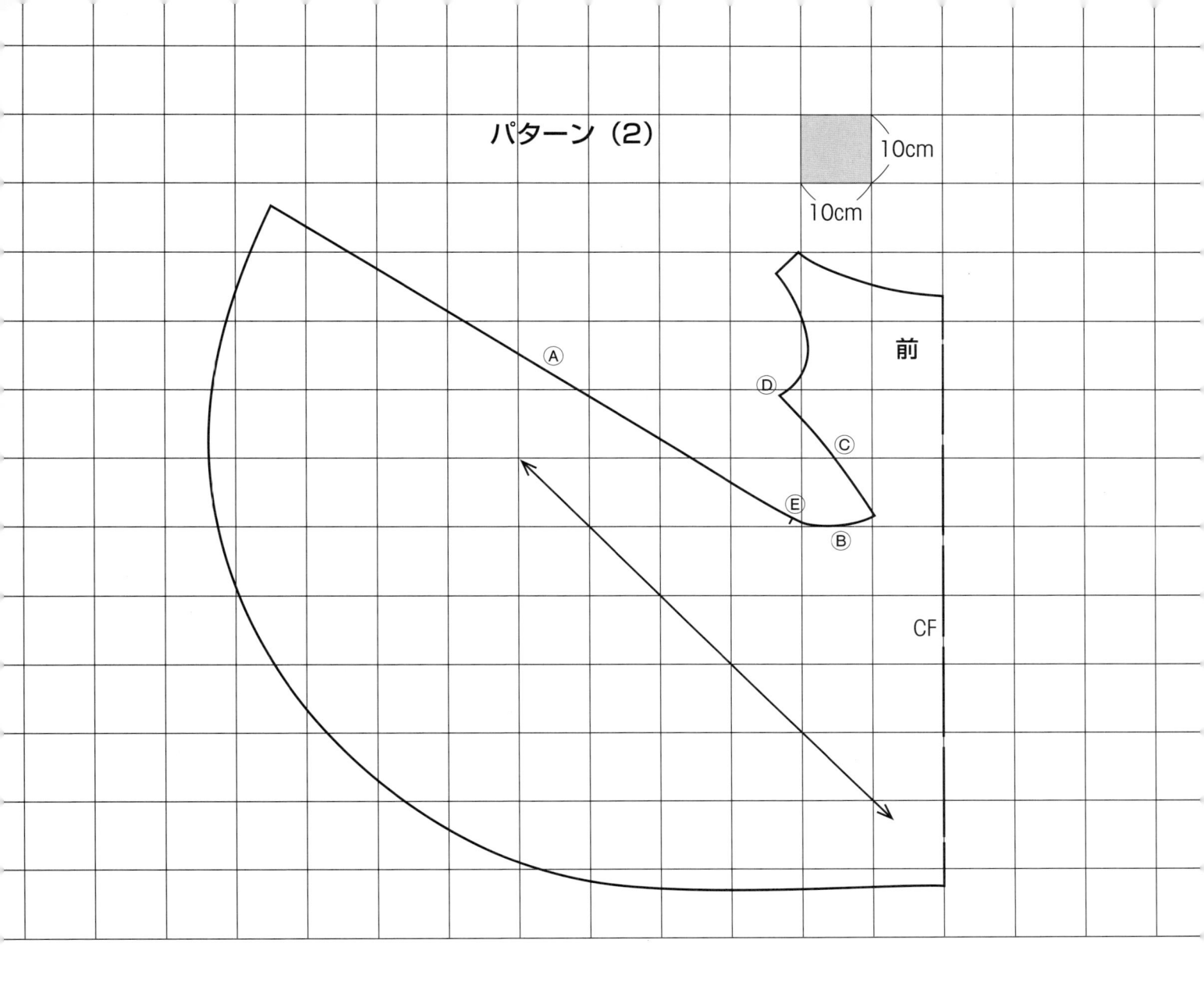

10cm
10cm

前

CF

A
D
C
E
B

パターンの形状

D
C G
B F
E

D
G E
F

D
G E
F

D
C G
B F
E

A

A

A
D
C
E B

D
C
B E

A

103

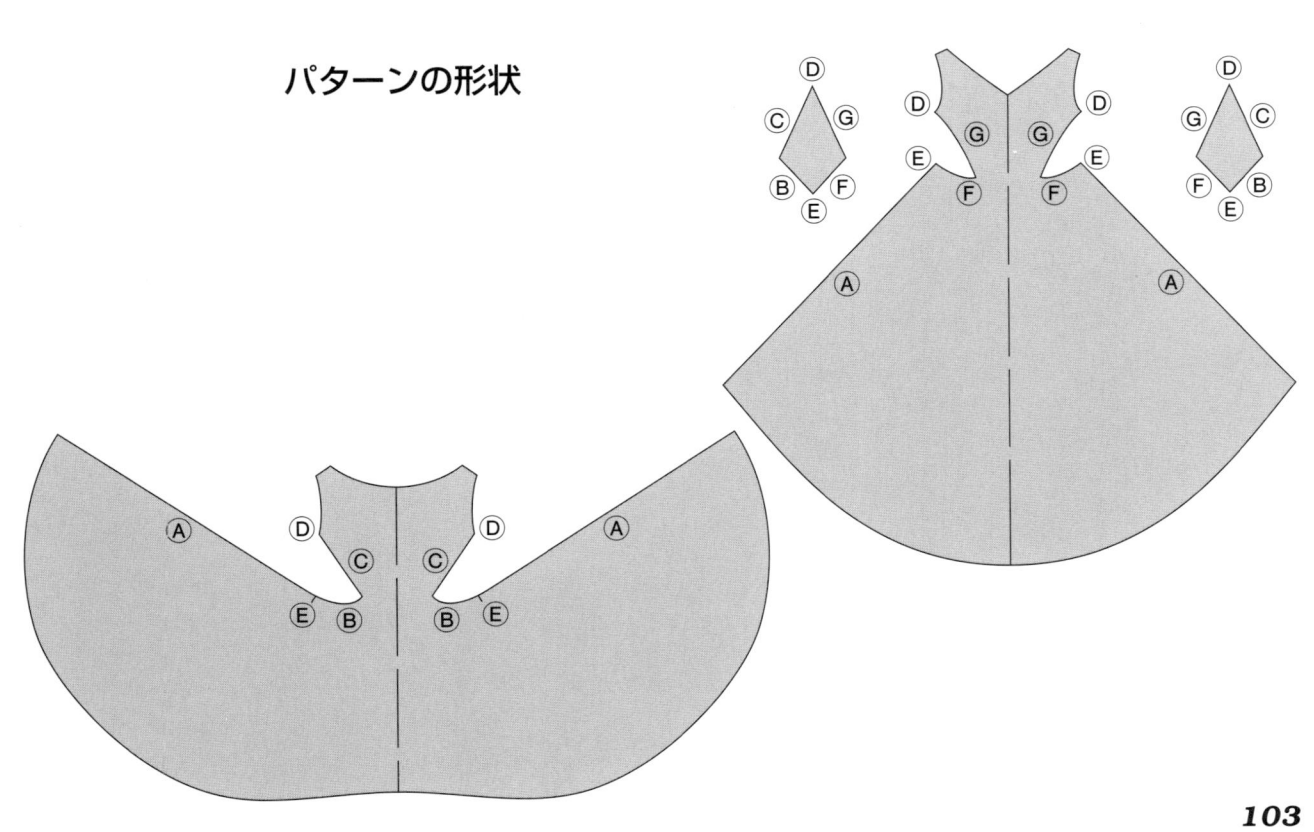

縫製順序

図1

1 スカートの脇Ⓐを縫い、前後身頃にまちをはめ込んで縫う（図1）。
2 肩を縫い、衿ぐり、袖ぐりの始末をし、左後ろのまちⒼにあきを作る。

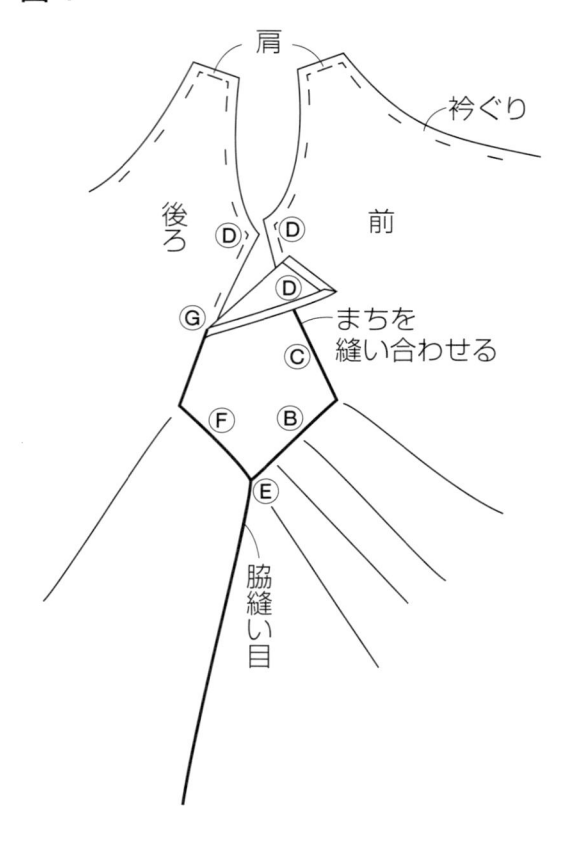

PATTERN 20　三角形の展開 (1937年)
（スラッシュとまち）

　前身頃、後ろ身頃の上部、袖が1枚続きに裁断され、複雑なスラッシュを入れて、後ろ身頃（スカート）とウエストでつなぐ構造である。衿ぐりから肩先に向けてとられた3本のダーツは、肩線を美しく包み、前ウエストから裁ち出された三角の布は、後ろのスラッシュに縫い込まれることでウエストシェープを効果的に表現している。

　袖口の装飾的なパーツ、高い衿は、きものの雰囲気があり、全体のシルエットと調和して美しい。

パターン（1）

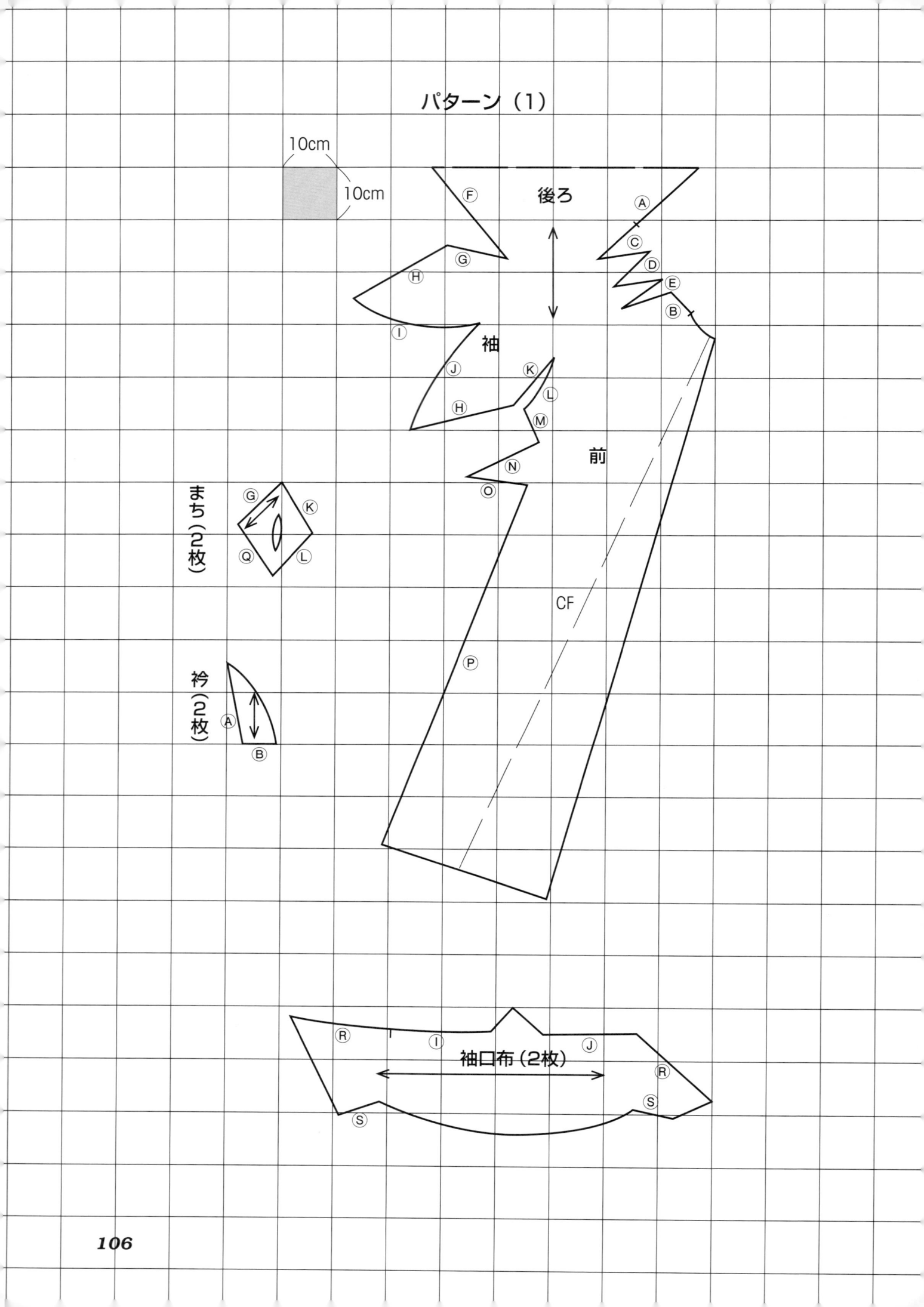

10cm × 10cm

後ろ
袖
前
CF

まち（2枚）
衿（2枚）
袖口布（2枚）

パターン（2）　　　　　　　　　ベルト

10cm
10cm

後ろスカート

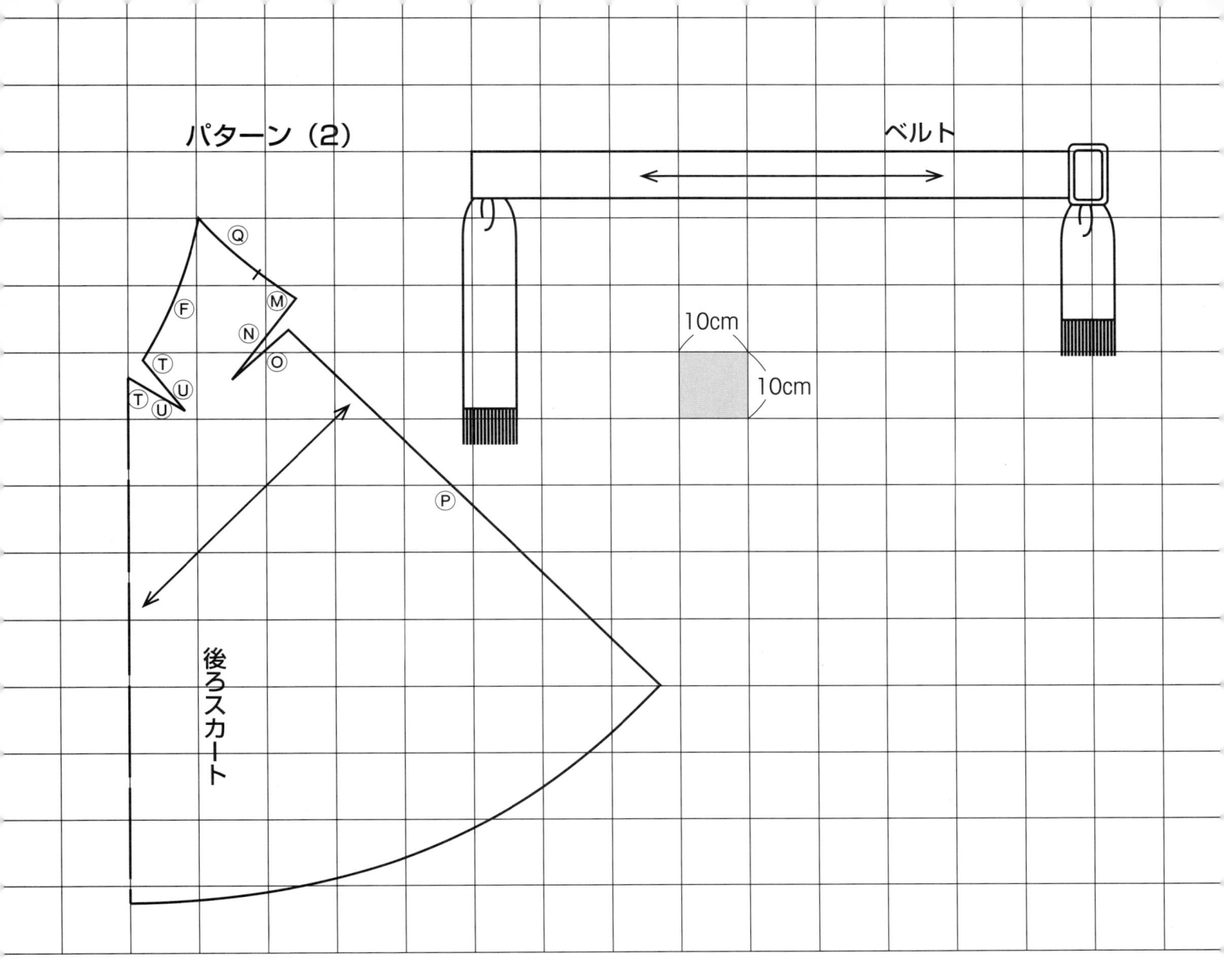

パターンの形状

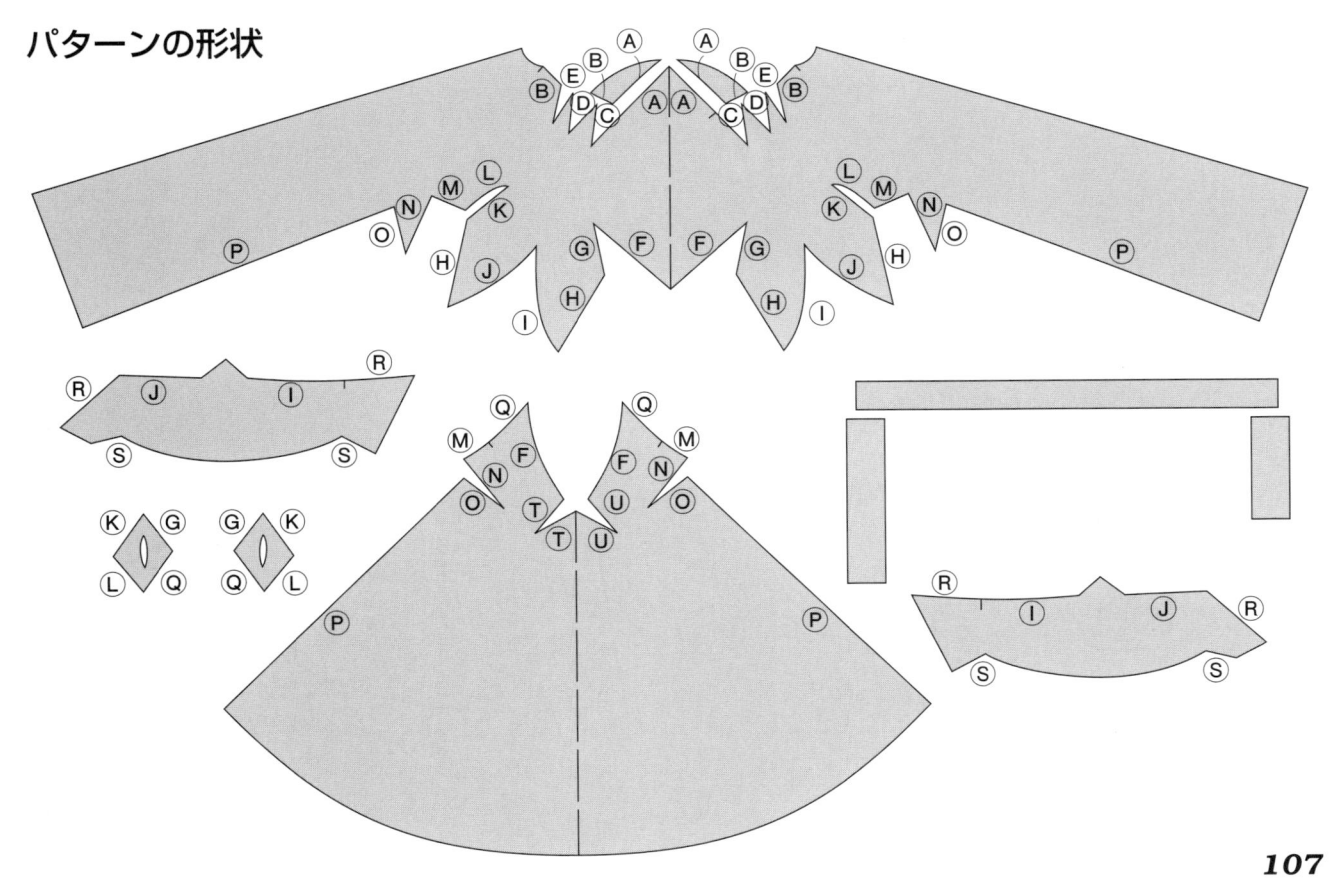

縫製順序

1 前身頃と衿を作る（図1）。
  ● ネックラインダーツⒸⒹⒺを縫い、衿のⒶⒷをつけ、衿ぐりから前端に続けて見返しをつける。

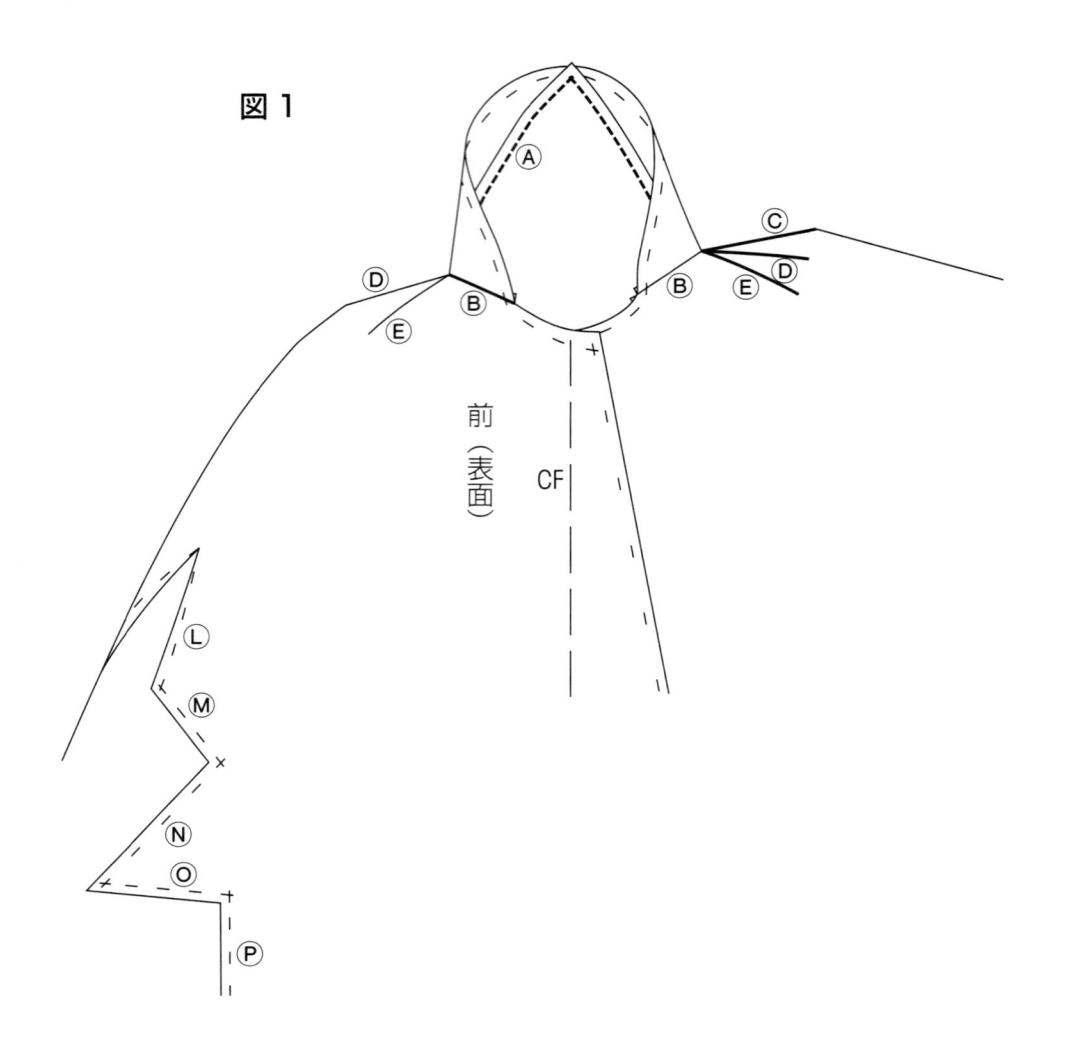

図1

2 袖を作ってつける。
  ● 袖口布ⓇⓈを縫い、折り代の始末をする（図2）。
  ● 身頃側の袖下縫い目Ⓗを縫い、袖口布をⒿⒾにつける（図3）。

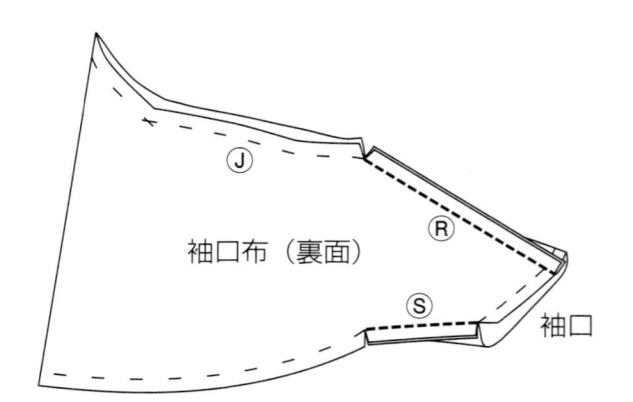

図2

3　前後身頃をつなげる。
- 後ろ身頃のダーツⓉⓊを縫う。
- 脇縫い目をⓂⓃⓄⓅの順に縫う（図3）。
- 後ろ身頃Ⓕを縫い、スカートとつなぐ（図4）。
- 袖下まちのダーツを縫い、はめ込む。前身頃のⓀⓁ、後ろ身頃のⒼⓆを合わせて縫う。

4　ベルトを作る。

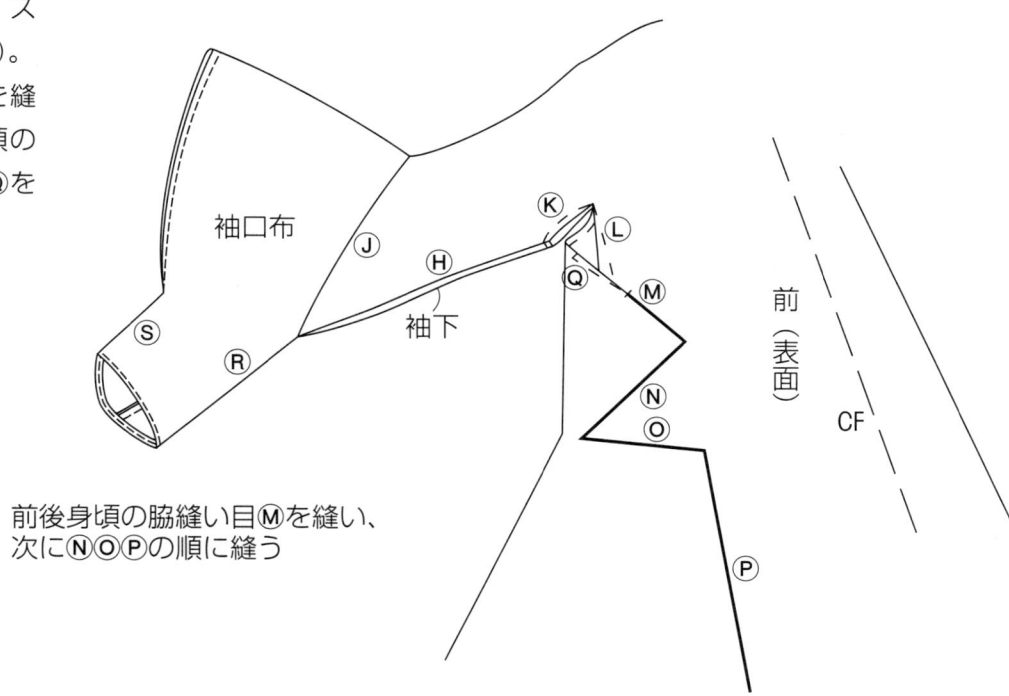

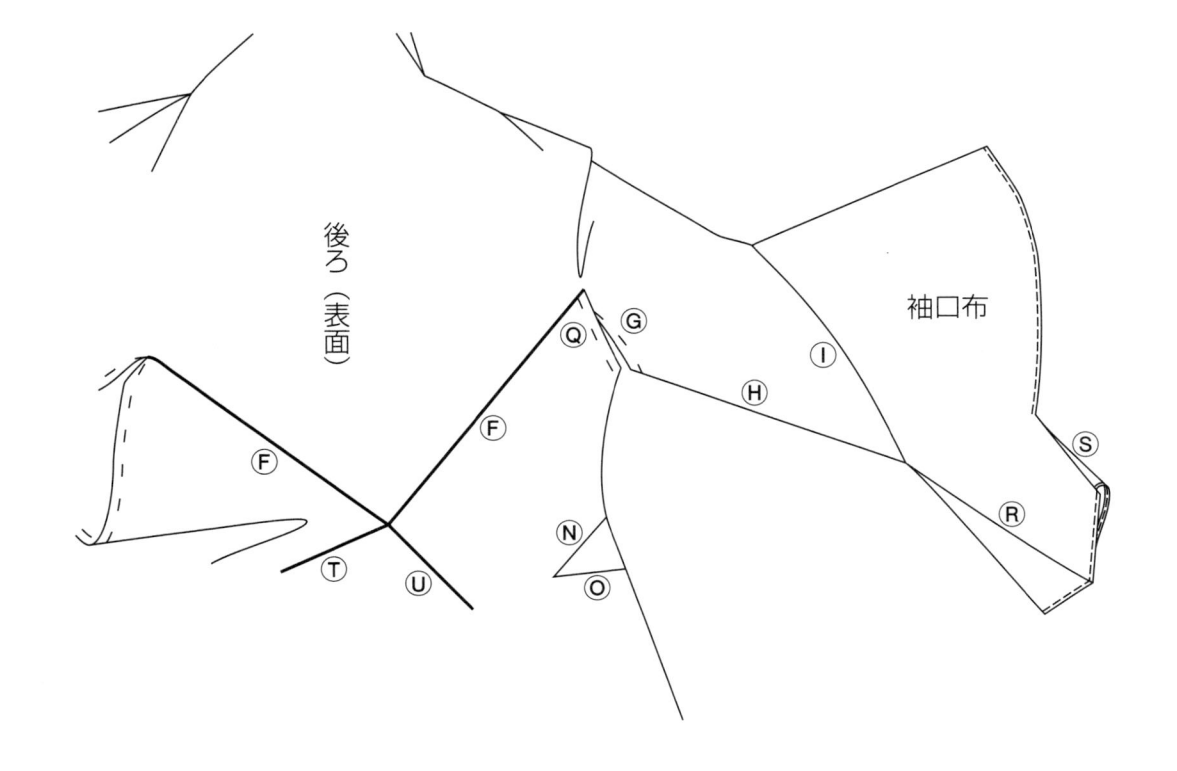

図3

袖口布

前後身頃の脇縫い目Ⓜを縫い、次にⓃⓄⓅの順に縫う

前（表面）
CF
袖下

図4

後ろ（表面）

袖口布

PATTERN 21 三角形の展開 (1937年)
(スラッシュとまち)

　前後身頃の裾からウエスト上部に向けてスラッシュを入れ、三角形のまちをはめ込み、美しい裾広がりのシルエットを表現している。

　スラッシュの先端をダーツに縫い消すことで、まちをはめ込むための縫い代をとり、鋭角に裁たれたまちを縫いやすくしている。また、鞘の形のダーツは胸もとにやわらかなふくらみを持たせるよう工夫されている。

　袖は前後別々に裁断され、袖下が縫われ、外側はオープンになっている。

パターン（1）

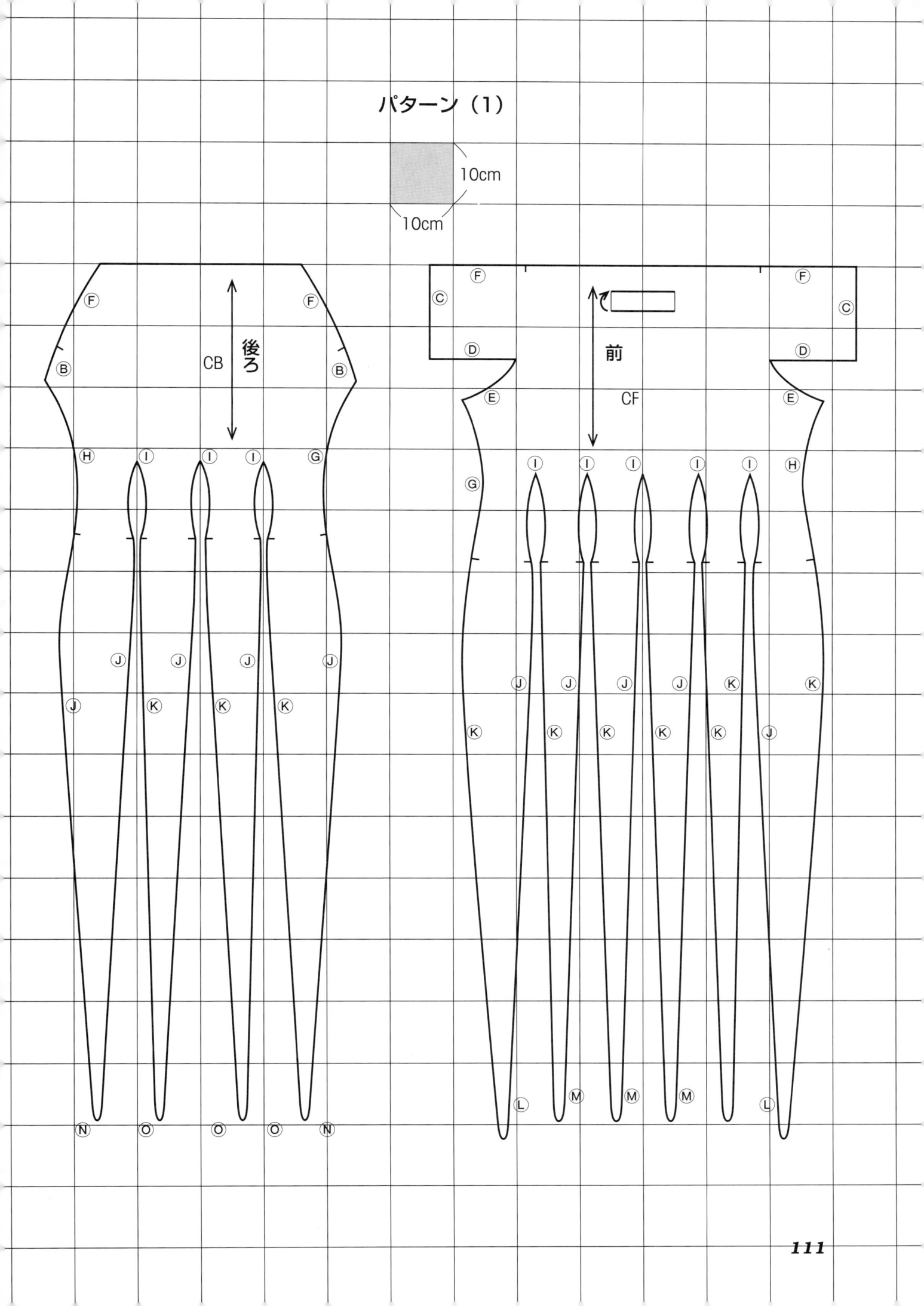

10cm
10cm

CB 後ろ

CF 前

パターン（2）

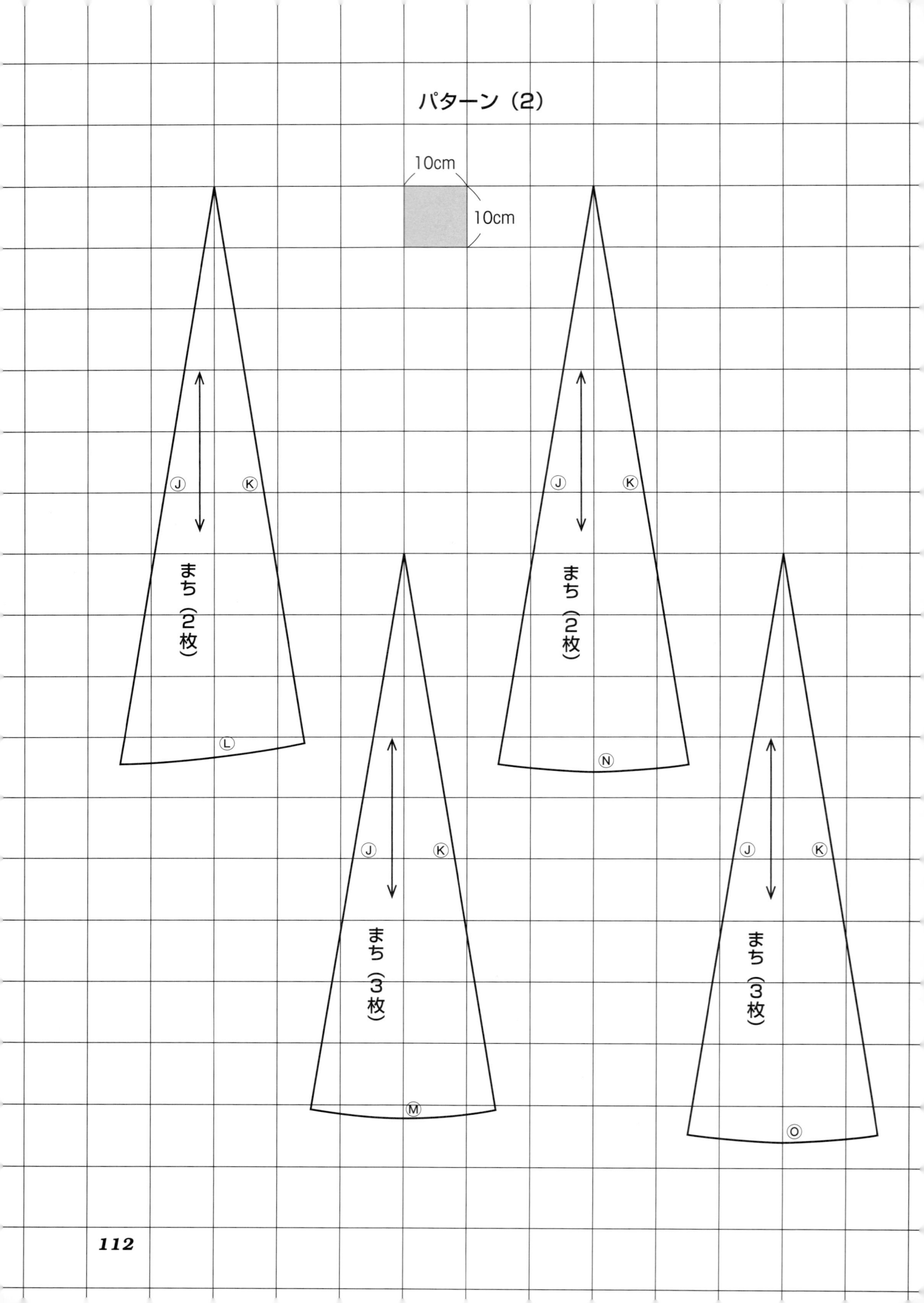

10cm × 10cm

まち（2枚） J K L

まち（2枚） J K N

まち（3枚） J K M

まち（3枚） J K O

パターン（3）

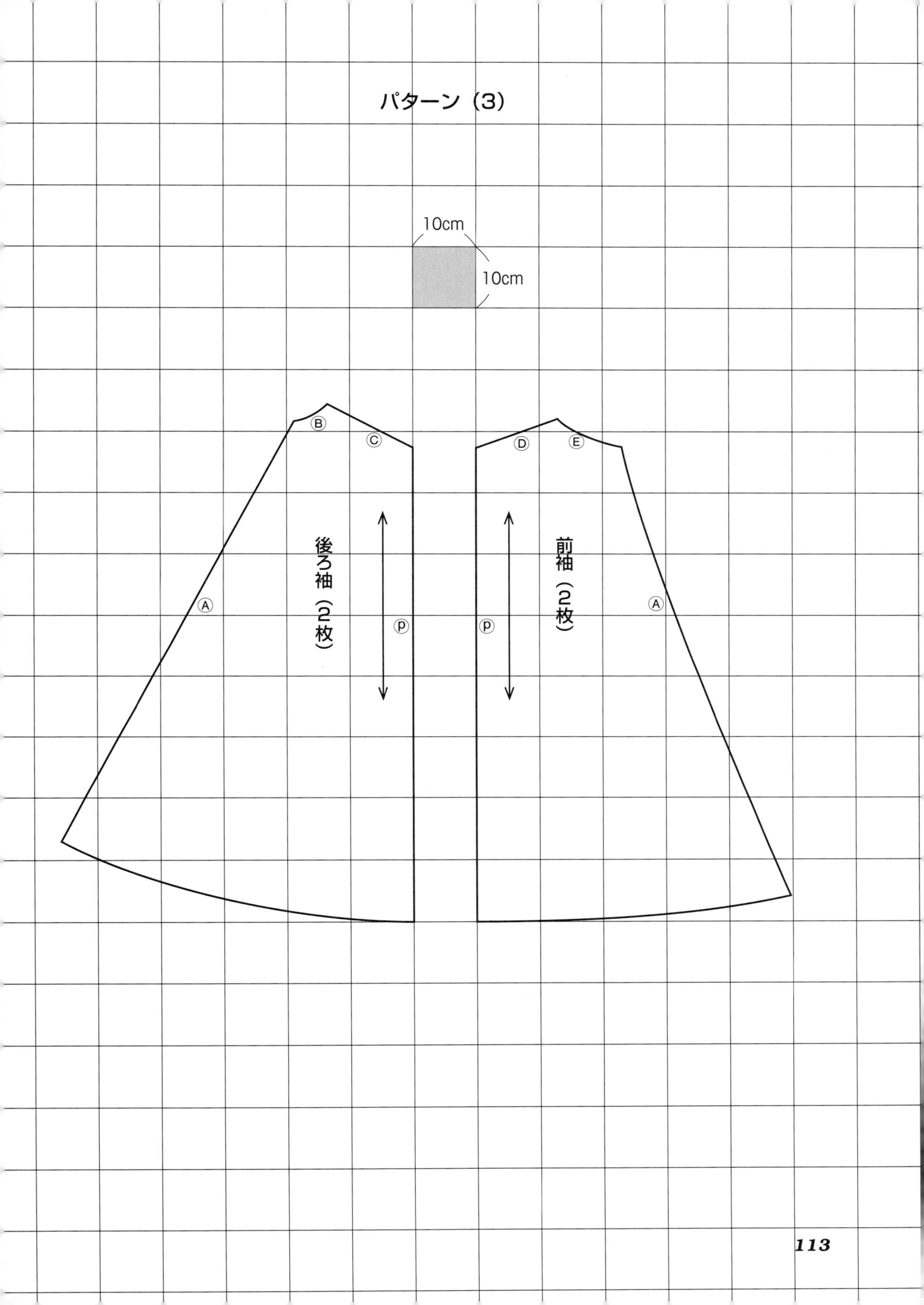

10cm
10cm

後ろ袖（2枚）
前袖（2枚）

パターンの形状

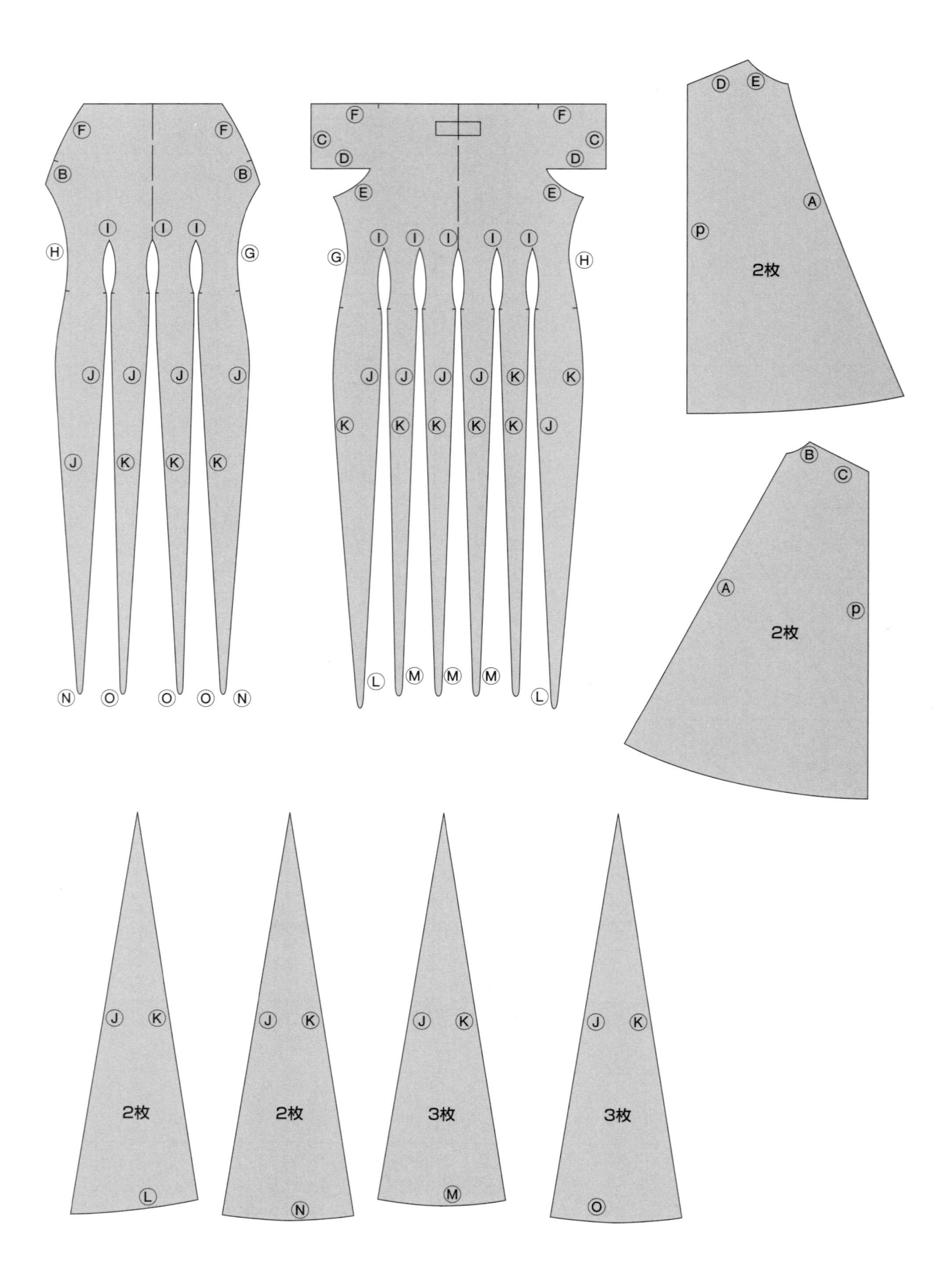

縫製順序

1　前後身頃のスラッシュにまちを縫い合わせる（図1）。
   - スラッシュⓂⓁⓄと脇線Ⓝにそれぞれのまちを合わせて縫う。
   - 前後身頃のダーツⒾを縫う。

図1

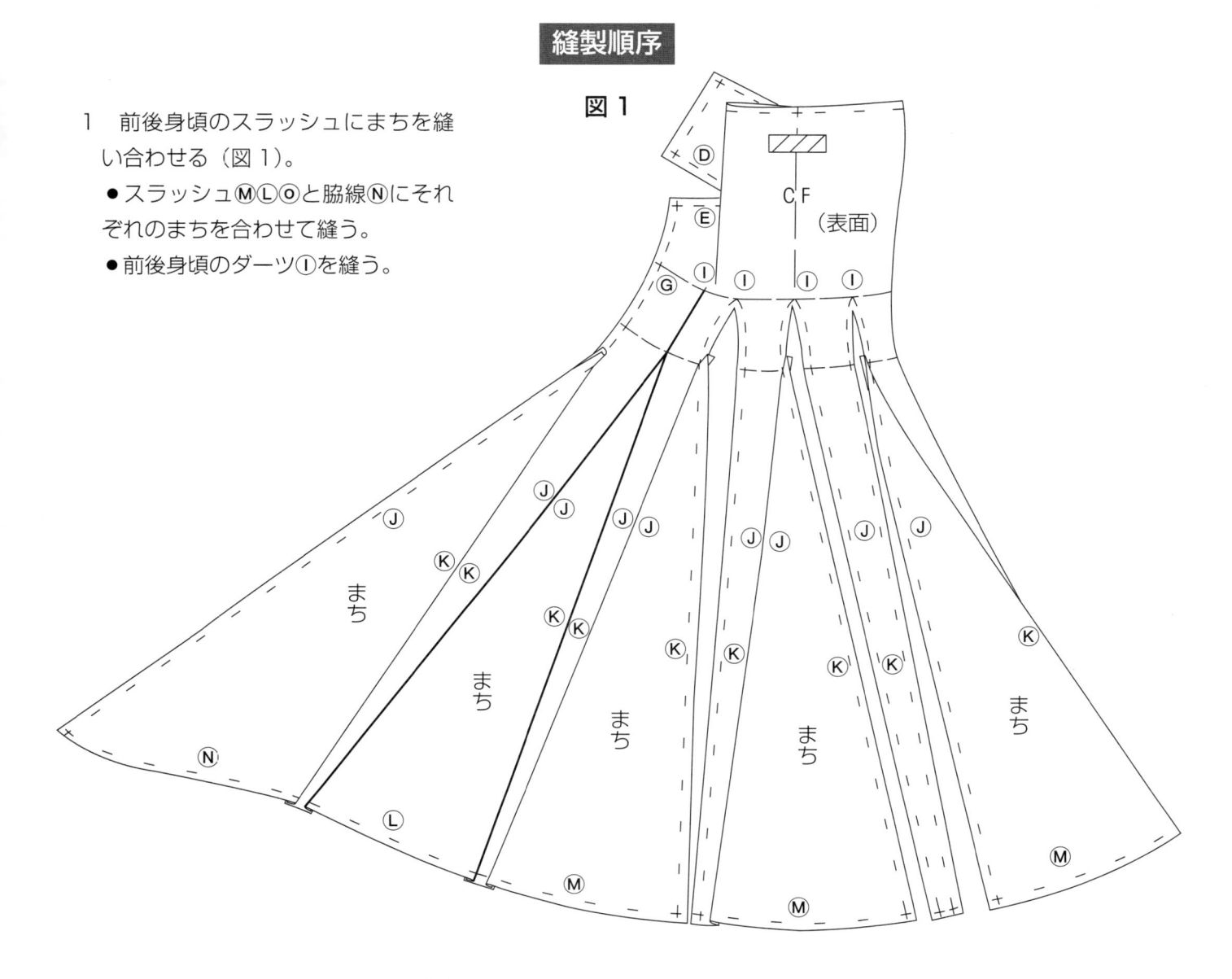

2　肩と脇を縫う（図2）。
   - 前身頃のⒻと後ろ身頃のⒻを合わせて縫い、ネックラインの折り代を出来上りに折る。
   - 脇線ⒼとⒽを縫い合わせる。
   - 前中心のタックを縫う（図3）。

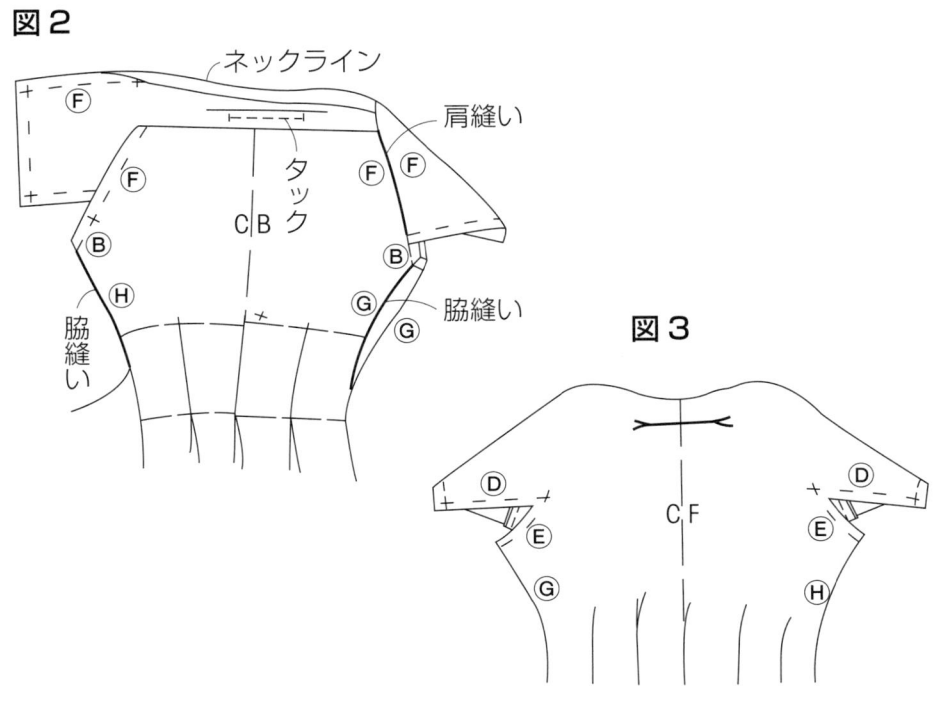

図2

図3

3 袖をつける（図4、5）。
 ● 前後袖下縫い目Ⓐを縫い、Ⓟと袖口線の折り代の始末をする。
 ● 袖のⒷⒸⒹⒺを後ろ身頃のⒷと前身頃のⒸⒹⒺと合わせて縫い、袖をつける。
4 裾線の始末をする。

図4

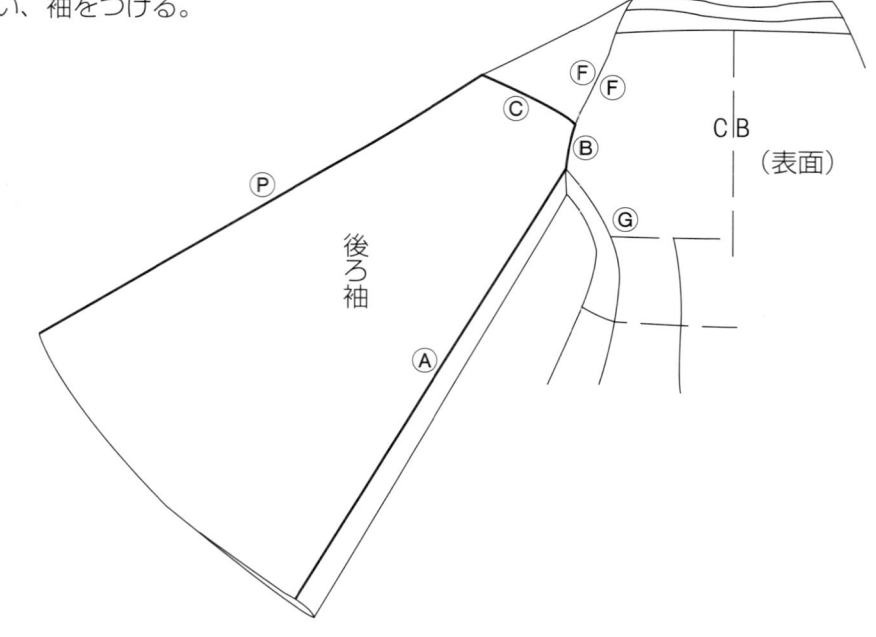

図5

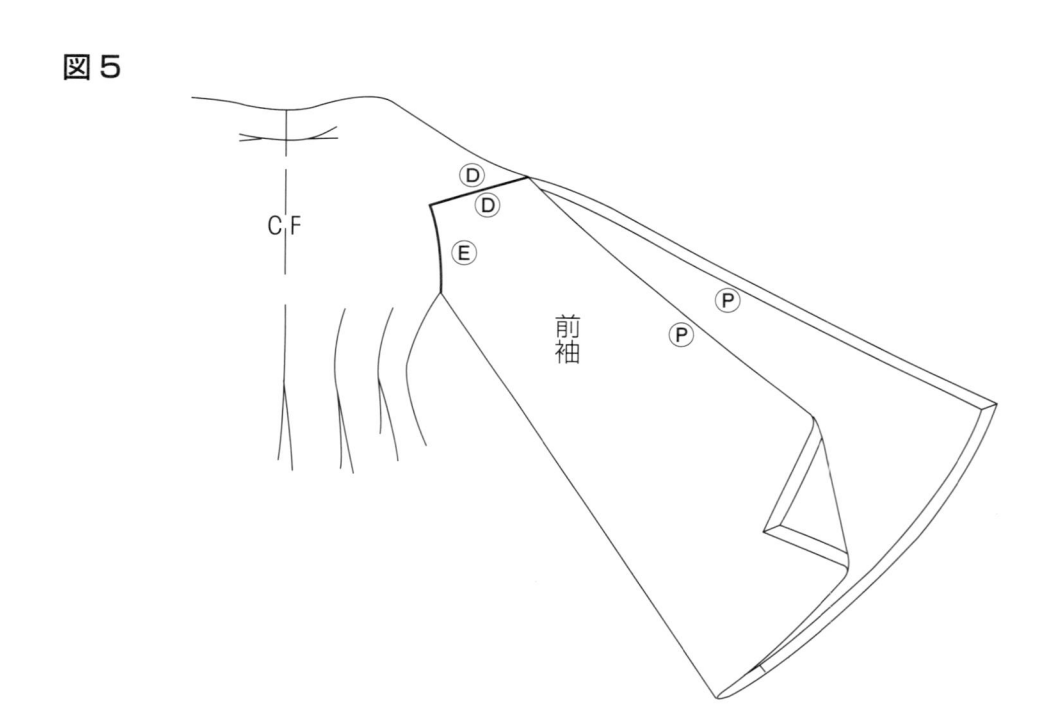

PATTERN 22 三角形の展開 （1932年頃）

ブラウス、パンツ、ジャケットのアンサンブル

ブラウス

　Vネック（60度）に裁断された衿もとに、角度の異なる三角形（90度）の布を重ねてはめ込むことでカールネックを表現している。

パンツ

　四分円をもとにした円裁ちで、股下のパーツは別裁ちではめ込まれている。ヒップのヨーク切替えは、解剖学上においても、シルエット表現上からも効果的な位置に考えられている。

ジャケット

　後ろ身頃と袖が続けて裁たれ、袖下に続く横の切替えは前身頃まで回され、幾何学的な裁断で前身頃にはめ込まれるように縫われ、前端にほどよいフレアを出している。

　袖の独特の切替えは、装飾と機能を兼ねたものと思われる。

パターン（1）

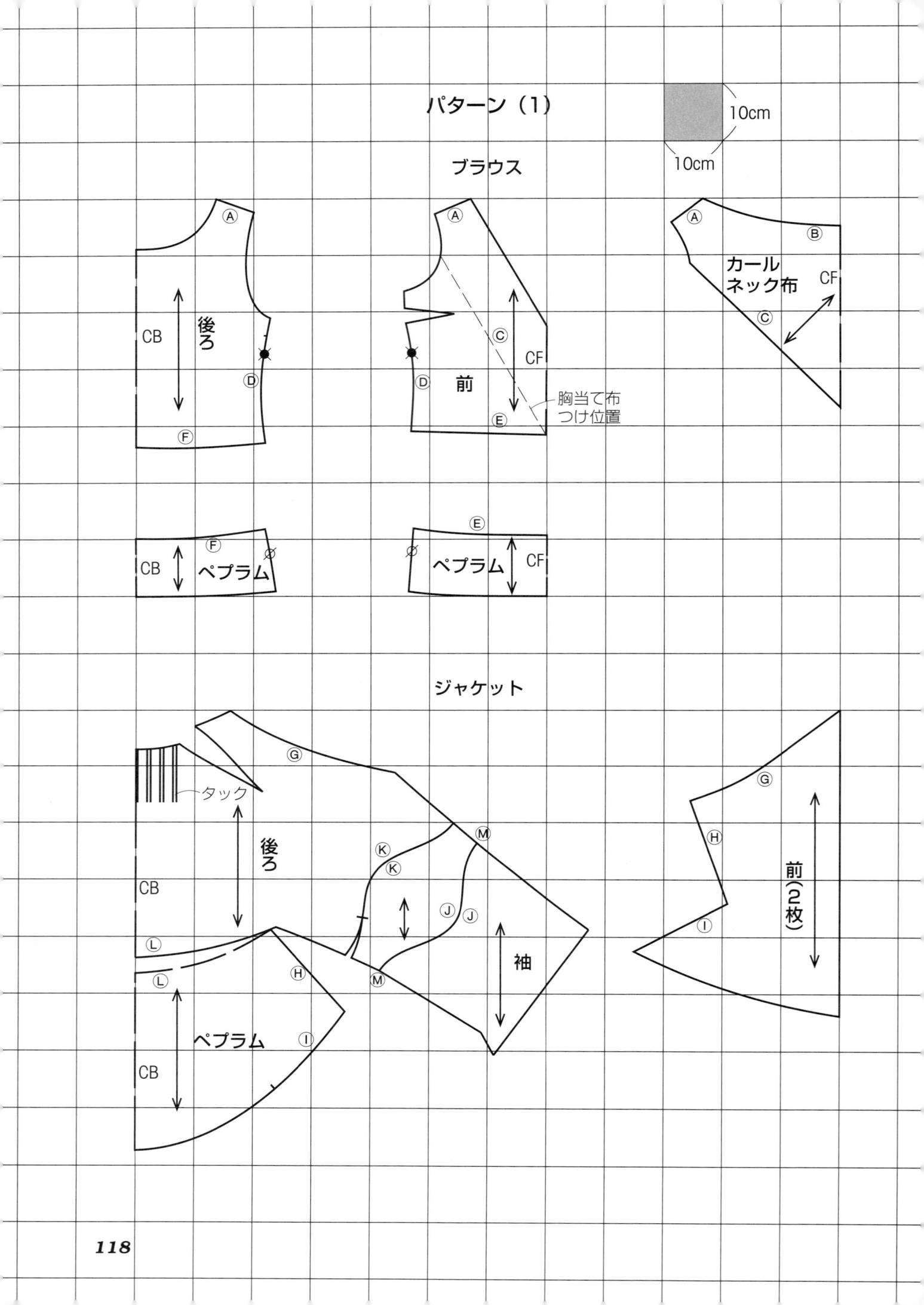

10cm × 10cm

ブラウス

- 後ろ (CB) — A, D, F
- 前 (CF) — A, C, D, E、胸当て布つけ位置
- カールネック布 (CF) — A, B, C
- ペプラム (CB) — F
- ペプラム (CF) — E

ジャケット

- 後ろ (CB) — タック, G, L
- 袖 — K, J, M, H, I
- ペプラム (CB) — L, H, I
- 前（2枚）— G, H, I

パターン（2）

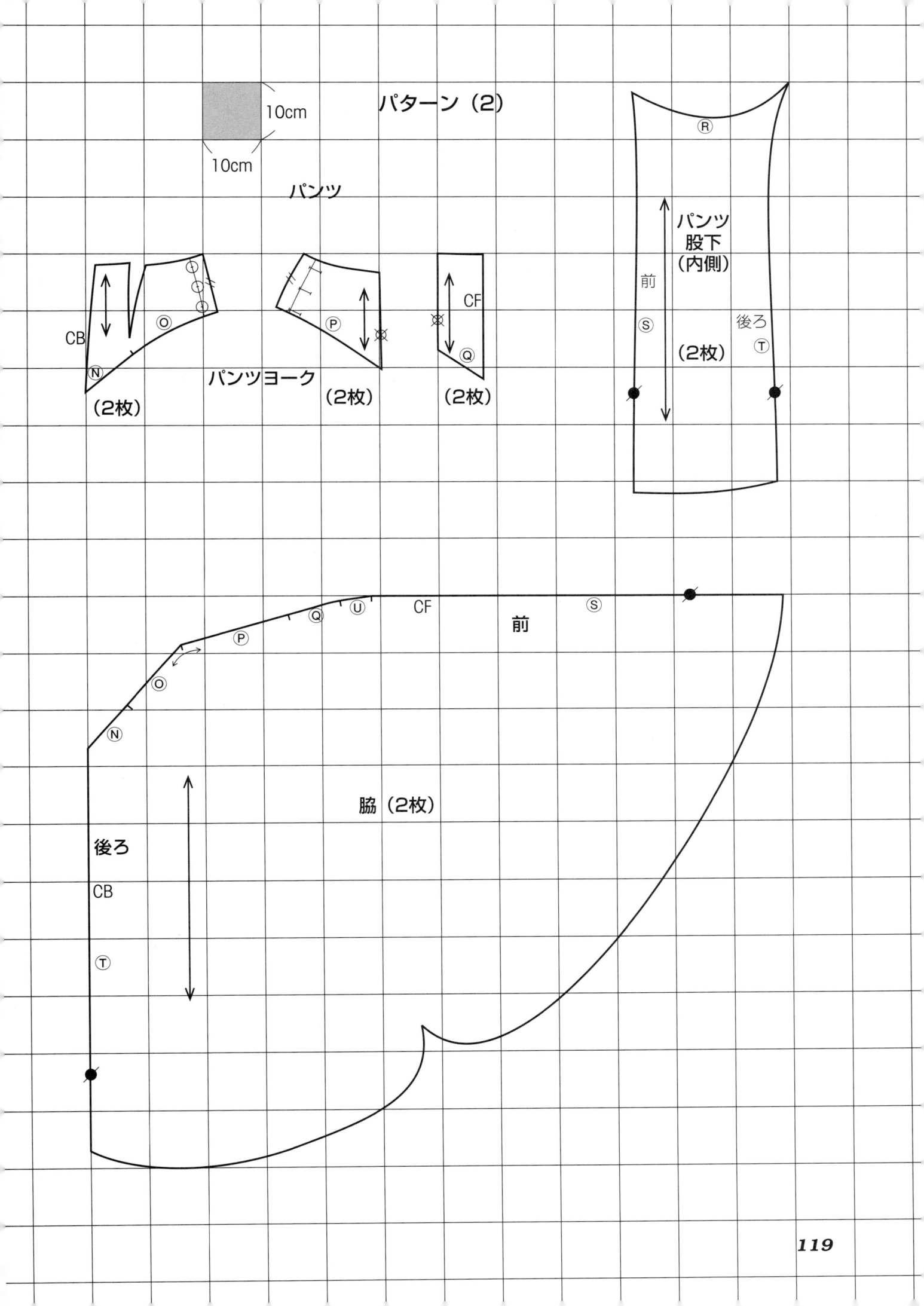

10cm
10cm

パンツ

CB Ⓝ (2枚)
Ⓞ パンツヨーク (2枚) Ⓟ
CF Ⓠ (2枚)

パンツ股下（内側）
前 Ⓢ 後ろ Ⓣ
(2枚)
Ⓡ

脇（2枚）
Ⓝ Ⓞ Ⓟ Ⓠ Ⓤ CF 前 Ⓢ
後ろ CB Ⓣ

119

パターンの形状

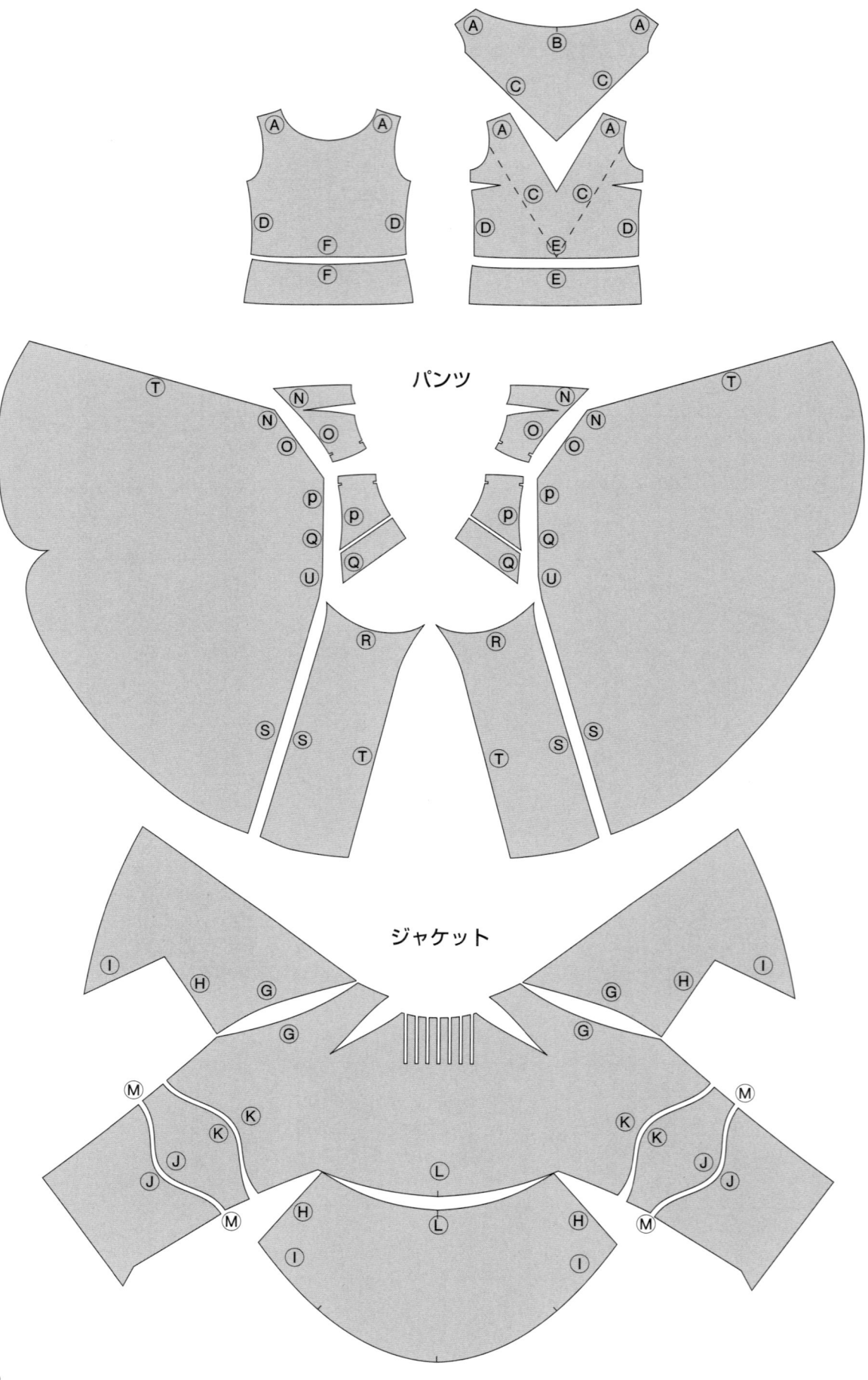

ブラウス

パンツ

ジャケット

縫製順序

ブラウス

1　ブラウス
- 前身頃のダーツを縫う。カールネック布を前の©線上に重ねてつける。前ペプラム⑥、後ろペプラム⑤をはぐ。肩線⑧と脇線⑩を縫う。衿ぐりと袖ぐりに見返しをつける。左側の脇にあきを作る。

注：オリジナルの始末は見返しではないとのこと。

2　パンツ
- 左右の股下布⑦⑤を縫い合わせ、2本の筒を作り、股上縫い目線⑪®を縫う。
- 後ろヨークのダーツ、後ろ中心を縫う。
- 前ヨークをはぎ合わせる。
- 左右の両脇にボタンがけのあきを作る。
- パンツとヨーク⑩⑪⑫を縫い合わせる。

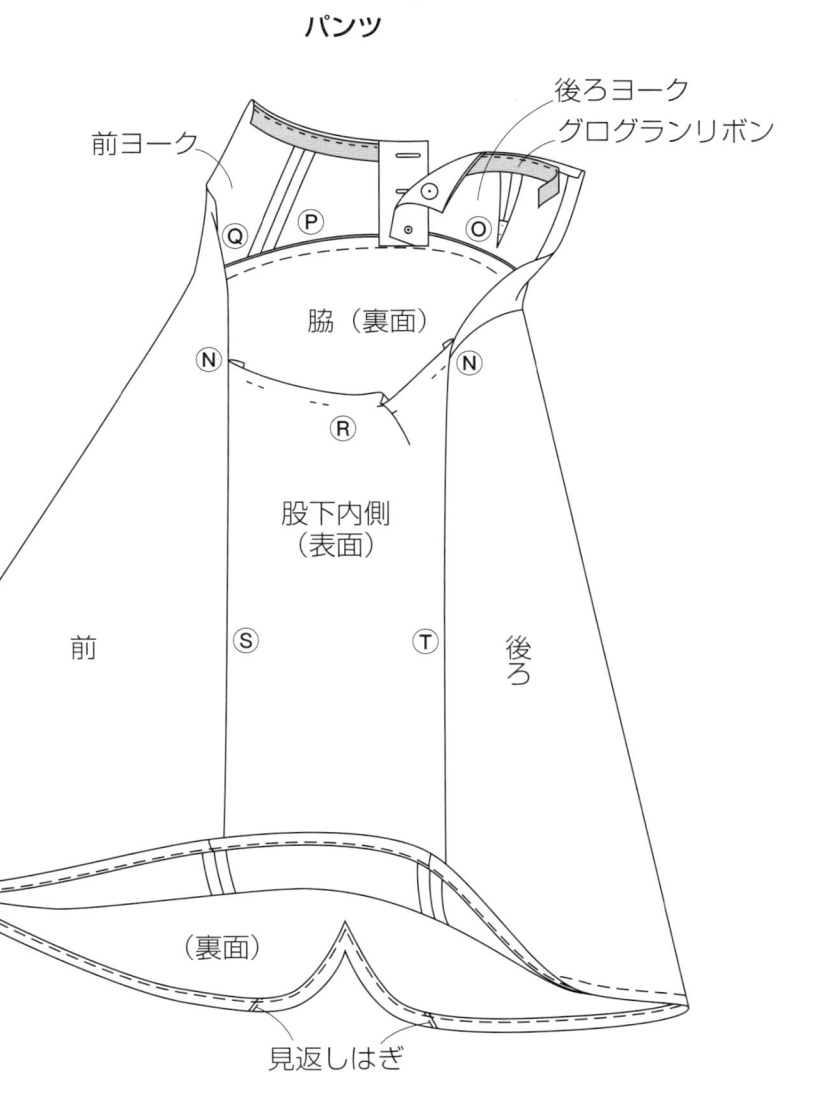

パンツ

3 ジャケット
- 後ろ身頃タック、肩ダーツを縫う。
- 袖の切替えⓀⒿを縫う。
- 後ろ身頃の切替え線Ⓛを縫う。
- 袖下縫い目Ⓜを縫う。
- 前身頃と後ろ身頃のⒼⒽⒾを縫う。
- 衿ぐり、前端、袖口、裾の始末をする。

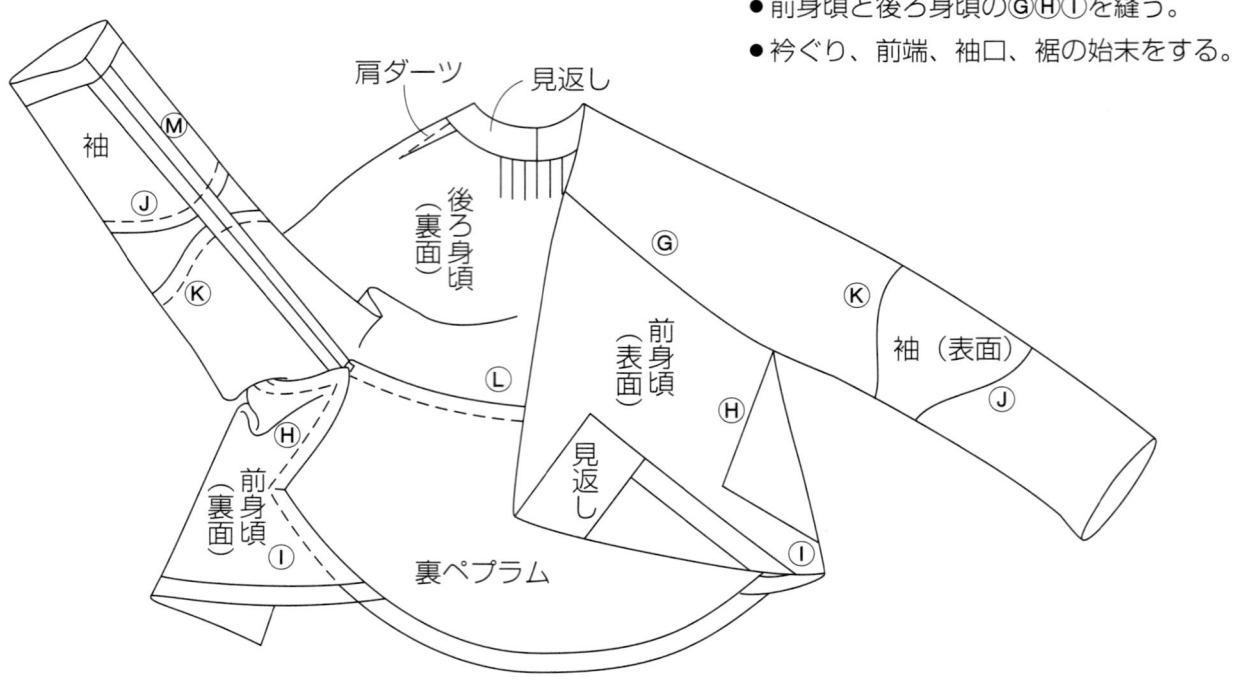

ジャケット

PATTERN 23 三角形の展開 (1925年頃)
（スラッシュとまち）

　長方形の布に深いスラッシュを入れ、三角形のまちをはめ込んで立体的な構造に作られたラップ式ドレス。

　スラッシュの位置から四分円の形で裁ち出された布は、後ろのウエストと縫い合わせることで、肩から垂らしたケープ風に見える。

　前身頃の四角い布は衿もとに美しいドレープを作っている。下にはスリップ形のアンダードレスを着用する。

パターン

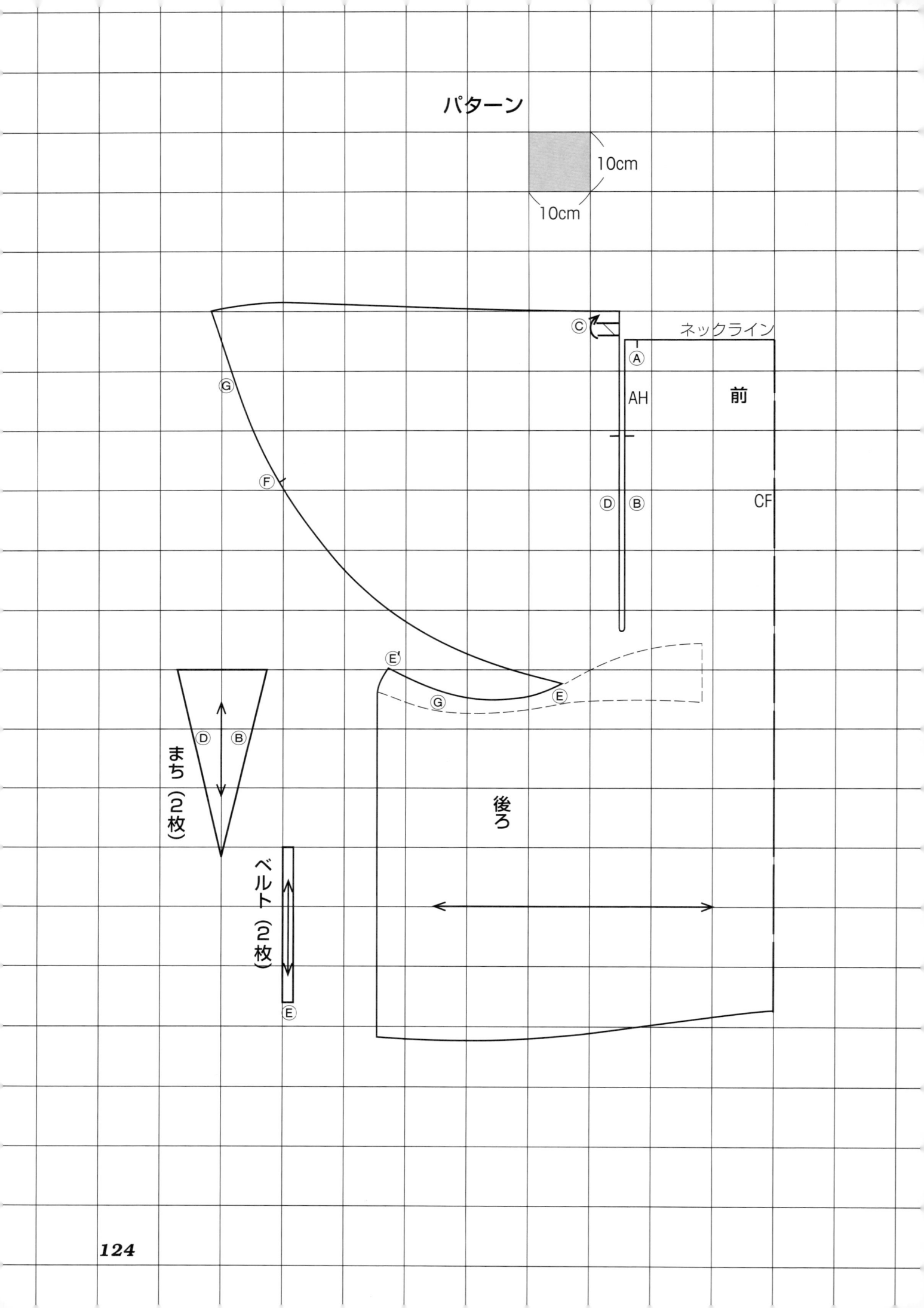

10cm × 10cm

ネックライン
前
AH
CF
Ⓐ Ⓑ Ⓒ Ⓓ Ⓔ Ⓔ' Ⓕ Ⓖ

まち (2枚)
ベルト (2枚)

後ろ

パターンの形状

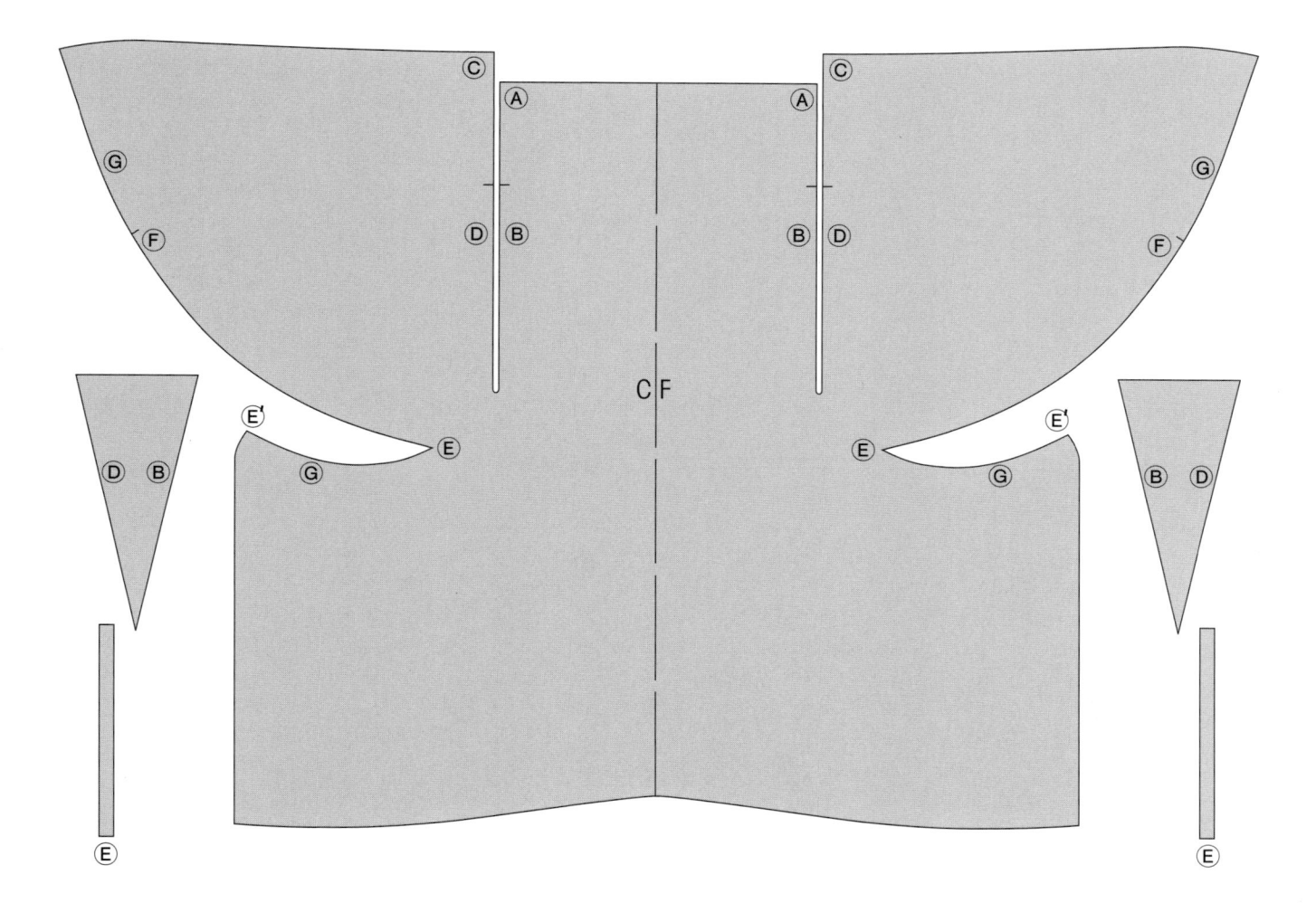

縫製順序

図1

1　スラッシュを入れ、線ⒷⒹにまちをつけ、衿ぐり、袖ぐり、ヘムの始末をする（図1、2）。

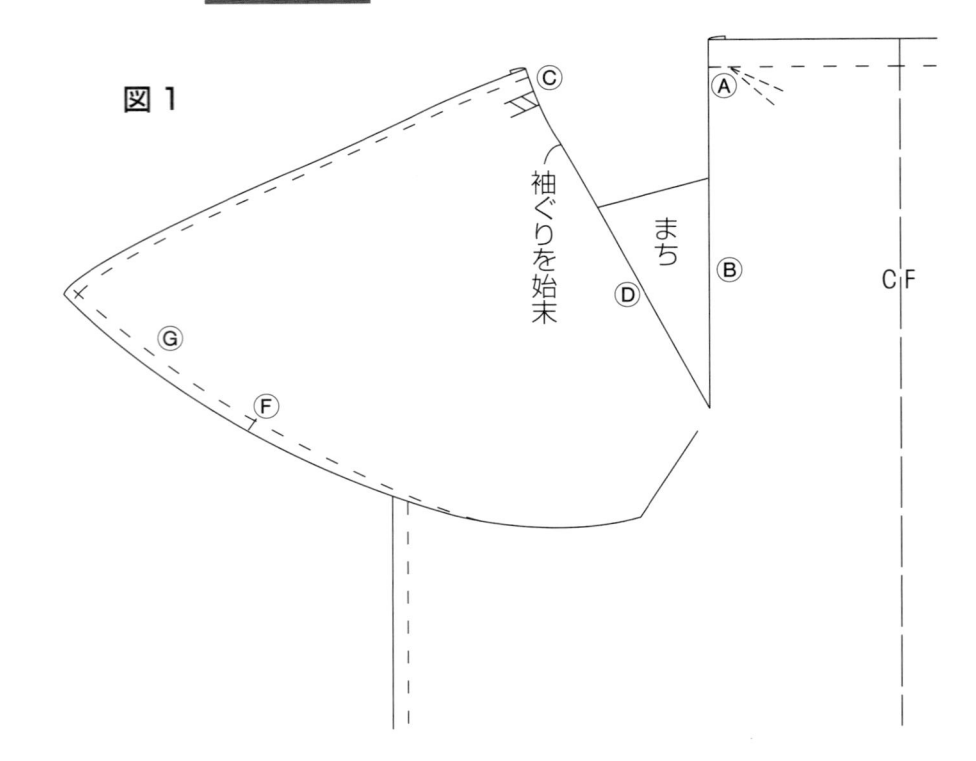

図2

前衿ぐり
折って始末
折る
（裏面）
袖口　折って始末
角の始末
力布
（表面）
折る
折る

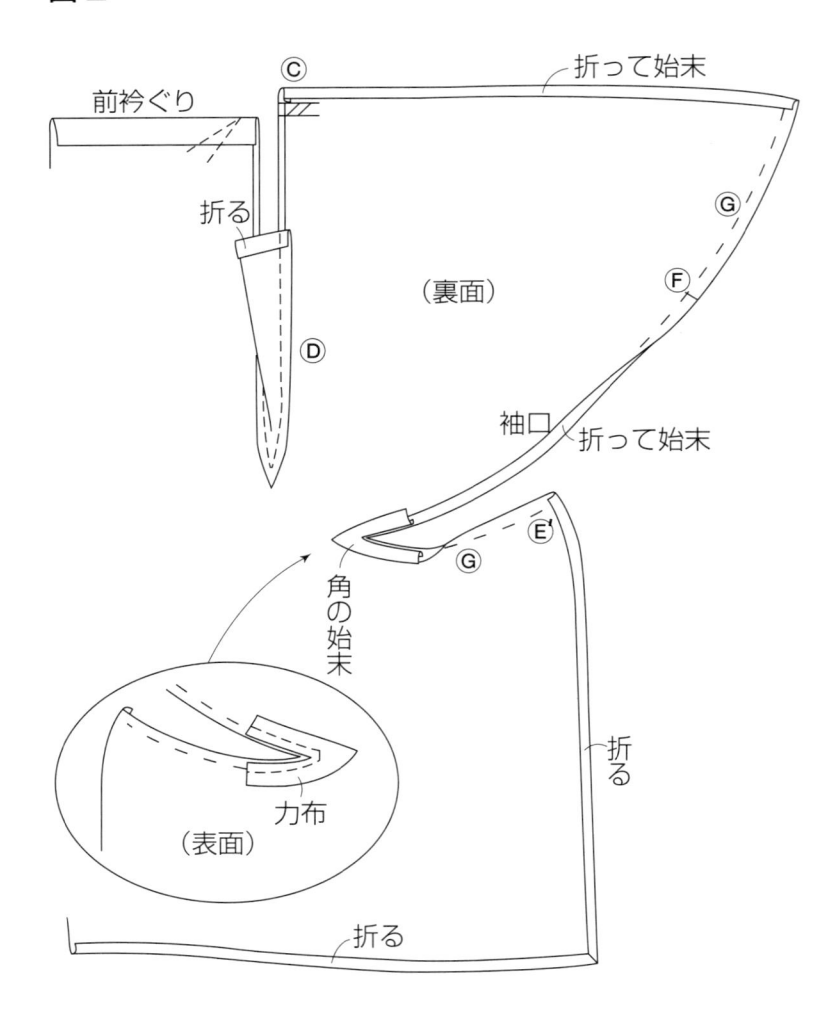

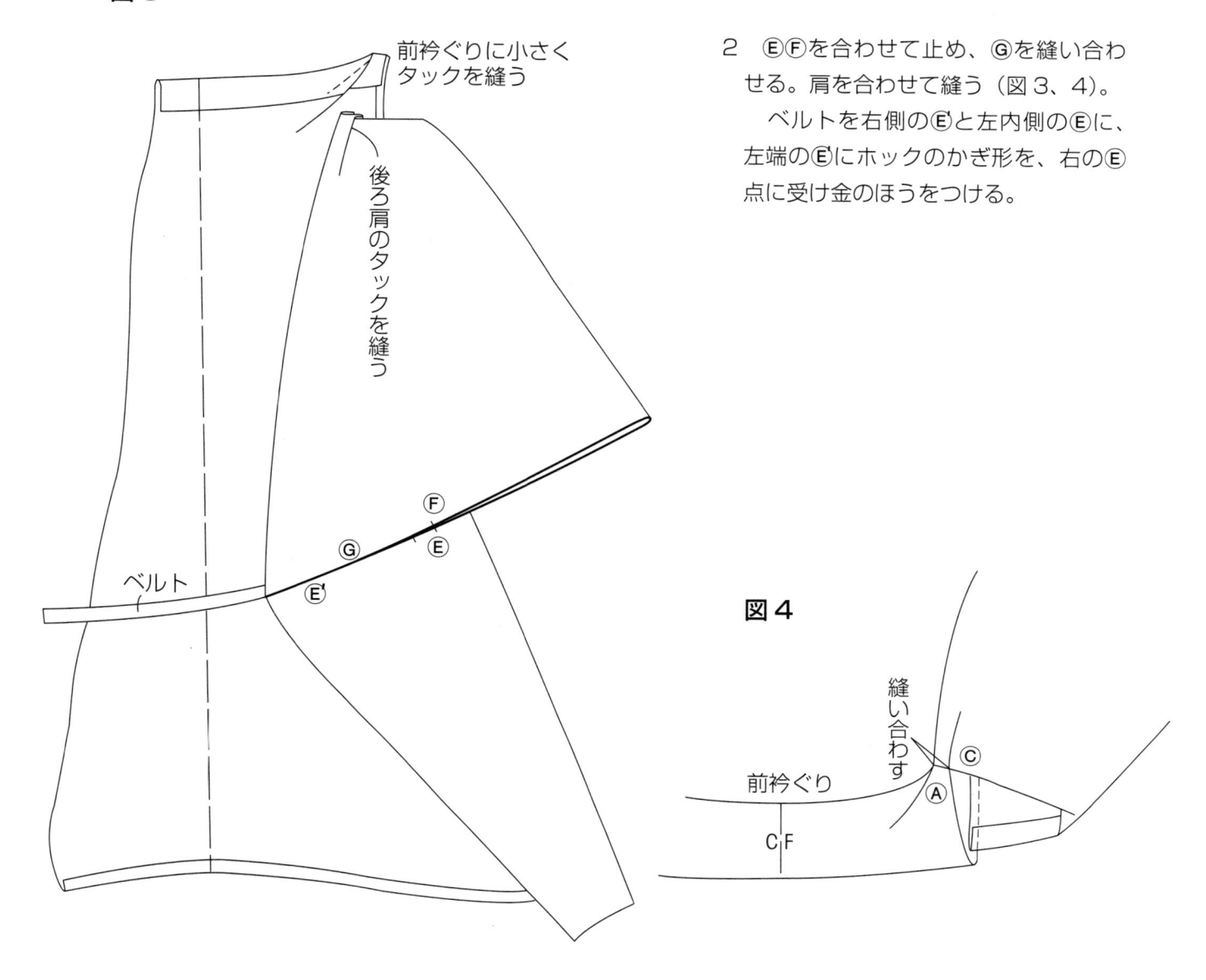

図3

前衿ぐりに小さく
タック を縫う

後ろ肩のタックを縫う

ベルト

Ⓕ
Ⓖ Ⓔ
Ⓔ'

2　ⒺⒻを合わせて止め、Ⓖを縫い合わせる。肩を合わせて縫う（図3、4）。
　ベルトを右側のⒺと左内側のⒺに、左端のⒺにホックのかぎ形を、右のⒺ点に受け金のほうをつける。

図4

縫い合わす

前衿ぐり

C F

Ⓐ Ⓒ

PATTERN 24 三角形の展開 （1930年頃）
（スラッシュとまち）

　高度な裁断のテクニックでボリュームのあるシルエットを表現しているジャケット。前身頃から裁ち出された衿、前の肩まで回っている後ろ身頃、複雑な形の袖、体の厚みを補うまちとで構成されている。

　大きくふくらんだ袖は、袖口の深いダーツで形作られ、後ろ中心でV字形に縫われた衿はきもの風である。

パターン

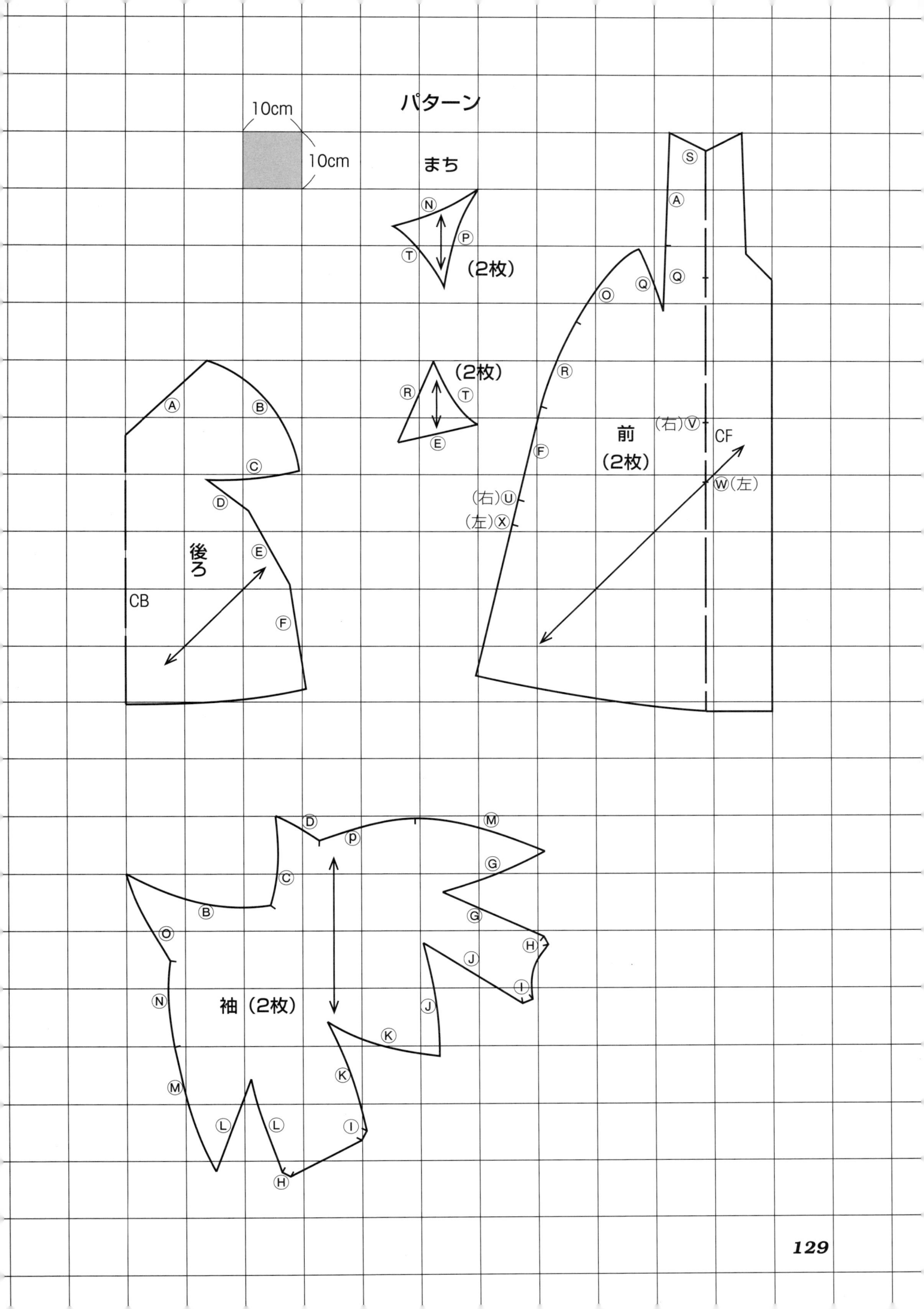

10cm
10cm

まち (2枚)

(2枚)

後ろ
CB

前 (2枚)
CF
(右)V
(右)U W(左)
(左)X

袖 (2枚)

129

パターンの形状

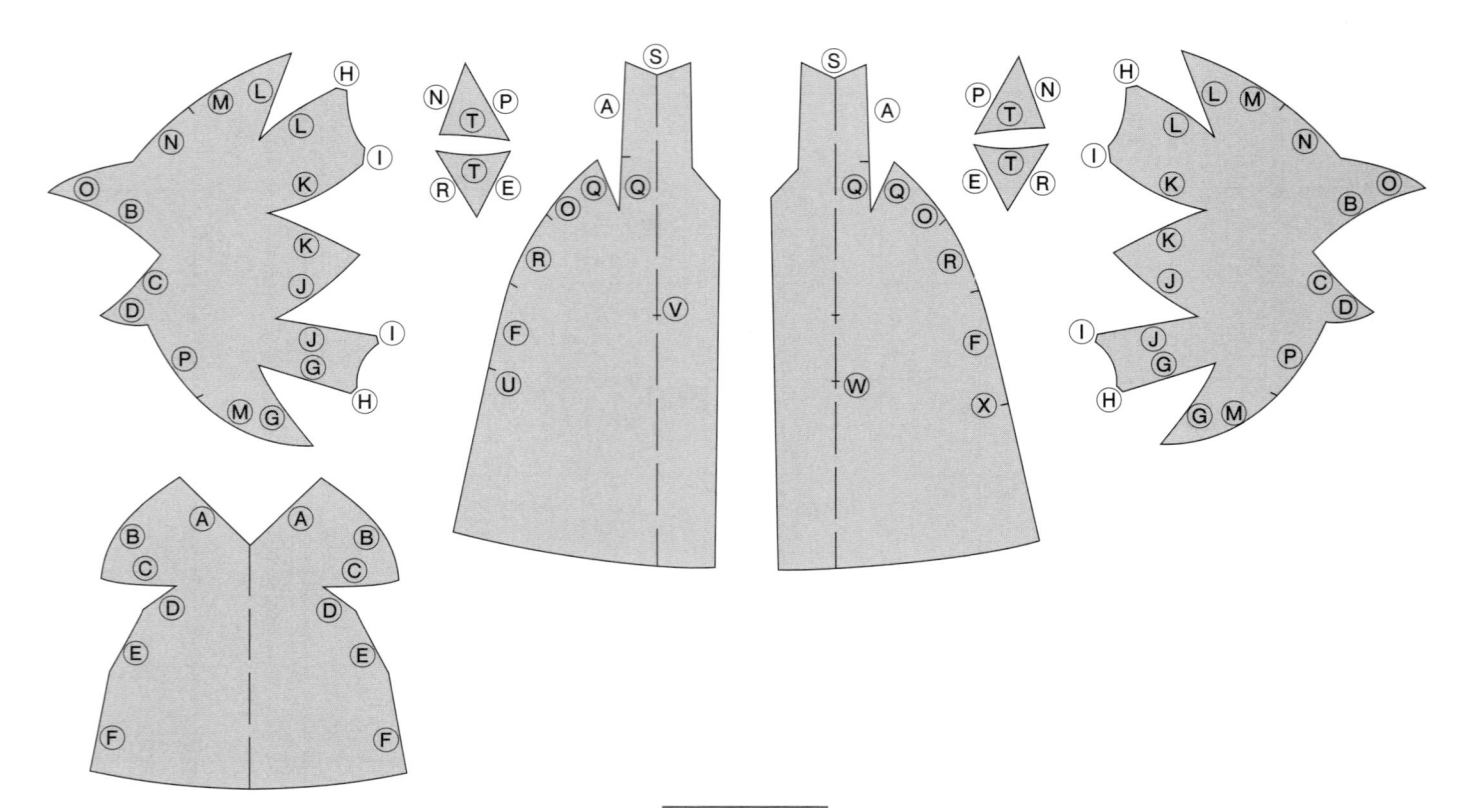

縫製順序

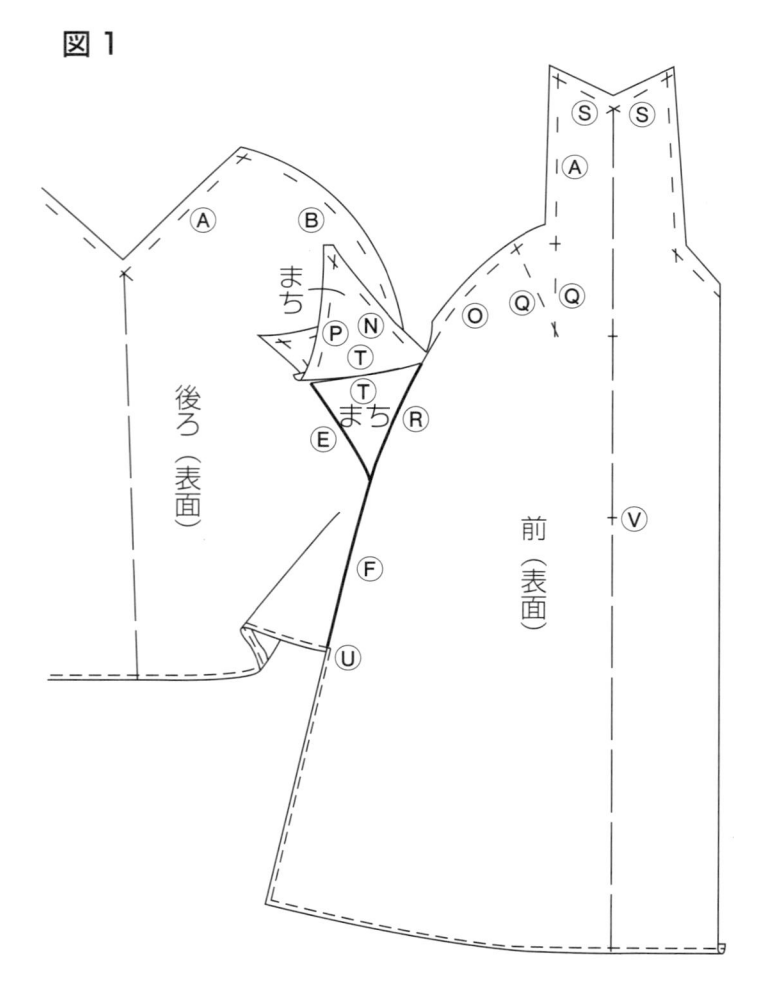

図1

1 前後身頃とまちを縫い合わせる（図1）。
2枚のまちのⓉをはぐ。後ろ身頃Ⓔとまち Ⓔ、前身頃Ⓡとまち Ⓡ、続けて前後身頃のⒻどうしを縫う。

2　袖を縫ってつける（図2〜6）。

　袖口ダーツⒼⒿⓀⓁを縫い、次にⒾを縫う。袖ⓅとまちⓅを縫い、続けて後ろ身頃ⒸⒷと袖ⒸⒷを合わせて縫う。

　前身頃Ⓞと袖Ⓞ、続けて袖ⓃとまちⓃ、前後袖下ⓂⒽどうしを縫い、袖をつける。

図2

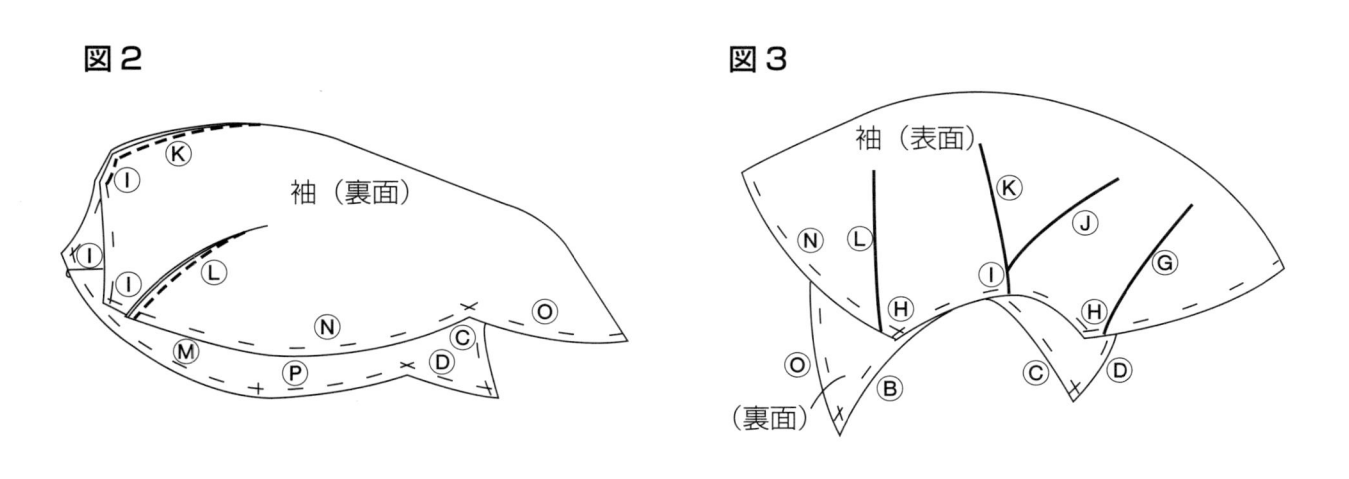

袖（裏面）

図3

袖（表面）

（裏面）

図4

まち

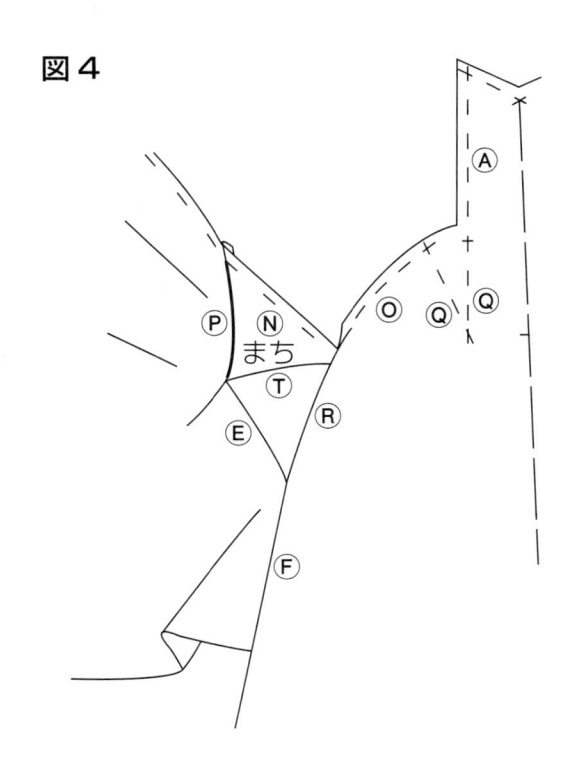

図5

後ろ身頃（表面）

袖（表面）

図6

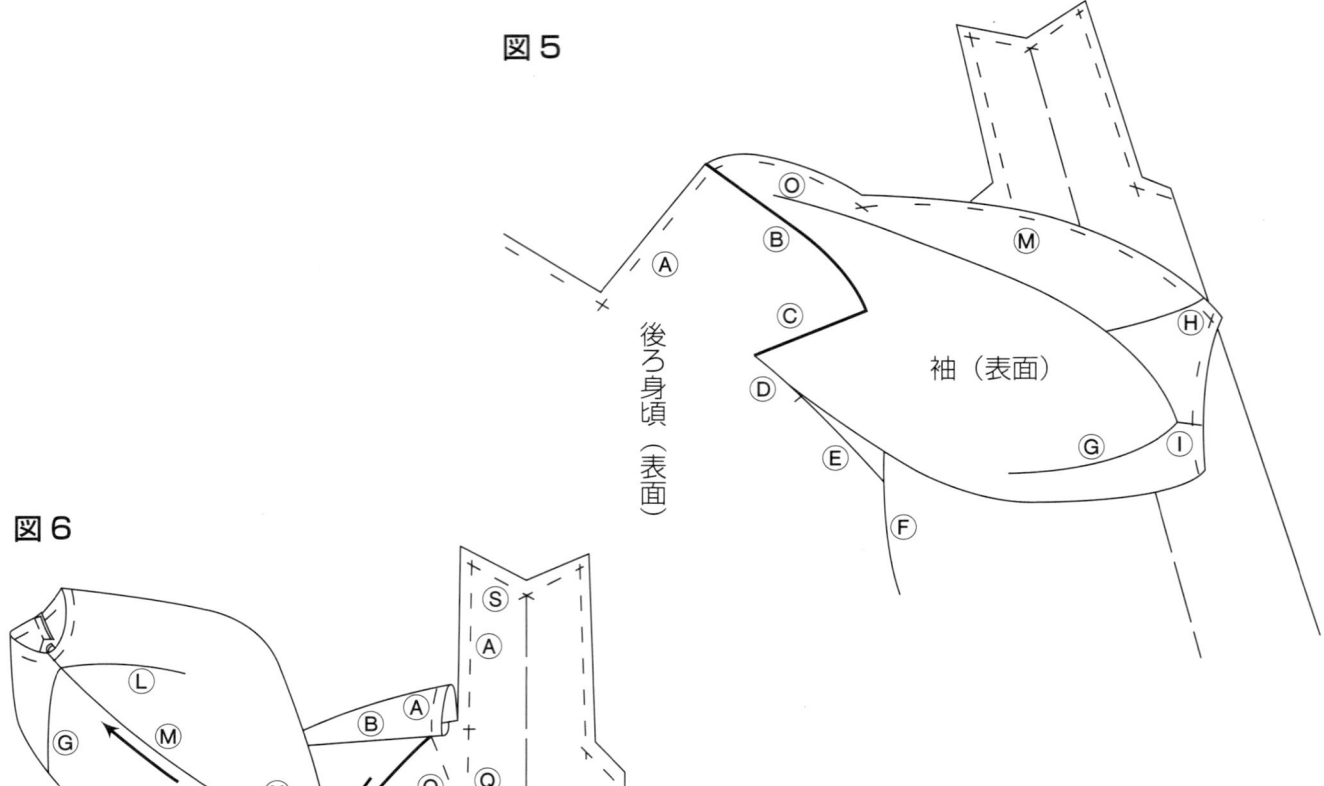

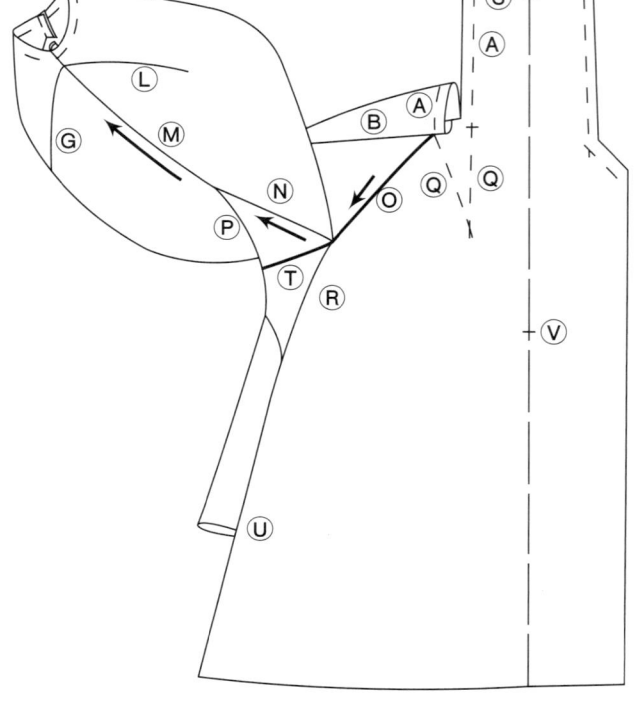

図7

後ろ（裏面）

3　衿をつける。前身頃Ⓠのダーツを縫い、衿の後ろ中心Ⓢをはぎ、身頃Ⓐ衿Ⓐを合わせて衿をつける（図7）。

4　ⓊⓍ～ⓋⓌにループを渡して絞り、サッシュとする。

PATTERN 25 三角形の展開 (1933年)
（スラッシュとまち）

　前ヨークと袖が続け裁ちにされた後ろ身頃、後ろスカート、前身頃、まちで構成されている。前ヨークの肩の位置でダーツを縫うことで肩線にフィットさせ、ネックラインに美しいドレープを作っている。

　側面のシルエットを保つために脇に縫い込まれたまちは縦地に裁たれている。
　また、後ろ身頃のボタンホールが布目にそって作られているのも見逃せない。

パターン

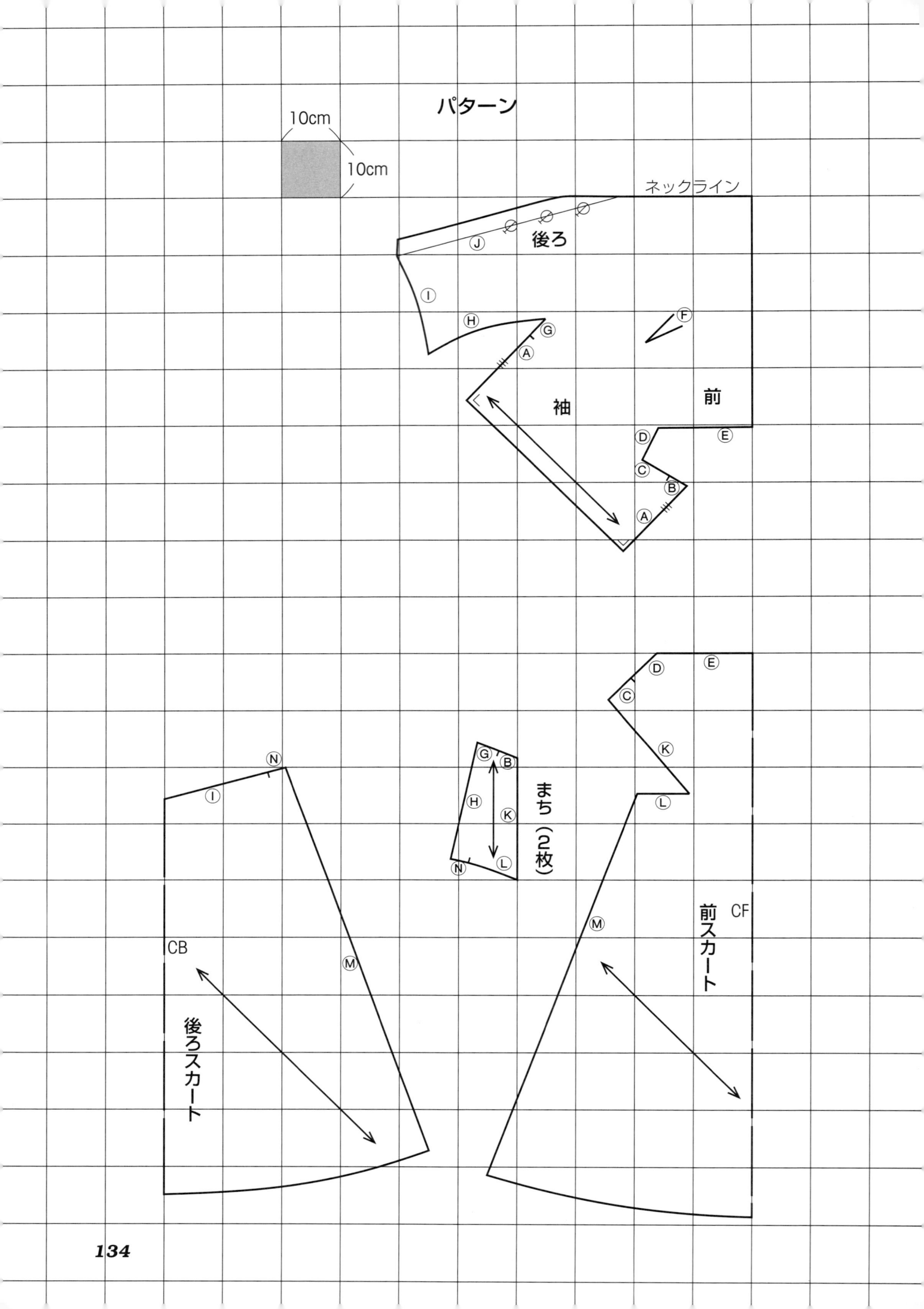

10cm / 10cm

ネックライン
後ろ
前
袖
まち（2枚）
前スカート
後ろスカート
CF
CB

パターンの形状

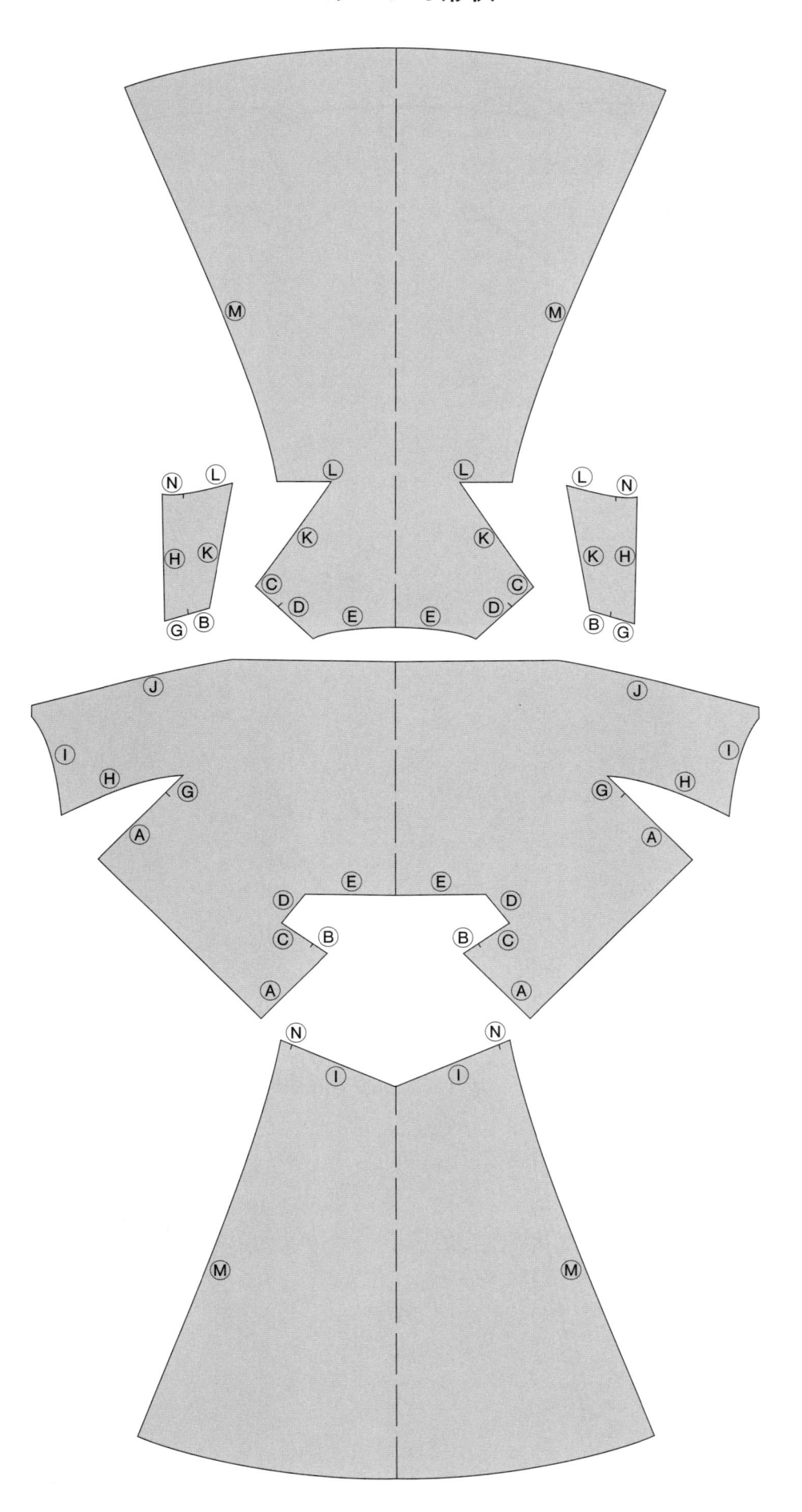

135

縫製順序

図1

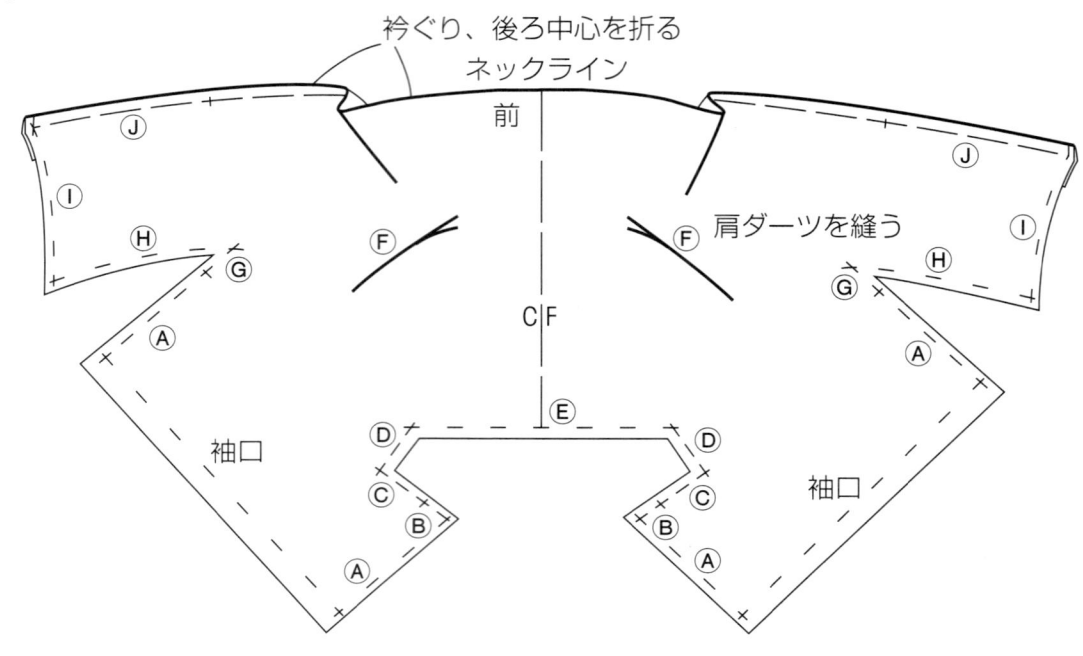

衿ぐり、後ろ中心を折る
ネックライン
前
肩ダーツを縫う
袖口

1 袖と身頃を作る（図1、2）。
　肩線となるダーツFを縫い、衿ぐりから後ろ中心Jを出来上りに折って始末する。袖下Aを縫う。

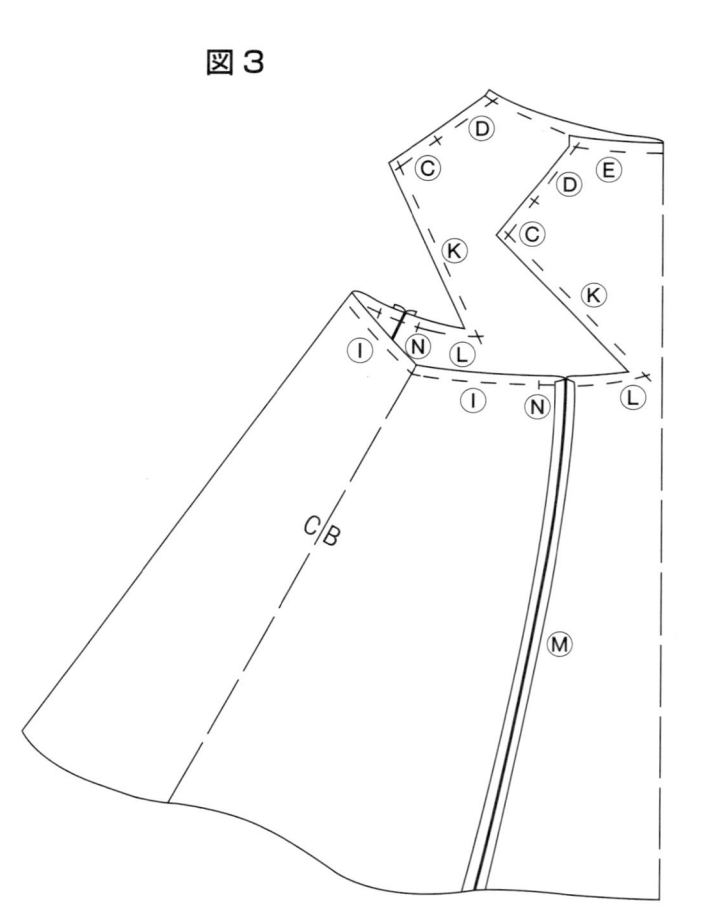

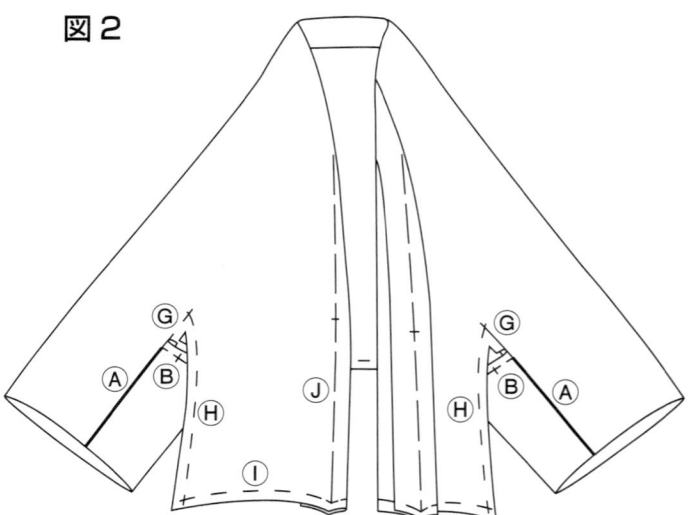

図2

図3

2 前後脇線Mを縫い合わせる（図3）。

図4

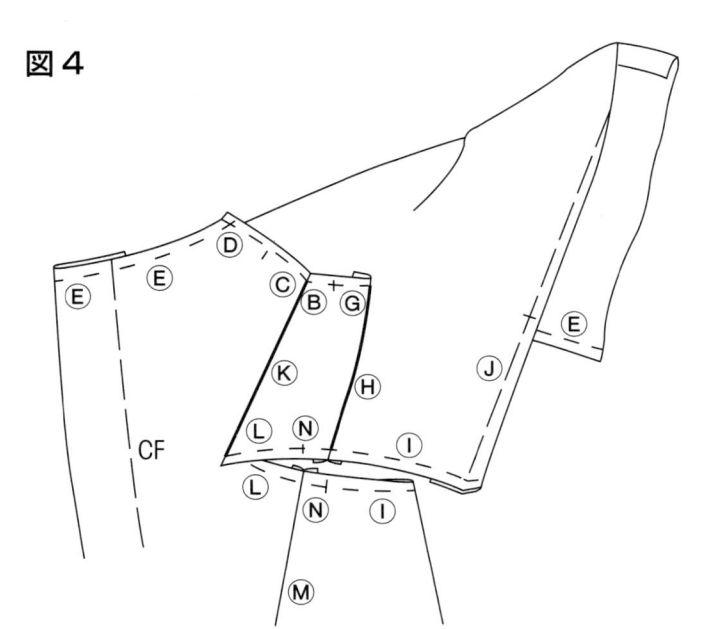

3　まちをつける（図4）。
　　後ろ身頃のⒽにまちⒽ、前身頃ⓀにまちⓀを縫う。

図6　袖口

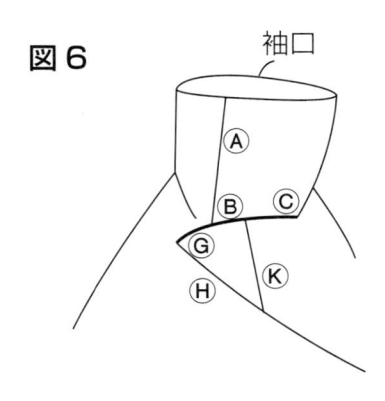

4　前ヨーク、袖下を縫う（図5、6）。
　　前ヨークⒺを縫い、袖下から後ろに向かってⒹⒸⒷⒼを縫う。

図5

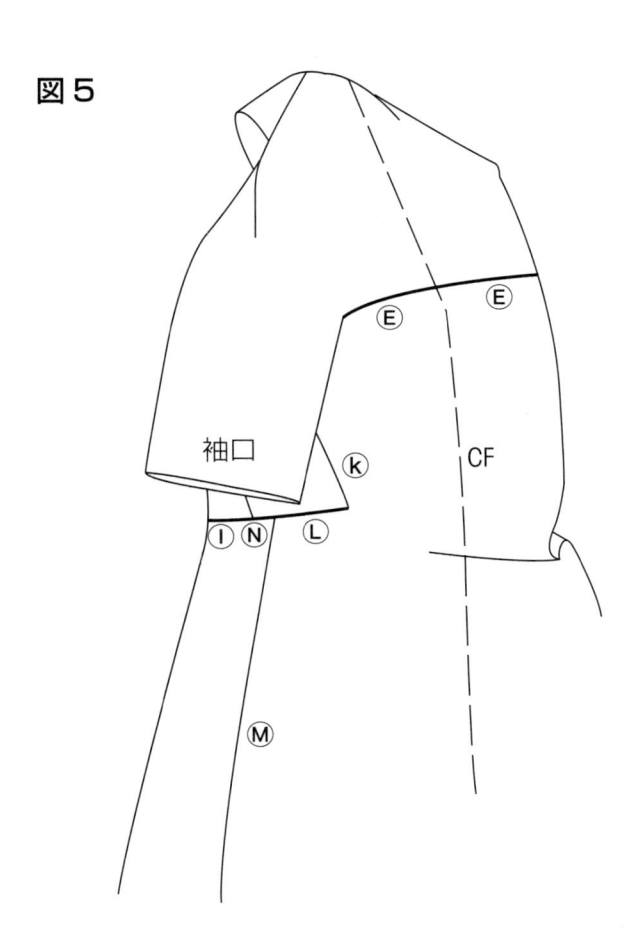

図7

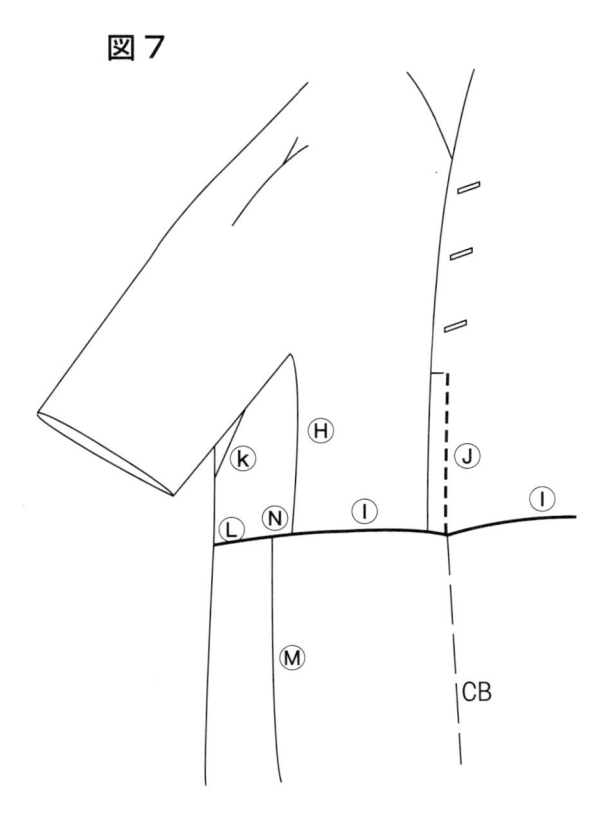

5　後ろ中心を縫い、ウエストをはぐ（図7）。
　　後ろ中心Ⓙを縫い、ウエストⓁⓃⒾをはぐ。

PATTERN 26 　四分円の展開（1938年）

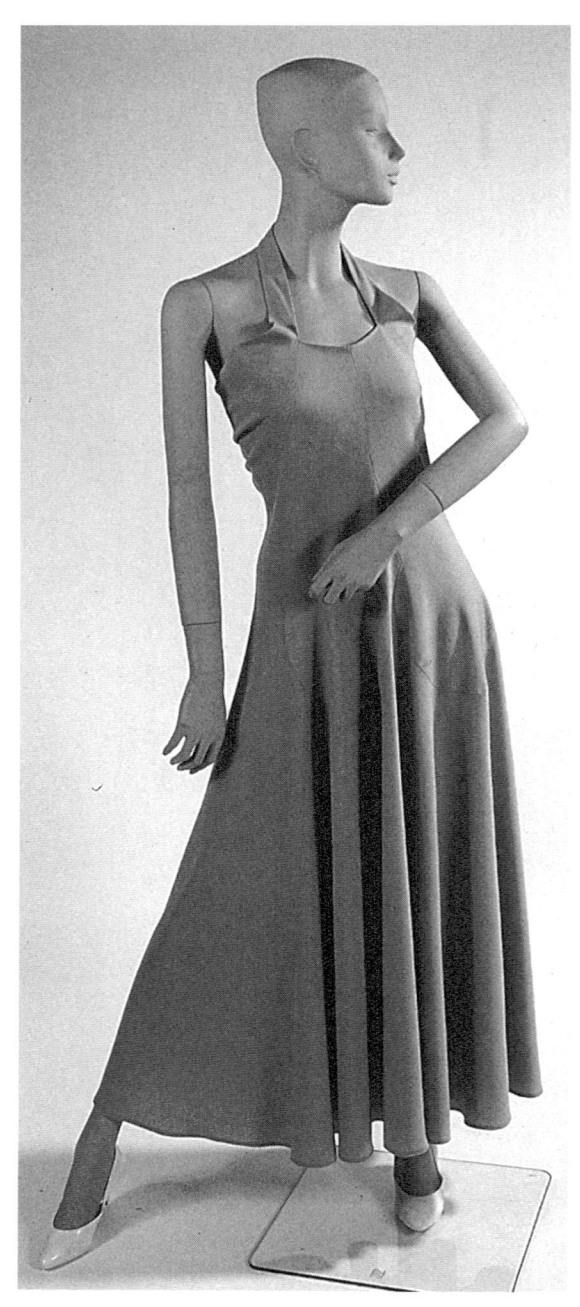

　四分の二円のスカートと身頃から裁ち出されたヨークは、ヒップラインにフィットさせるため円形に切り替えられ、裾に大きくフレアを出している。
　前身頃から続け裁ちのホールターネックは、胸もとにひだができるように作られている。
　スカートの前後中心はバイアスに裁断されているため、ヘムラインは垂れ分がカットしてある。

パターン (1)

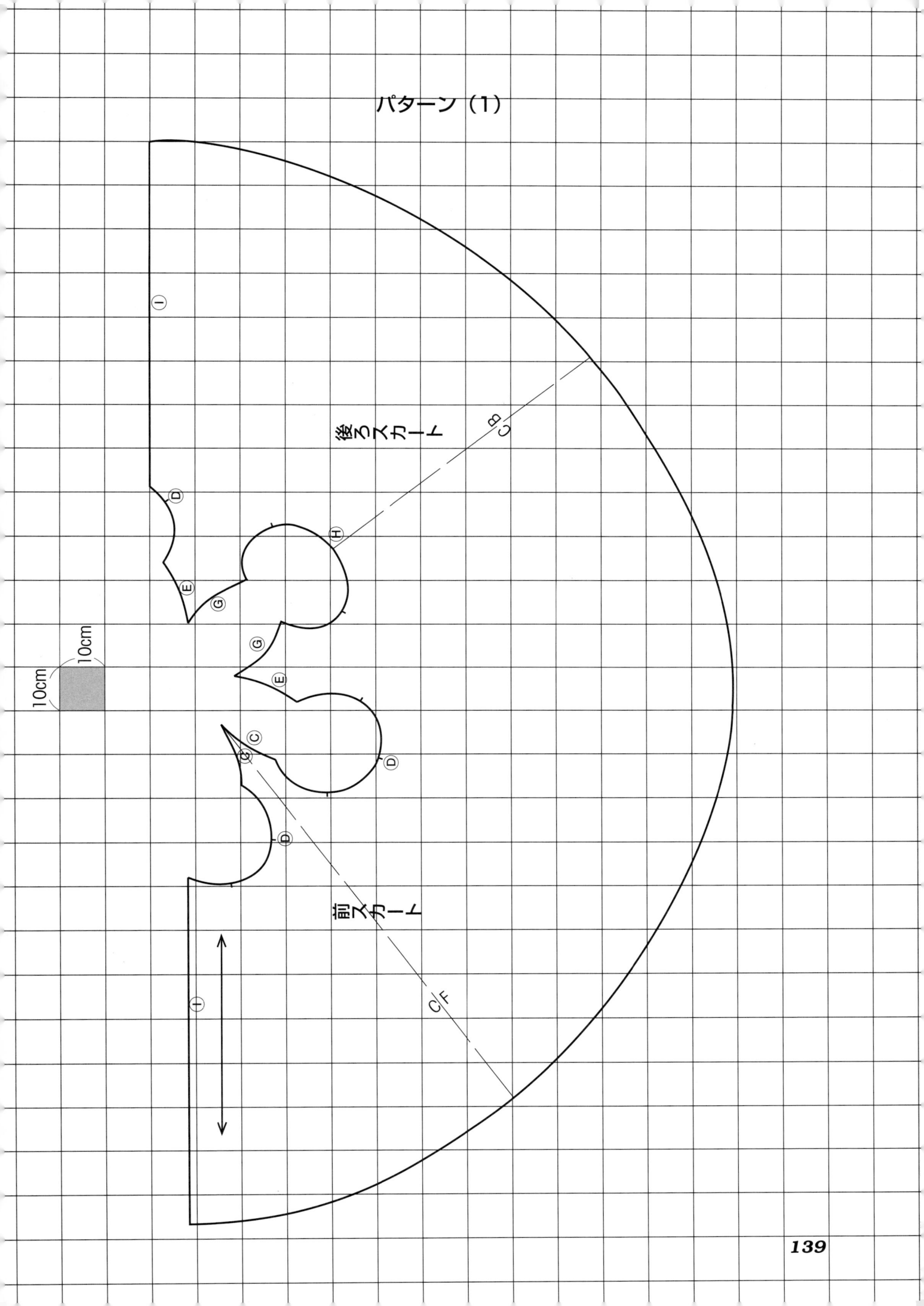

後ろスカート

CB

10cm 10cm

前スカート

CF

139

拡大図 10cm 10cm

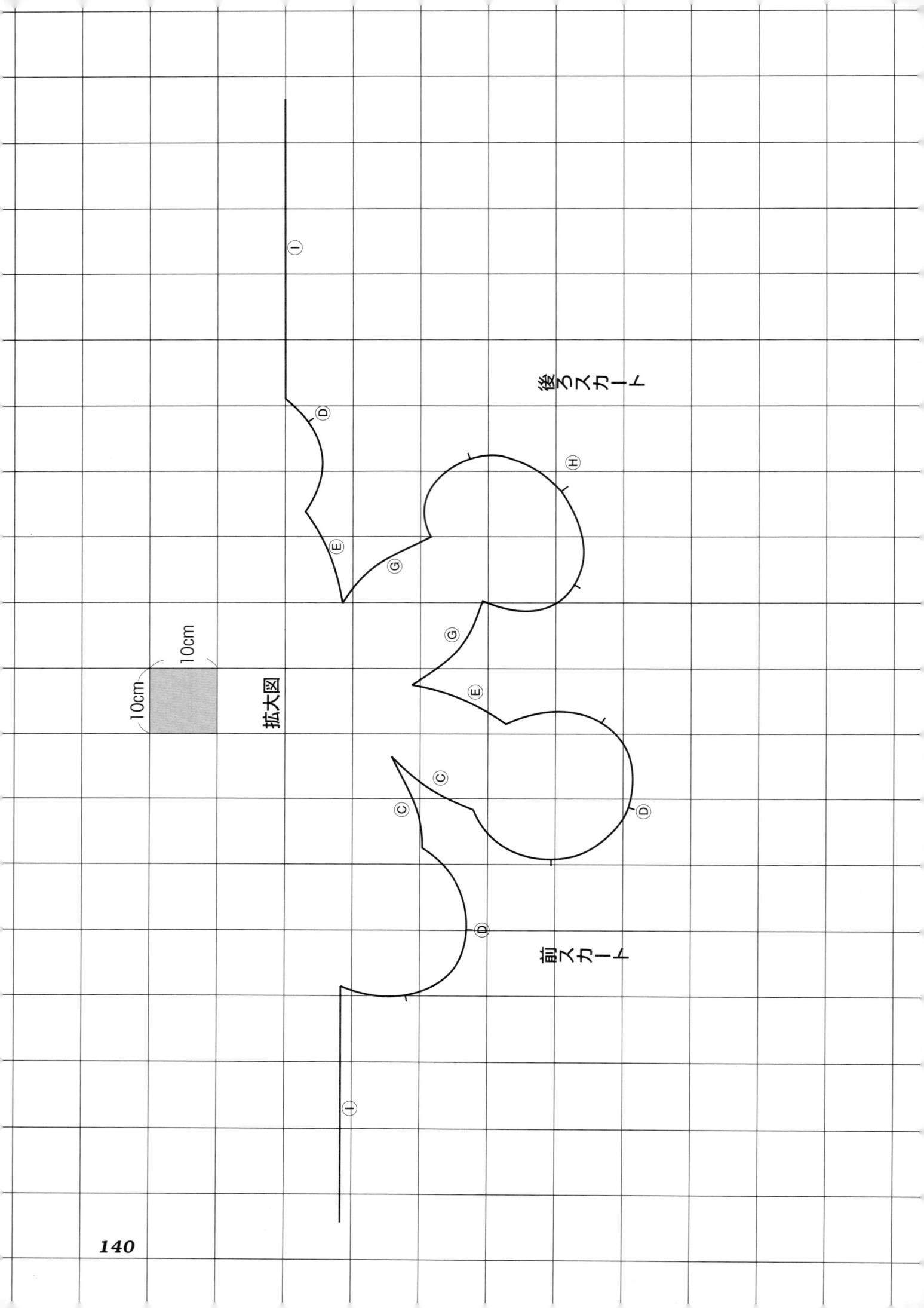

後ろスカート

前スカート

パターン（2）

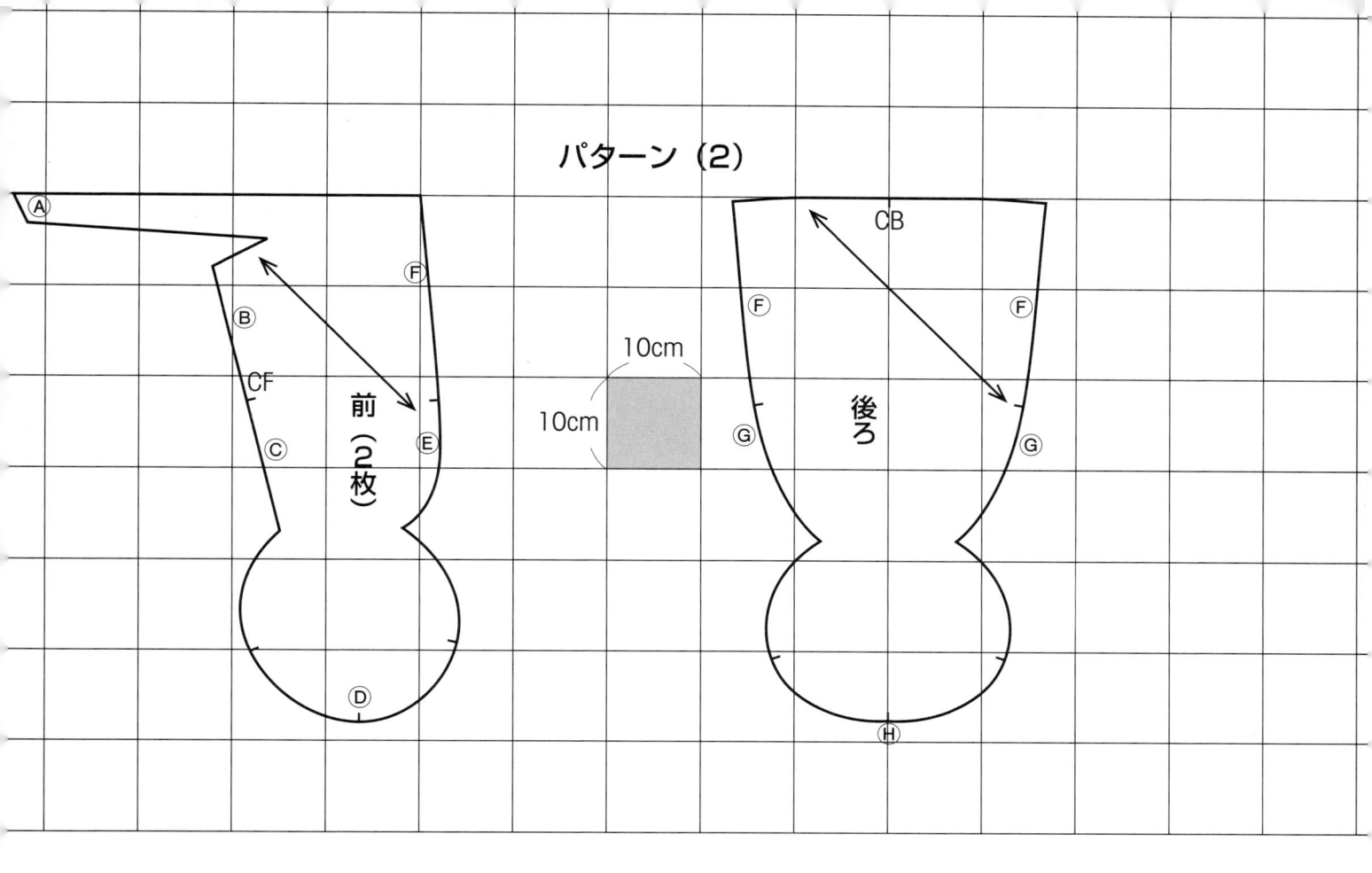

前（2枚）

後ろ

10cm × 10cm

パターンの形状

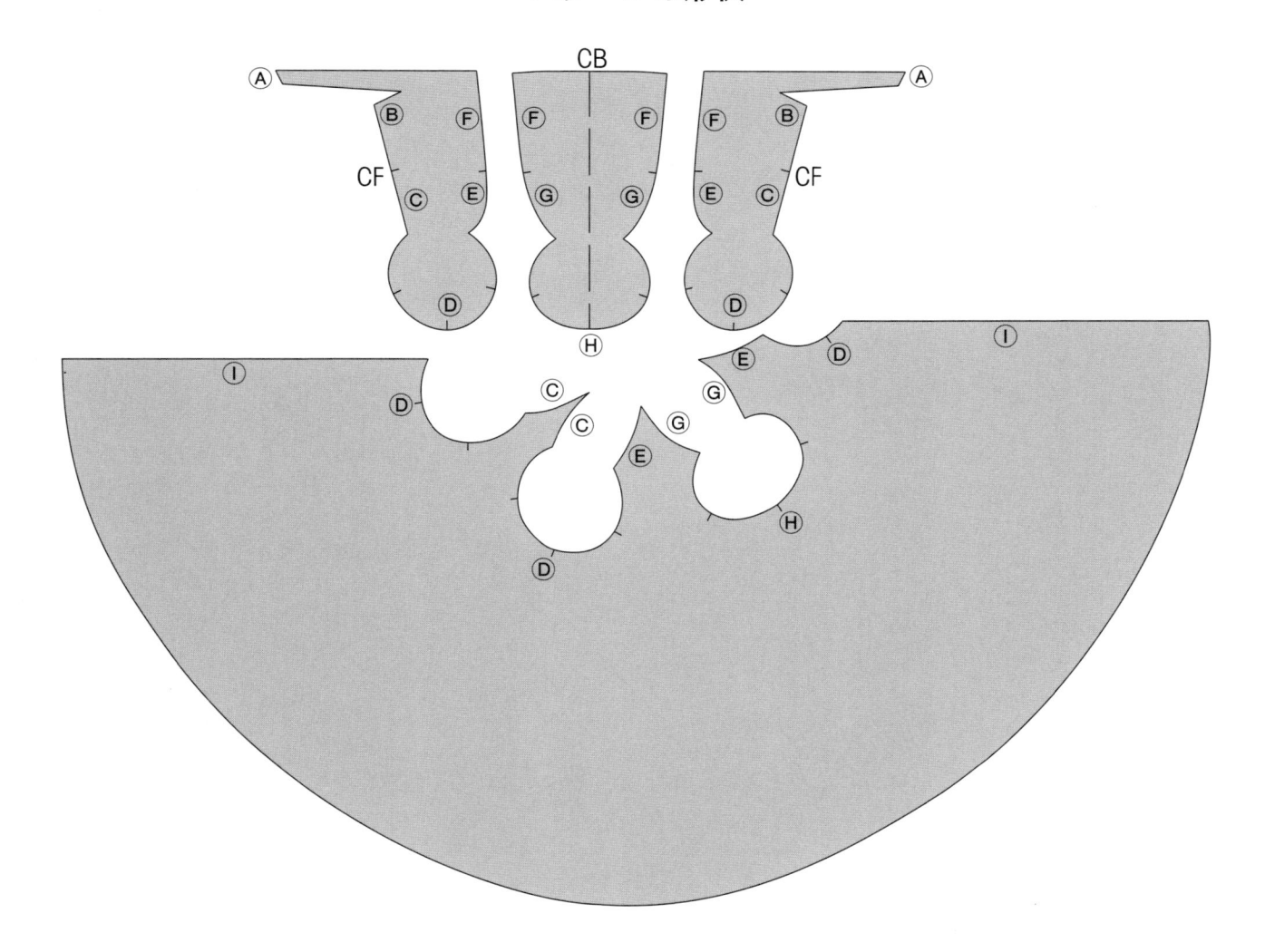

縫製順序

1 トップを作る（図1、2）。

前身頃の中心線Ⓑ、ホールターネック中心Ⓐを縫い合わせる。前後身頃の脇線Ⓕを縫い、ホールターネックと前身頃に見返しをつけ、後ろの裁出し見返しとつなぐ。ただし、右脇のⒻⒼはあきとする。

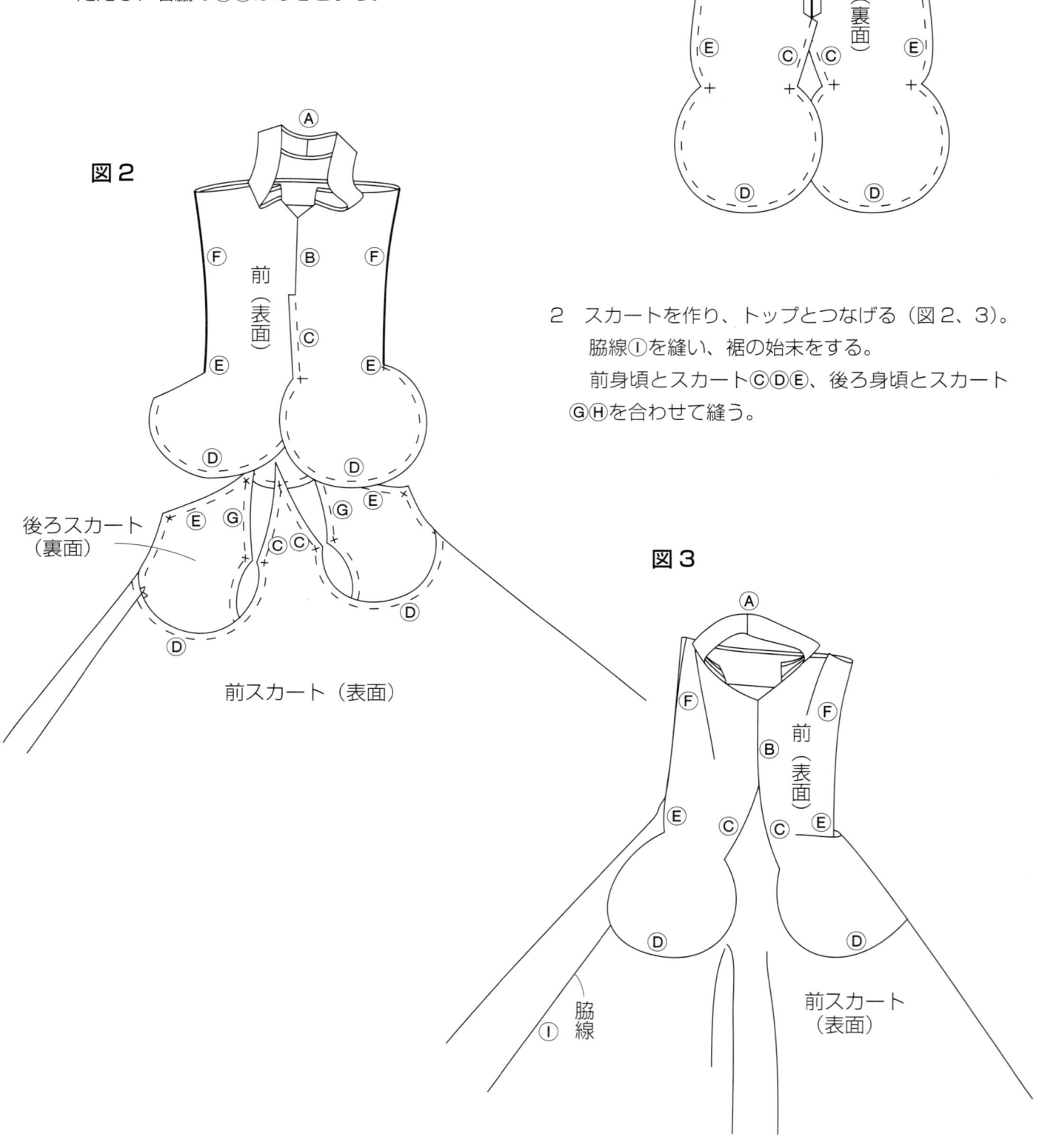

図1

図2

2 スカートを作り、トップとつなげる（図2、3）。

脇線Ⓘを縫い、裾の始末をする。

前身頃とスカートⒸⒹⒺ、後ろ身頃とスカートⒼⒽを合わせて縫う。

図3

PATTERN 27 三角形の展開（1928年頃）
（スラッシュとまち）

　前身頃はスカーフを続け裁ちにし、後ろ身頃からは袖が裁ち出されている。前後身頃に縦地を通して裁断し、前面、後面はスリムシルエットを強調している。
　ヒップラインをスリムに見せるために、両脇にスラッシュを入れ、四分の一円の大小のまちをはめ込む手法で合理的にフィットさせ、裾線に向かって美しいドレープを表現している。

　袖下にはめ込まれている大きめのまちは腕つけ根に接近してつけられているため、身頃から裁ち出された袖は細めではあるが、腕の運動量は充分あり、機能的である。また袖口のカットと直角に裁断されたカフスリボンが、袖下で無理なく美しく交差するように計算されている。

パターン（1）

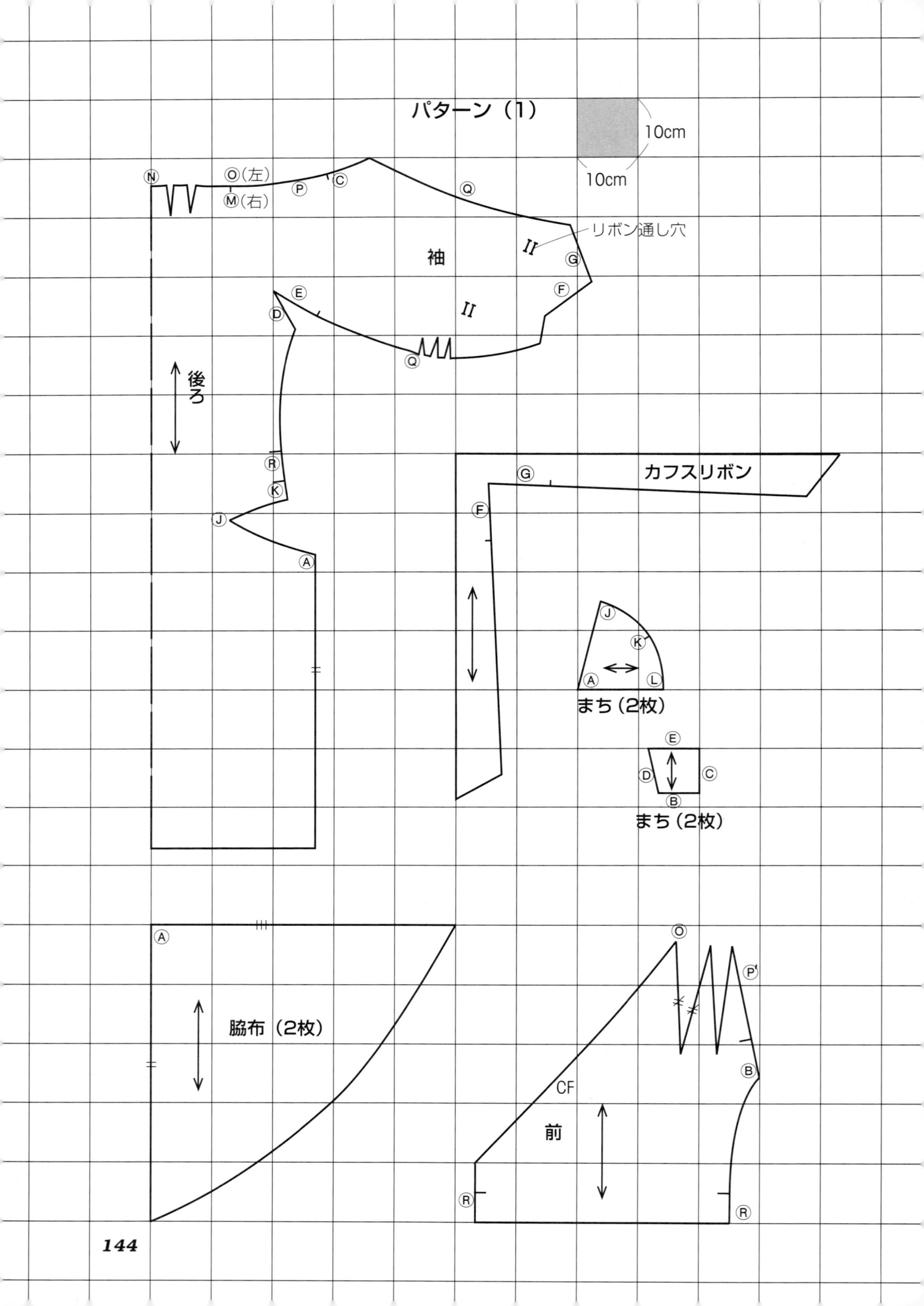

10cm / 10cm

袖

リボン通し穴

後ろ

カフスリボン

まち（2枚）

まち（2枚）

脇布（2枚）

CF

前

10cm × 10cm

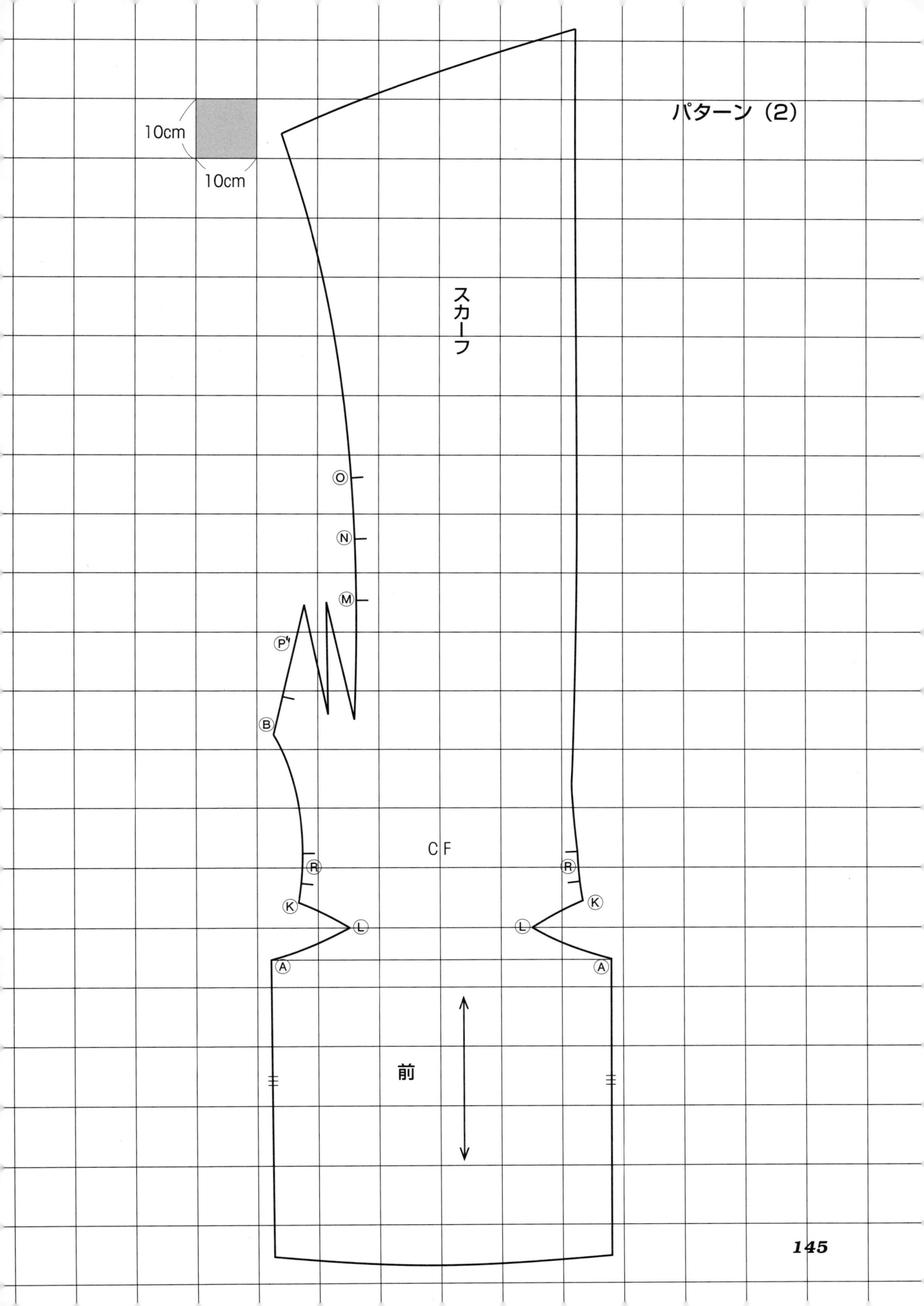

パターン (2)

スカーフ

前

CF

パターンの形状

縫製順序

1 後ろ身頃ネックダーツ、前身頃肩ダーツ、肘ダーツを縫い、カフスリボンをつける。左脇を縫い、まちⒷ、Ⓓ、Ⓔを縫う。
　右脇に下前身頃を重ねて縫う。

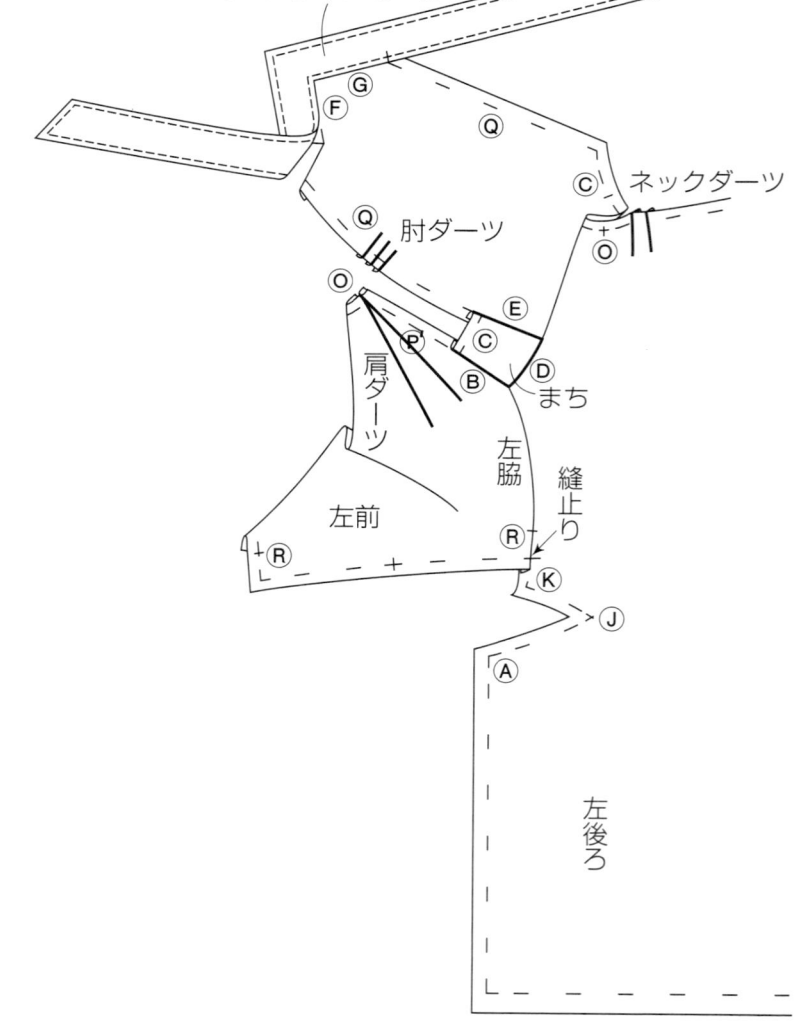

2 左前身頃の上に右前身頃を重ねて縫い合わせる。

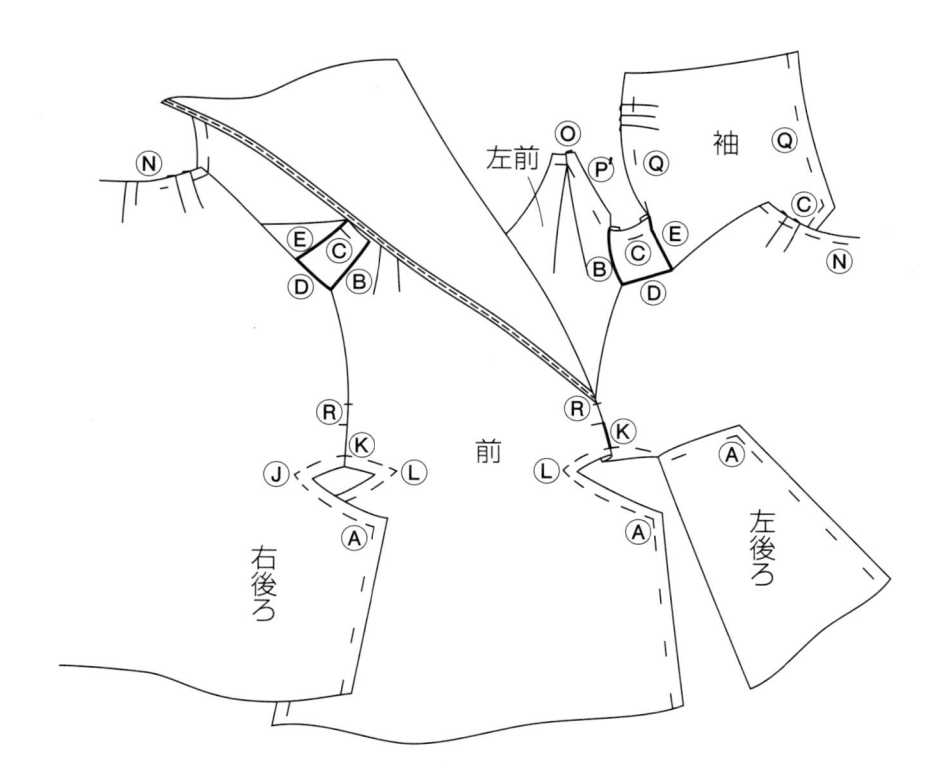

3 袖下（Ⓠ）を縫い、前袖つけ線（Ⓟ）からまちⒸの部分を縫う。

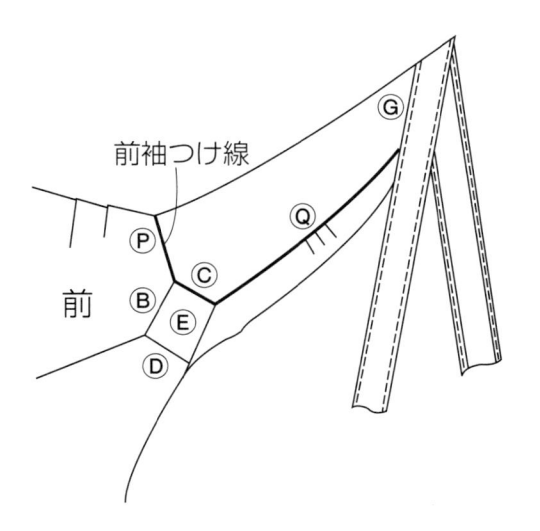

4 脇縫い目とスラッシュ位置に大小のまちをつける。

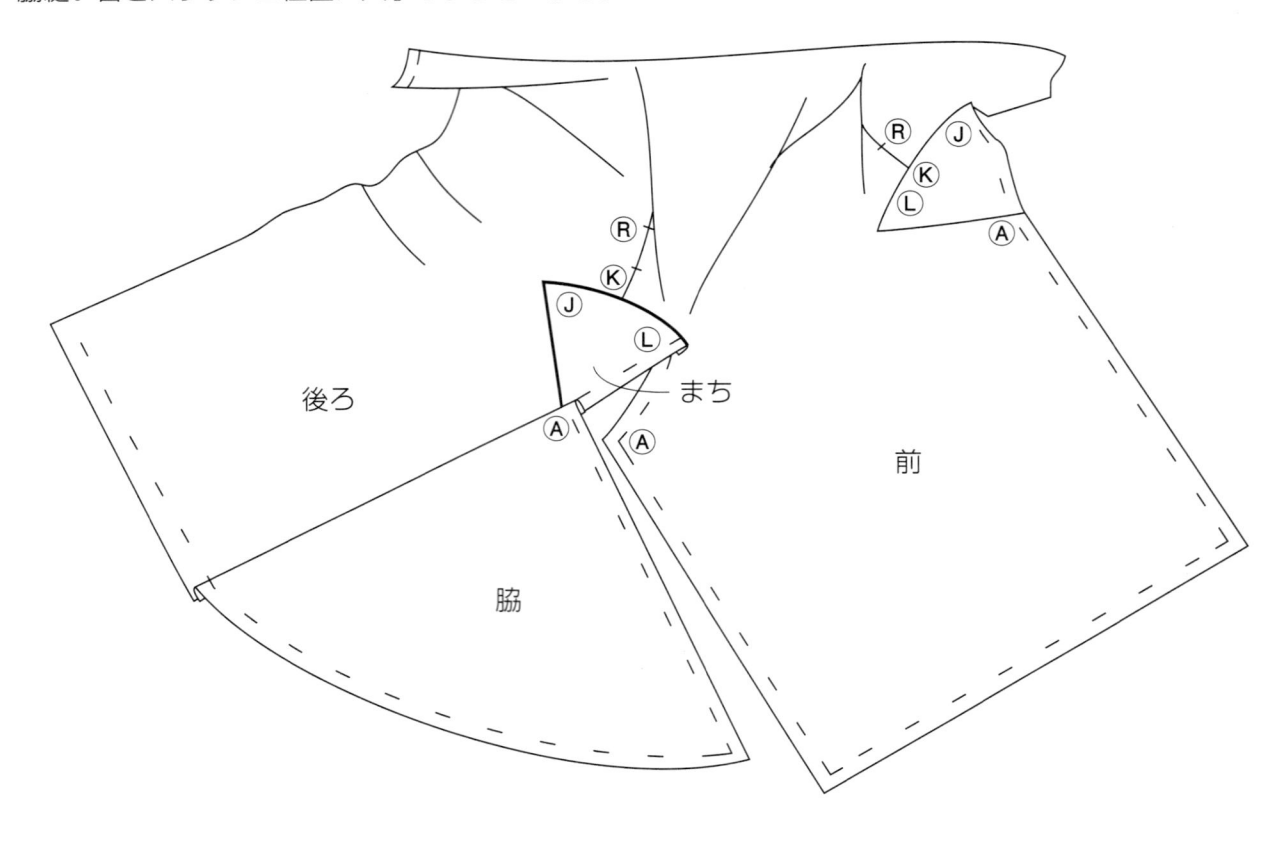

後ろ
前
脇
まち

5 衿ぐり(⑯⑰⑱)にスカーフカラーをつける。

PATTERN 28 三角形の展開（1935年）

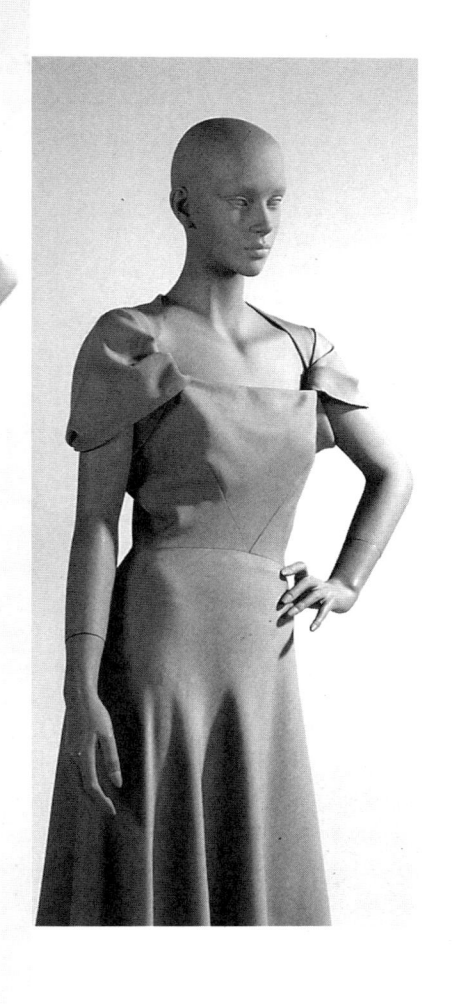

　後ろ身頃と袖を続け裁ちにし、肩でねじって前身頃のアームホールと縫い合わせ、胸もとに美しいドレープを表現している。前身頃のダーツ、後ろスカートのダーツは、布目にそった位置にとられている。

　スカートの縫い目線は、前ウエストラインから後ろへ、ヒップの丸みを包み込むような位置を通るように考えられているため、側面からのヒップラインの美しさが強調されて魅力的である。

　全パーツともにバイアス裁ちになっているため、ボディラインのフィット性がよく、動きがしなやかに見えるドレスである。

パターン（1）

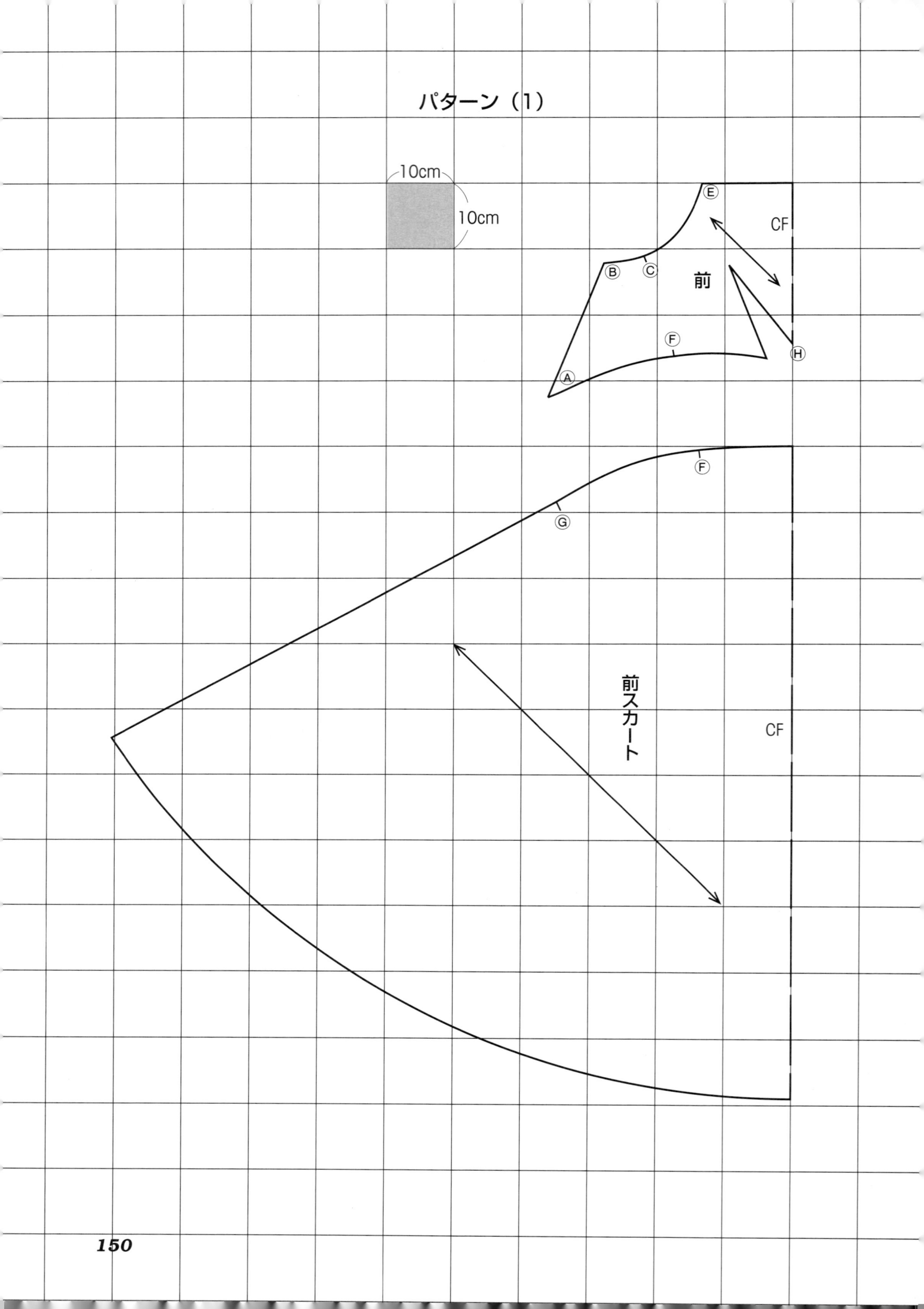

10cm
10cm

前

前スカート

CF

150

パターン（2）

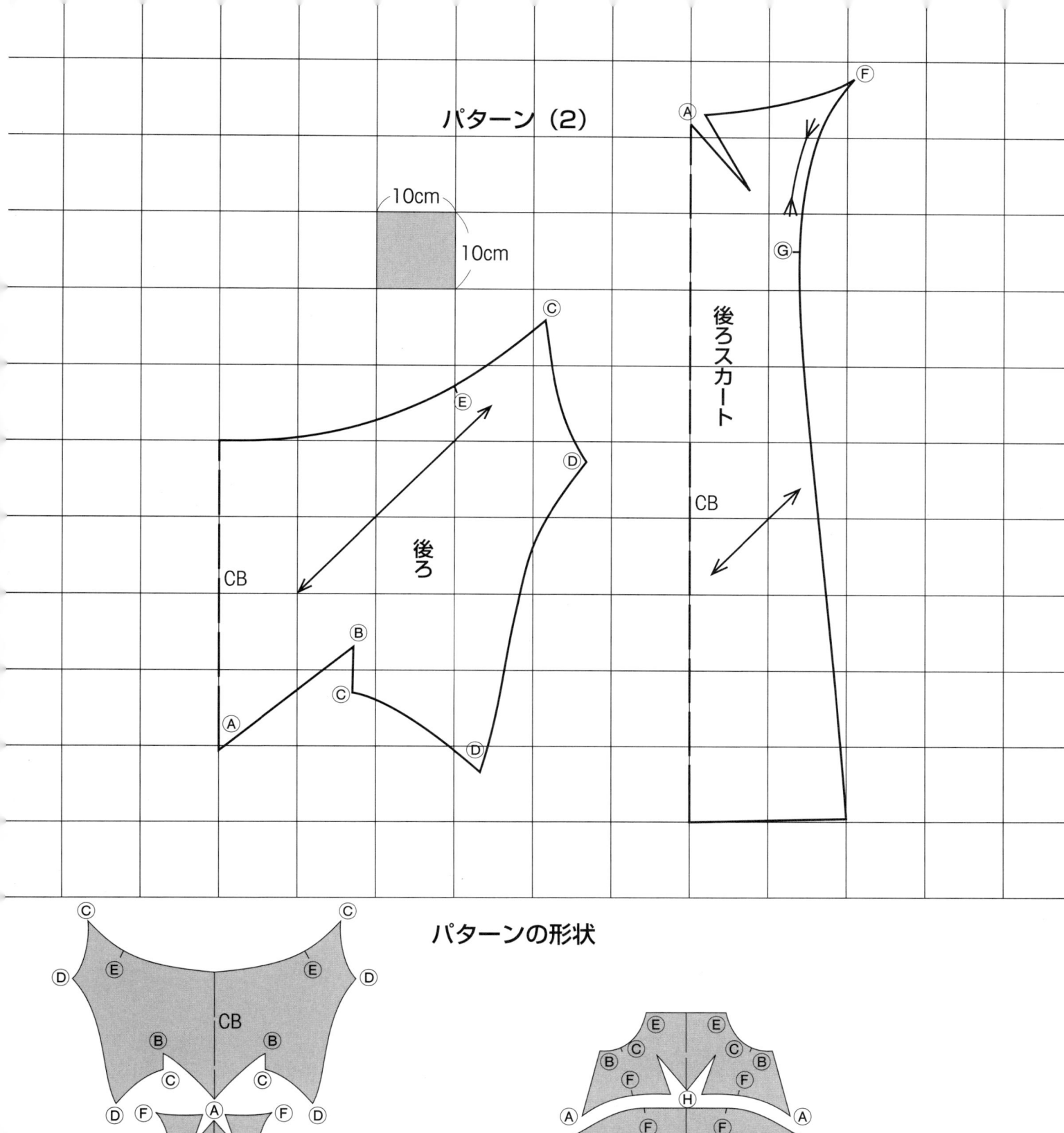

10cm
10cm

後ろスカート

後ろ

CB

CB

パターンの形状

151

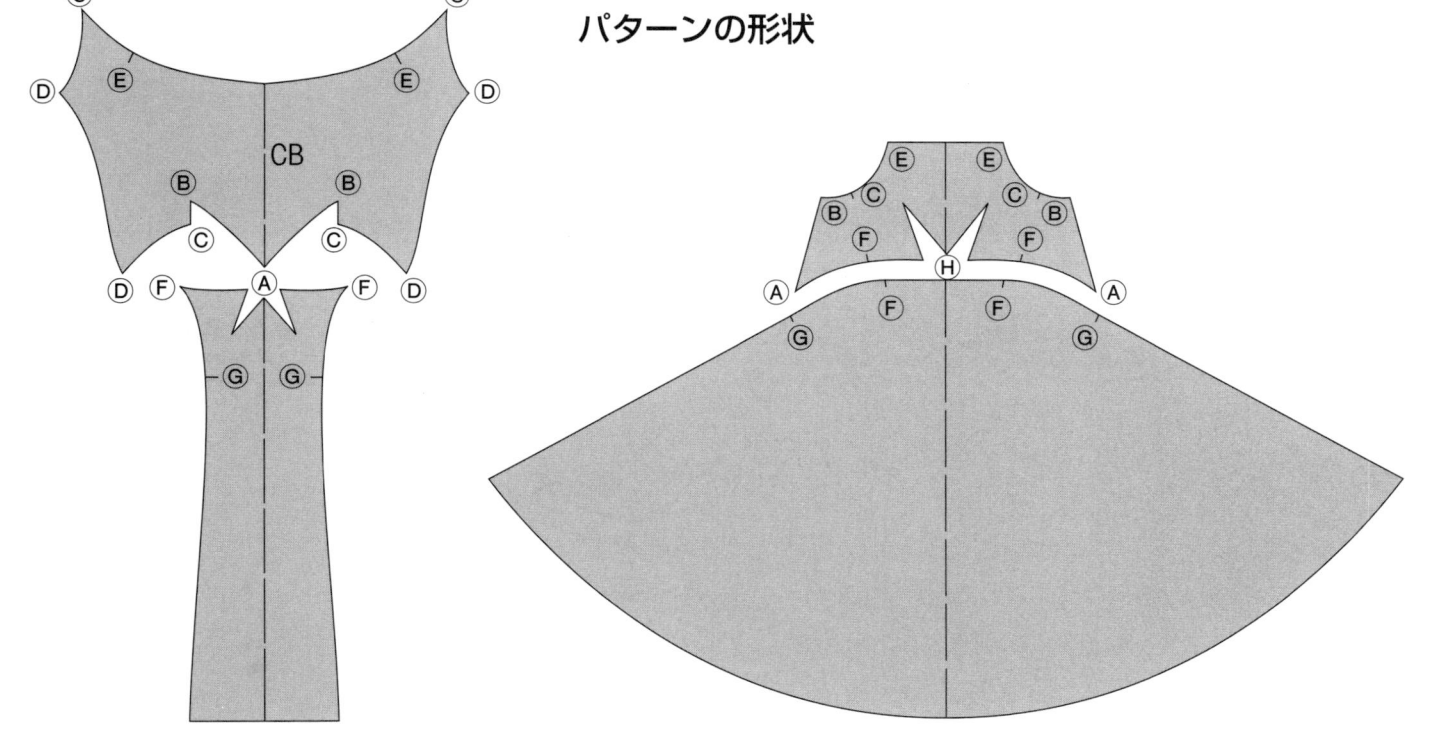

縫製順序

1 身頃を作る。
　前身頃のダーツを縫い、前後身頃Ⓐ〜Ⓑ間を縫う（図1、2）。
　Ⓒを持って前方内側に（図2の矢印の方向）2度ねじり（360度）、袖下縫い目となるⒸ〜Ⓓ間を縫う（図3）。
2 袖つけ線ⒷⒸⒺ間を縫う（図5参照）。

図1

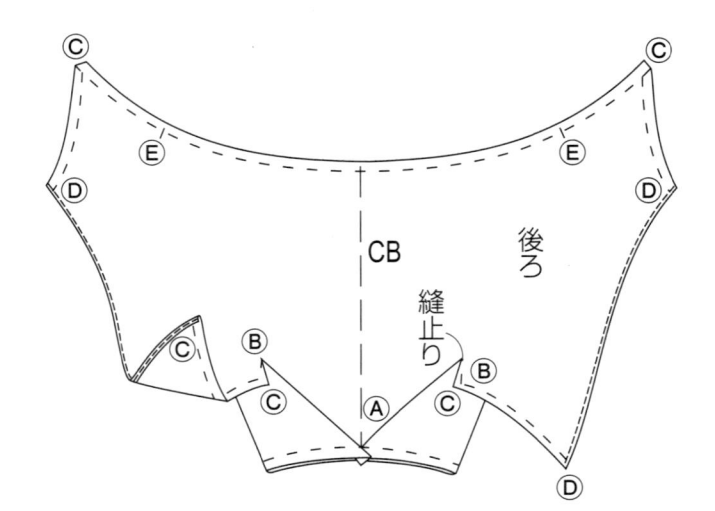

図2

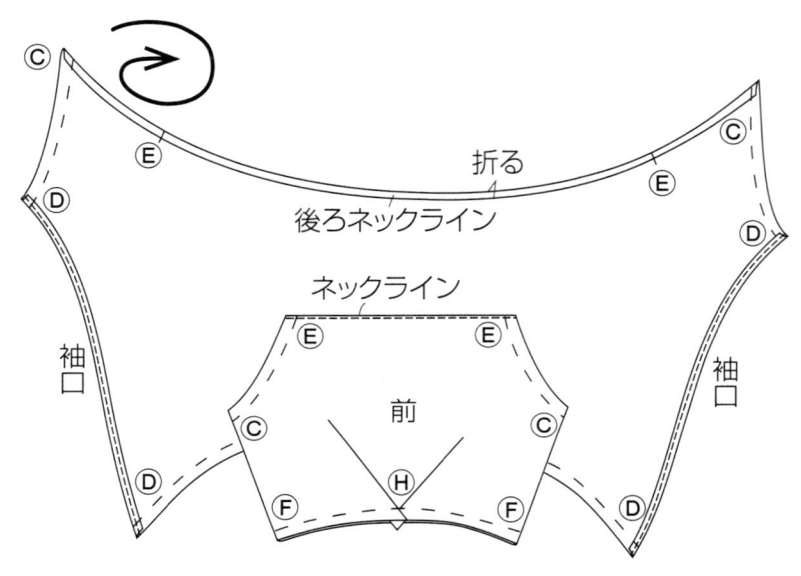

図3

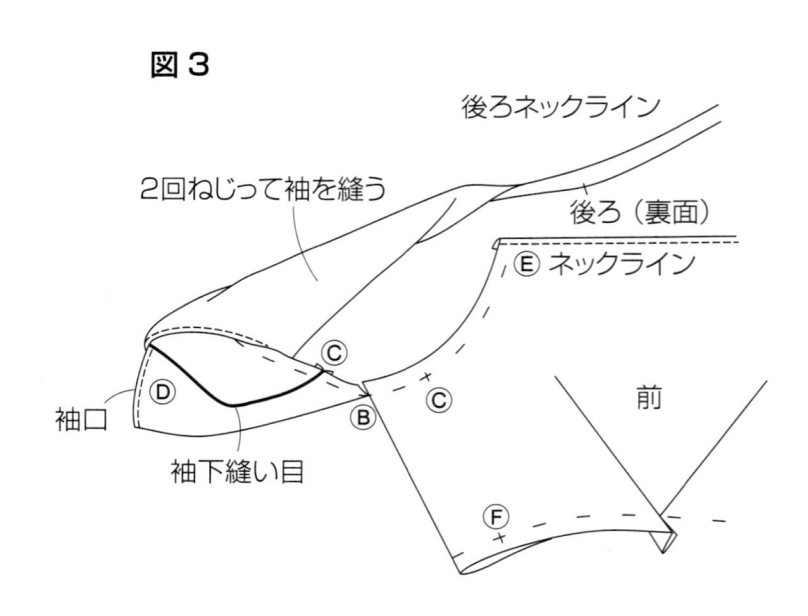

3 後ろスカートのダーツを縫い、前スカートと縫い合わせる（図4）。

図4

4 ウエストを縫い合わせる。

図5

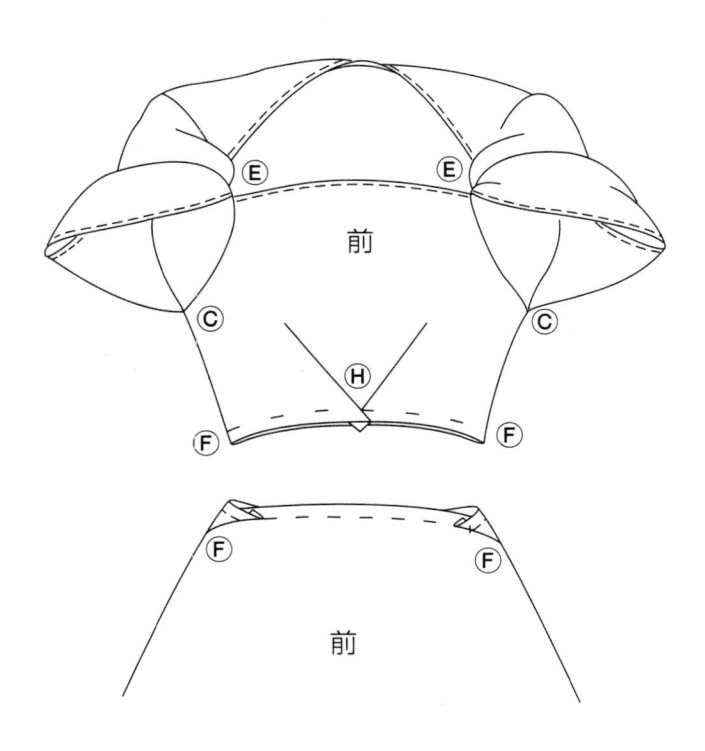

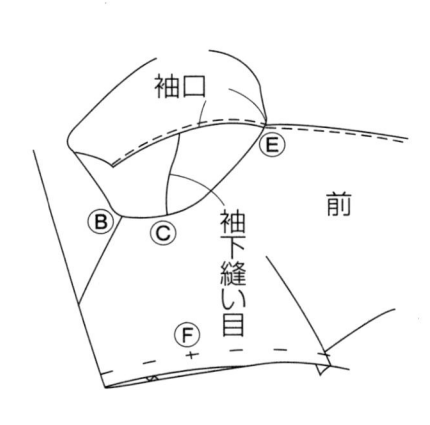

メビウスの環

バイアス裁ちにした2枚の布をはぎ合わせ、リング状になるように縫い返す。リング状のループを二つに折って首にかけて垂らし、ループに両手を通して胸もとで交差させて反対側のループの端を持ち（右手は左側のループを、左手は右側のループの端を持つ、写真1）、交差させた両手を一気に戻すと（写真2、3）、左右のループがねじれて衿もとに結び目ができる（写真4、5）。

スカーフの結び方

パターン

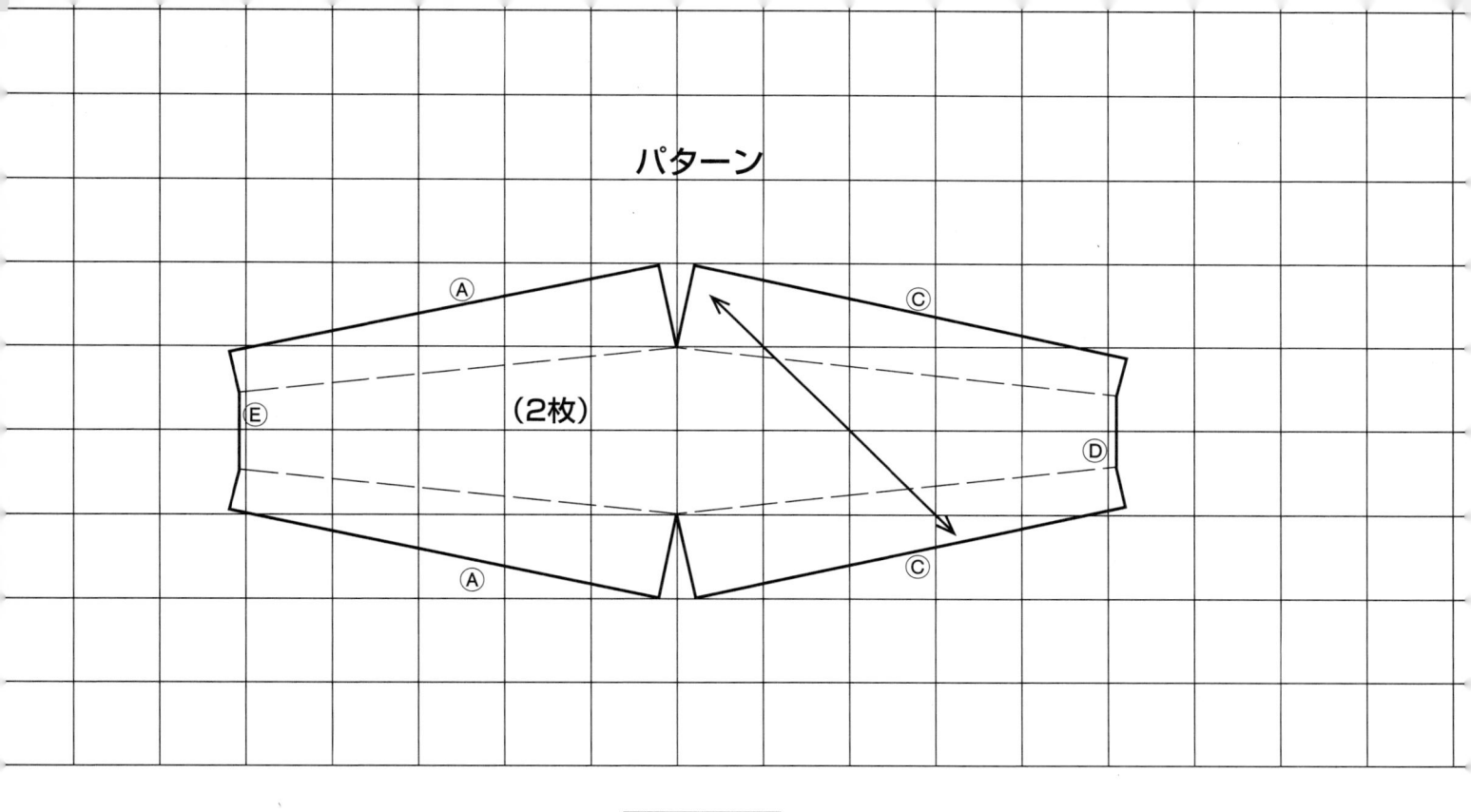

Ⓐ　Ⓒ
Ⓔ　（2枚）　Ⓓ
Ⓐ　Ⓒ

縫製順序

1　二つのパーツのダーツを縫い割り、Ⓔ側をはぎ合わせる（図1）。
2　筒状に縫い、縫い目を割って表に返す（図1）。
3　Ⓓ側の表になる側を中表にしてはぎ、裏側にまつる（図2）。

図1

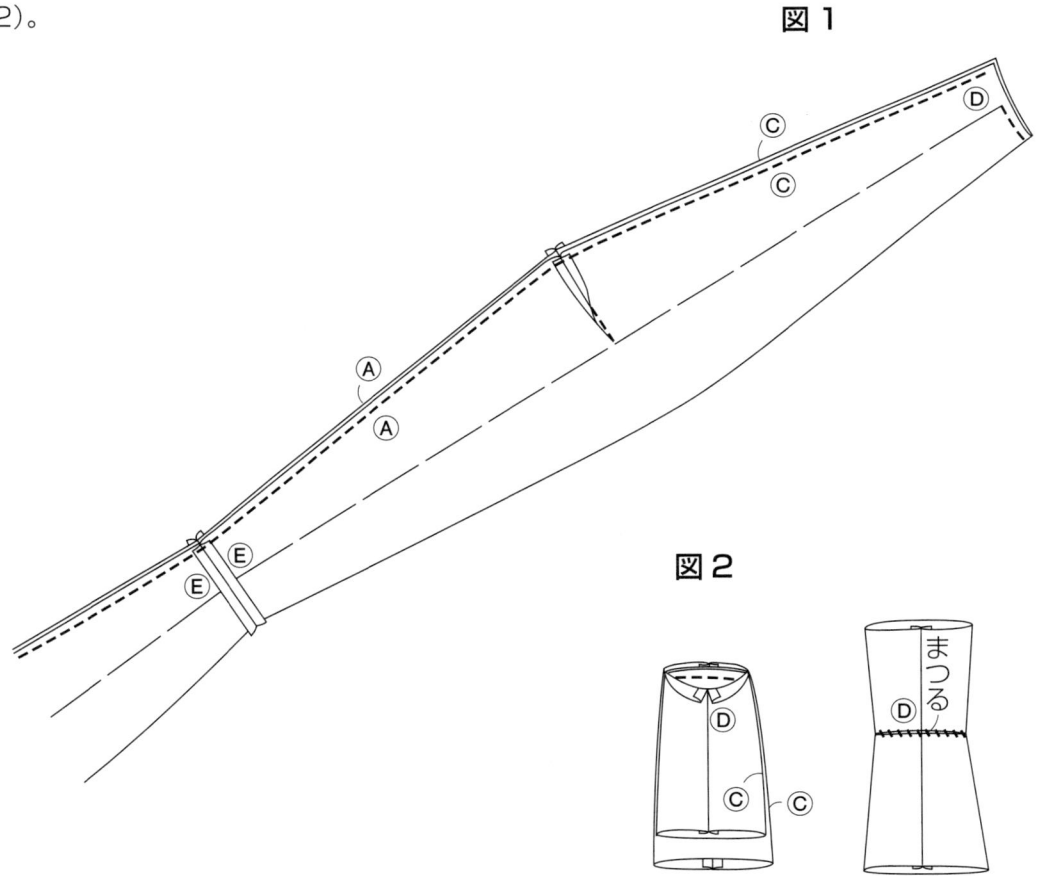

図2

まつる

155

『VIONNET』ベティ・カーク著、東海晴美編、求龍堂刊（初版1991年）

「女性が笑うとき、そのドレスも笑うように作らなければ」
　三宅一生や山本耀司、川久保玲、アズディーン・アライアなど、数多くのクリエイターに大きな影響を与えたマドレーヌ・ヴィオネ。バイアスカットの発明者、立体裁断の祖と言われ、現代のドレス・メーキングに大きな功績を残しました。本書は代表作38点のパターン図他、貴重なファッション写真、イラスト等500余点を掲載した画期的なバイオグラフィです。

お問合せ先　　　求龍堂　　　tel：03-3239-3381 ／ https://www.kyuryudo.co.jp
　　　　　　　　晴美制作室　　e-mail：info@harumi-inc.com ／ https://www.harumi-inc.com

VIONNET
（副読本）

編者
文化服装学院　ヴィオネ研究グループ

発行日
2002年10月1日　第1版第1刷
2022年9月1日　第4版第3刷

発行者
濱田勝宏

発行所
学校法人文化学園 文化出版局
〒151-8524
東京都渋谷区代々木3-22-1
TEL 03-3299-2474（編集）
　　03-3299-2540（営業）

印刷所
株式会社 文化カラー印刷

ⓒ Bunka Fashion College, 2002

・本書のコピー、スキャン、デジタル化等の無断複製は著作権法上での例外を除き、禁じられています。
　本書を代行業者等の第三者に依頼してスキャンやデジタル化することは、たとえ個人や家庭内での利用でも著作権法違反になります。
・本書で紹介した作品の全部または一部を商品化、複製頒布、及びコンクールなどの応募作品として出品することは禁じられています。

文化出版局のホームページ https://books.bunka.ac.jp/